Joachim Meyerhoff

Wann wird es endlich wieder so, wieder so, wie es nie war

Alle Toten fliegen hoch
Teil 2

Roman

Kiepenheuer & Witsch

Verlag Kiepenheuer & Witsch, FSC ® N001512

27. Auflage 2017

Illustration Katze: Felder KölnBerlin
Umschlaggestaltung: Rudolf Linn, Köln
Umschlagmotiv: © privat
Gesetzt aus der Adobe Garamond
Satz: Buch-Werkstatt GmbH, Bad Aibling
Druck und Bindung: CPI books GmbH, Leck
ISBN 978-3-462-04681-6

Das Buch

Ist das normal? Zwischen Hunderten von körperlich und geistig Behinderten als jüngster Sohn des Direktors einer Kinder- und Jugendpsychiatrie aufzuwachsen? Der junge Held in Joachim Meyerhoffs zweitem Roman kennt es nicht anders – und mag es sogar sehr. Sein Vater herrscht über 1200 Patienten, verschwindet zu Hause aber in seinem Lesesessel. Seine Mutter organisiert den Alltag, hadert aber mit ihrer Rolle. Seine Brüder widmen sich hingebungsvoll ihren Hobbys, haben für ihn aber nur Häme übrig. Und er selbst tut sich schwer mit den Buchstaben und wird immer wieder von diesem großen Zorn gepackt. Glücklich ist er, wenn er auf den Schultern eines glockenschwingenden, riesenhaften Insassen übers Anstaltsgelände reitet.

Joachim Meyerhoff erzählt liebevoll und komisch von einer außergewöhnlichen Familie an einem außergewöhnlichen Ort, die aneinander hängt, aber auseinandergerissen wird. Und von einem Vater, der in der Theorie glänzt, in der Praxis aber stets versagt. Wer schafft es sonst, den Vorsatz zum 40. Geburtstag, sich mehr zu bewegen, gleich mit einer Bänderdehnung zu bezahlen und die teuren Laufschuhe nie wieder anzuziehen? Oder bei Flaute mit dem Segelboot in Seenot zu geraten und vorher noch den Sohn über Bord zu werfen?

Am Ende ist es aber wieder der Tod, der den Glutkern dieses Romans bildet, der Verlust, der nicht wieder gutzumachen ist, die Sehnsucht, die bleibt – und die Erinnerung, die zum Glück unfassbar pralle, lebendige und komische Geschichten produziert.

Der Autor

Joachim Meyerhoff, geboren 1967 in Homburg/Saar, aufgewachsen in Schleswig, ist seit 2005 Ensemblemitglied des Wiener Burgtheaters. In seinem sechsteiligen Zyklus »Alle Toten fliegen hoch« trat er als Erzähler auf die Bühne und wurde zum Theatertreffen 2009 eingeladen. 2007 wurde er zum Schauspieler des Jahres gewählt. Für seinen Debütroman wurde er mit dem Franz-Tumler-Literaturpreis 2011 und dem Förderpreis zum Bremer Literaturpreis ausgezeichnet.

Weiterer Titel bei Kiepenheuer & Witsch: »Alle Toten fliegen hoch. Amerika«, Roman, 2011, KiWi 1277, 2013, »Wann wird es endlich wieder so, wie es nie war«, Roman, 2013.

KiWi
1383

Für Alma

Bis hierhin und nicht weiter

Mein erster Toter war ein Rentner.

Lange bevor in meiner Familie ein Unfall, eine Krankheit und Altersschwäche die nächsten geliebten Menschen verschwinden ließen, lange bevor ich hinnehmen musste, dass der eigene Bruder, der zu junge Vater, die Großeltern, ja selbst der Kindheits-Hund nicht unsterblich waren, und lange bevor ich in ein zwanghaftes Dauergespräch mit meinen Gestorbenen geriet – so heiter, so verzweifelt –, fand ich eines Morgens einen toten Rentner.

Ich war eine Woche zuvor sieben Jahre alt geworden und hatte diesem Geburtstag entgegengefiebert, da ich durch ihn endlich das Recht erwarb, den Schulweg allein zurückzulegen. Von einem Tag auf den anderen durfte ich nun stehen bleiben und weitergehen, wann immer ich es wollte. Das Gelände der Psychiatrie, in der ich aufwuchs, und auch die außerhalb der Anstaltsmauern liegenden Gärten, Häuser, Straßen und Gebüsche waren wie verändert, und ich entdeckte lauter Dinge, die mir in Begleitung meiner Mutter oder meiner Brüder noch nie aufgefallen waren. Ich machte etwas größere Schritte und kam mir unglaublich erwachsen vor. Dadurch, dass ich ein Einzelner war, vereinzelten sich auch die Dinge um mich herum. Gegenüberstellungen auf

Augenhöhe: Die Kreuzung und ich. Der Kiosk und ich. Die Schrottplatz-Mauer und ich.

Wie viele Entscheidungen ich plötzlich selbst treffen durfte, überraschte mich. An der Hand meiner Mutter hatte ich meist vor mich hin geträumt oder mit ihr geredet und mich, nie auf den Weg achtend, zur Schule bringen lassen wie einen Brief zum Postkasten.

Die erste Woche lang war ich brav, wie ich es hoch und heilig versprochen hatte, den verabredeten Weg gegangen – den Weg, in den mich meine Mutter mit allem Nach-links- und Nach-rechts- und wieder Nach-links-Gucken eingewiesen hatte, doch am darauffolgenden Montag beschloss ich, einen kleinen Umweg durch die Schrebergartensiedlung zu nehmen. Ich stieß ein grün vergittertes Tor auf und spazierte einen Pfad zwischen Miniaturanwesen, Bäumchen und Gemüsebeeten entlang. Ganz wohl war mir dabei nicht, da mein Vater mir das Betreten der Schrebergartensiedlung sogar ausdrücklich verboten hatte. »Das kommt öfter vor, dass sich in solchen Hütten irgendwelche Typen verstecken!«, hatte er mich gewarnt, »geh da bitte nicht lang. Abgemacht?« »Klar Papa, abgemacht!«

Ich pflückte mir einen unreifen Apfel, biss hinein, spuckte das saure Stückchen geschickt durch zwei Zaunlatten und schleuderte ihn so weit ich konnte über die Dächer. Ich wartete auf ein Geräusch, aber es blieb vollkommen still, so als hätte ich den Apfel direkt in die Schwerelosigkeit gepfeffert. Ich spuckte ein paar Mal aus und ging weiter. Ich hatte nicht damit gerechnet, dass die Schrebergartensiedlung so groß und unübersichtlich sein würde. An jeder Abzweigung hielt ich mich rechts und hoffte, so zu einem Tor zu gelangen, das ich genau kannte und von dem aus es nur noch ein paar Hundert Meter bis zu meiner Schule waren.

Ich sah auf meine neue Armbanduhr, die ich zum Geburtstag bekommen hatte, ohne sie mir gewünscht zu haben. Aber die Uhr war die Bedingung meiner neuen Selbstständigkeit. Schon fünf Minuten vor acht. Jetzt musste ich mich wirklich beeilen. Ich kam zu einem Gartenzaun, an dem ich schon einmal vorbeigekommen war, und ging schneller. Alle Wege sahen gleich aus, und ich versuchte, die Beklommenheit, die in mir aufstieg, zu ignorieren. Die verschlungene Lieblichkeit der eben noch aus frühmorgendlicher Ruhe erwachenden Schrebergartensiedlung war genauso dahin wie meine gerade erst geweckte Lust, sie ganz auf mich gestellt zu durchstreifen. Da hörte ich weit entfernt, aber deutlich die Schulglocke zur ersten Stunde klingeln. Ich rannte los. Der Schulranzen polterte so heftig gegen meinen Rücken, als würde mich ein übellauniger Kutscher antreiben.

Endlich kam ich auf eine lange Gerade, an deren Ende ich das gesuchte Tor sah. Als ich es erreichte, war es verschlossen, aber dahinter erkannte ich meinen Schulweg. Ich sprang in die Höhe und hielt mich an der Oberkante des Tores fest. Da das Gitter engmaschig war, rutschten meine Schuhspitzen immer wieder ab, und erst als ich meine Füße flach dagegendrückte, gelang es mir, ganz hinaufzuklettern. Ich schwang ein Bein auf die andere Seite, wollte das andere gerade nachziehen und hinunterspringen, als ich direkt im Garten links unter mir im Blumenbeet einen Mann liegen sah. Ich wusste sofort, dass es ein Toter war.

Noch heute wundere ich mich darüber, dass ich nicht im Geringsten erschrak und mich auf und davon machte. Im Gegenteil: Mit hoch gespannter Wissbegierde balancierte ich rutschend meinen Po auf dem Eisentor stückchenweise in seine Richtung. Jetzt konnte ich ihn noch besser sehen. Er war vollständig und, wie es mir vorkam, vornehm gekleidet. Ganz in Beige. Einer seiner hellbraunen sommerlichen Schuhe war ihm von der ebenfalls hellbraunen Socke gerutscht, sein Hemd steckte akkurat in der leichten Hose, und so einen geflochtenen Sommergürtel trug auch mein Vater hin und wieder. Seine Füße und Unterschenkel lagen auf der Wiese, der restliche Körper in den Blumen. Was es für Blumen waren, wusste ich nicht, aber sie waren prächtig und farbenfroh.

Warum war ich mir so sicher, dass es ein Toter war? Warum zog ich es nicht den Bruchteil einer Sekunde in Betracht, Hilfe zu holen? Warum kam es mir so vor, als ob diese Leiche für mich bestimmt wäre und mir gehörte?

Um seinen Oberkörper herum waren die Stängel geknickt, teilweise abgerissen, so als hätte er um sich geschlagen, sich im Todeskampf gewälzt, im Schmerz in die Pflanzen gegriffen. Er lag mit dem Gesicht nach unten, sein graues Haar war zerzaust. Ich konnte den Blick nicht abwenden, blieb auf meinem Aussichtstor sitzen und betrachtete ihn. Ich war hin- und hergerissen. Sollte ich mich zu ihm hinunterlassen, ins Blumenreich der Toten hinabsteigen oder doch auf der anderen Seite hinunterspringen – der Seite der Lebenden, der Autos, der Passanten und der unaufhaltsam fortschreitenden Schulstunde? Mein eines Bein hing über dem Garten, das andere über dem Gehweg. Ein Gedanke, erst noch etwas vage, verfestigte sich zu einer sensationellen Erkenntnis und bahnte sich schließlich seinen Weg über die Zunge zu den Lippen: »Ich hab einen Toten gefunden«, sagte ich leise, mehrmals und mit wachsender Begeisterung, »ich hab einen Toten gefunden.«

Ich sprang vom Tor auf die Straßenseite und rannte zur Schule, stieß das Schultor auf, jagte die Treppen hoch, sprengte in meine Klasse und überbrachte laut jubilierend die frohe Botschaft: »ICH HAB EINEN TOTEN GEFUNDEN!!!!« Die Lehrerin und alle Schüler sahen mich an, als

10

wäre der Heiland höchstpersönlich durch die Klassenzimmerdecke gebrochen. Was ist hier los? Sind die taub?, dachte ich, riss meine Arme in die Höhe, ballte die Fäuste zum Sieg und brüllte noch lauter als zuvor: »IIIIICH HAAAAAB EINEN TOOOOOTEN GEFUNDEN!!!!!«

»Sag mal, was ist denn mit dir los«, fuhr mich da die Lehrerin mit einer mir völlig unverständlichen Gereiztheit an, »bist du noch zu retten? Hier so reinzuplatzen? Spinnst du?« Da überkam mich eine tief empfundene Nachsicht mit der Begriffsstutzigkeit meiner mich ungläubig beäugenden Mitschüler und mit den unpädagogisch entglittenen Gesichtszügen der Lehrerin. Ich durfte diese Menschen nicht überfordern. Siegessicher und betont langsam weihte ich sie in meinen Sensationsfund ein. »Bei den Schrebergärten liegt einer – das ist ein Toter. Den hab ich gefunden. Der – ist – tot!«, buchstabierte ich überdeutlich in all die offen stehenden Münder hinein. »Der liegt da zwischen den Blumen. Ein Mann. Ein Toter. Ich hab den gefunden. Ja, ich. Ich hab einen Toten gefunden!« »Setz dich mal auf deinen Platz.«

Ich schlenzte mir den Schulranzen vom Rücken und ließ mich auf meinem Stuhl nieder. Mein Gott, wie niedrig die Tischplatte war. Meine Knie passten kaum unter die Ablage. Doch das wunderte mich nicht. Wer im Besitz eines Toten ist, macht einen Sprung nach vorn, der schießt in die Höhe, der dehnt sich aus und hat einen entscheidenden Vorsprung. Die Lehrerin erhob sich von ihrem Pult, welches mir so winzig und kümmerlich vorkam wie nie zuvor, trat auf mich zu, ging in die Hocke und sah mich ernst an. Noch oft im Leben sollte mir dieser Blick begegnen, dieser Blick, der einem unmissverständlich klarmacht: »Bis hierhin und nicht weiter. Das ist jetzt nicht mehr lustig.« Dieser Blick, der einen vor die Wahl stellt, sich als Münchhausen, als Lügenbaron aus der Gemeinschaft wahrheitsliebender und aufrichtiger Mitmenschen zu verabschieden und ein unrettbarer Hochstapler zu werden oder aber zu gestehen, zu bereuen und sich von allen Unwahrscheinlichkeiten mit Abscheu abzuwenden.

Lange sah sie mich so an: »Also, was ist los? Sag die Wahrheit: Du hast *was* gefunden?« Ich schwieg. So, als ob mir ihre Stimme den Rückweg aus meiner Verirrung offenhalten wollte, sprach sie ein umarmendes, alle Last von den Schultern nehmendes »Komm, sag schon: Was ist wirklich passiert?«. Ich war noch außer Atem von meinem rasanten Lauf, oder richtiger, die Atemlosigkeit brach überhaupt erst jetzt aus, da ich in aller Ruhe antworten sollte.

»Ich hab was gefunden.« »Und was, bitte?« Ich schnappte nach Luft: »Einen Toten!« »Einen Toten?« »Ja.« »Und wo?« »Bei den Schrebergärten.« Noch nie, während keiner Unterrichtsstunde, ja selbst wenn der zum Schlüsselbundwerfen neigende, im Krieg durch einen Kopfschuss schwer verwundete Direktor einen erkrankten Lehrer bei uns vertrat, war es so totenstill im Klassenraum gewesen.

Je mehr ich bedrängt wurde, desto unsicherer wurde ich. Auf meinem Toten zu beharren schien plötzlich viel schwerer zu sein, als ihrer Ungläubigkeit nachzugeben und allem einfach abzuschwören, »Sie haben vollkommen recht. Entschuldigen Sie bitte« zu sagen oder »Ich glaube, ich hab mich getäuscht. Da war doch nichts. Eine Hose, ja eine Hose vielleicht, eine umgekippte Vogelscheuche. Genau, das war's. Es tut mir so leid, dass ich zu spät gekommen bin. Es war eine Ausrede. Ich habe gar nichts gefunden und ganz sicher keinen Toten«.

Aber so leicht gab ich mich nicht geschlagen, auch wenn sie jetzt den Druck erhöhte: »Wenn das stimmt, was du da sagst, dann muss ich die Polizei rufen. Die gehen dahin, und wenn dann da nichts ist, dann – und das verspreche ich dir – bekommst du einen Heidenärger.« Oh nein, Polizei, dachte ich, was tun? Vielleicht hatte ich mich ja wirklich getäuscht, war er doch nur bewusstlos gewesen oder hatte etwas in den Blumen gesucht. Vielleicht, dachte ich verzweifelt, ist er schon längst wieder aufgestanden, hat sich seinen Schuh angezogen, die Blumen aufgerichtet, die Haare gekämmt und sich in einen Liegestuhl vor sein adrettes Häuschen gesetzt. Der Polizist würde an sein Gartentörchen treten, stellte ich mir vor, und ihn begrüßen: »Guten Tag, entschuldigen Sie die Störung, haben Sie hier irgendwo einen Toten gesehen?« »Einen Toten? Nein, Herr Wachtmeister, also ganz sicher nicht.« »Ein kleiner Junge hat behauptet, hier läge einer.« »Also so einen Quatsch hab ich ja schon lange nicht mehr gehört. In meinem Garten? Ein Toter? Das wüsste ich aber. Was sich diese Knirpse so alles ausdenken, was?« »Da haben Sie allerdings recht. Schönen Tag noch.«

Was sollte ich nur tun? Alle sahen mich an. Selbst die im Werkunterricht gefertigten Knetgummidinosaurier auf den Fensterbänken schienen mich skeptisch anzuglotzen. Aber es war doch wahr, wahr, wahr! »Ja«, sprach ich, »ich habe ihn gesehen. Im Gras. Er war tot!« »Gut.« Sie nickte. »Bleibt bitte alle – und wenn ich alle sage, meine ich alle – im Klassenzimmer auf euren Stühlen sitzen, ich bin gleich wieder da.«

Sobald sie aus der Tür war, kamen alle, aber wirklich alle zu mir gerannt. »Echt?« »Wo denn?« »Wie sah der aus?« »War der schon verfault?« Ich lehnte mich zurück und gab Antwort: »Nee, kein bisschen.« »Woher wusstest du, dass er tot war?« »Das sah man.« »Ey, wenn der noch gelebt hat?« »Vielleicht ein Mord?« »Hast du Blut gesehen?« Ich war kurz davor, der Versuchung nachzugeben und ein ganz klein bisschen Blut an seinem Hinterkopf entdeckt zu haben. Ich sah es genau vor mir. »Mord wäre natürlich schon möglich«, sagte ich, »an seinem … Nein, also Blut habe ich nicht gesehen.«

Die Lehrerin kam zurück, und die Schüler spurteten auf ihre Plätze. Sie stellte sich hinter ihr Pult, hob Schweigen gebietend die Hände und rief: »Du sollst zum Direktor kommen.« Ich stand auf und ging zur Klassenzimmertür. Sie kam zu mir, legte mir ihre Hand auf den Rücken, deren Wärme augenblicklich durch meinen Pullover drang, mir wie eine heiße Ermahnung in die Haut hineinglühte, und warnte mich flüsternd, in einem unbehaglichen Tonfall, sodass es die anderen Schüler nicht hören konnten: »Noch kannst du mir die Wahrheit sagen. Du weißt, der Direktor hasst es, wenn er angelogen wird. Also, du bist dir ganz sicher?«

Ihr Vertrauen in mich stand auch deshalb auf tönernen Füßen, da sie mich erst kürzlich einer Lüge überführt hatte. Keine große Sache, wie ich fand. Auf dem Schulhof hatten sich zwei Jungs geprügelt. Noch nie hatte ich eine Schlägerei gesehen, aber um die Kämpfenden hatte sich eine dichte Traube von Kindern gebildet. Ich versuchte, mich hineinzuquetschen, aber es gelang mir einfach nicht. Ich hörte Schnaufen und Anfeuerungsrufe. Da sah ich unsere Lehrerin über den Schulhof rennen. Gleich würde das Spektakel beendet werden. Ich rief: »Ich will auch was sehen!« Keine Chance. »Mensch, lasst mich da durch! Ich will auch was sehen!« Wieder keinerlei Reaktion. Und dann schrie ich, ohne zu überlegen, so laut ich konnte: »Ich bin Arzt!« Der äußere Rand der Schaulustigen gab nach und ich bahnte mir einen Weg. »Lassen Sie mich durch. Ich bin Arzt!!« Es bildete sich ein Spalier, an dessen Ende ich endlich die sich brutal schlagenden Jungen sah. So schritt ich hinein ins Zentrum: ein siebenjähriger Arzt auf dem Weg zu seinem ersten Notfall.

Da packte mich die Lehrerin im Nacken und schob mich zur Seite. »Wir sprechen uns später, verstanden?«, und sie stürzte sich wie ein beherzter Schiedsrichter zwischen die am Boden ineinander verkeilten Ringer.

In der nächsten Pause musste ich zu ihr ins völlig verrauchte Lehrerzimmer kommen, mich an einen Tisch setzen und Rede und Antwort stehen. »Was hast du da gerufen?« »Ich weiß nicht mehr.« »Das weißt du ganz genau. Lüg mich nicht an.« Ich senkte, eher zum Zeichen denn aus Überzeugung, schuldbewusst mein lockiges Haupt. »Du wiederholst jetzt sofort, was du gerufen hast! Oder ich ruf deine Eltern an.« »Ich bin Arzt!« »Bist du verrückt geworden? Was soll denn das?« »Ich wollte sagen: Mein Vater ist Arzt.« »So ein Quatsch! Und warum?« »Ich wollte was sehen.« »Was gab es denn da zu sehen?« Die Lehrerin sprach mit mir wie mit einem Begriffsstutzigen, gedehnt, überdeutlich: »Du – bist – kein – Arzt!« Ich nickte. »Wer – ist – Arzt?« »Mein Vater!« Ich sprach direkt in einen Aschenbecher vor mir, und winzige Rußpartikel schwebten in die Höhe, während ich in ihn hineinbeichtete. »Gut, geh jetzt.«

Selbst noch in den verlassenen Gängen auf dem Weg zum Direktor spürte ich die heiße Hand der Lehrerin auf meinem Rücken. Der Direktor saß hinter einem monströsen Schreibtisch. Weder die Tür noch die Fenster seines Zimmers erschienen mir groß genug, um diesen Klotz hineinzubekommen. Die ganze Schule musste um diesen Schreibtisch herumgebaut worden sein. Sofort geriet ich ins Träumen, sah einen massiven Schreibtisch an einem Kran in der Luft schweben. Bauarbeiter rufen »Etwas höher! Etwas weiter links! So ist gut!« und positionieren das Riesenmöbel perfekt ins Nichts, während drum herum die Mauern meiner Schule hochgezogen werden.

»Wo hast du ihn gefunden?« »Was?« »Wo hast du den Mann gefunden?« »Direkt oben beim Tor. Das ist aber zu.

Dahinter liegt er im Garten.« »Bist du sicher?« »Ich glaube schon.« »Wie – du glaubst?« Er sah mich mit einem durchdringenden Blick an, einem richtigen Direktorenblick, der mir aber etwas stumpf vorkam, etwas verbraucht. Ich war mir sofort sicher, dass er exakt mit diesem Blick schon Hunderte, wenn nicht sogar Tausende Kinder anvisiert hatte.

»Entweder du hast ihn gesehen, den Toten, oder nicht! Weißt du, ich hab in meiner Jugend viele Tote gesehen, deren Anblick vergisst man nicht so leicht.« Er sah mir tief in die Augen, aber doch irgendwie durch mich hindurch in eine andere Zeit. »Wenn die mit verdrehten Armen und Beinen gefroren im Schnee liegen, das ist kein schöner Anblick. Gegen die Kälte haben wir uns von den toten Russen die Jacken geklaut. Mir fehlen vier Zehen.« Der Direktor nahm seine Brille ab, und ich sah in seinem kahlen Schädel eine Furche, die der Bügel in die Haut gedrückt haben musste. Dieser Mann war mir zutiefst suspekt. In einer Vertretungsstunde hatte er sein Akkordeon mitgebracht, Volkslieder gesungen und schließlich geweint. Minutenlang heulte er vor der Klasse und zog das Akkordeon auf und zu, ohne dass es einen Ton von sich gab. Wie ein faltiges Tier rang das Instrument um Atem, hockte ihm röchelnd auf dem Schoß und verendete erst, als es klingelte.

»Sag mal, hörst du mir überhaupt zu?« »Was? Ja sicher. Also, ich hab einen gesehen. Ganz sicher. In den Blumen.« »Sicher?« »Sicher.« »Gut!« Er nahm einen schon zu dieser Zeit altmodischen, pechschwarzen Riesentelefonhörer vom Riesentelefon. »Guten Tag. Schule Nord, Direktor Waldmann. Ich möchte etwas melden. Einer unserer Schüler hat in den Schrebergärten einen Toten gefunden.« Er hörte zu, sah mich an. »Wann war das?« »Um acht, eine Minute nach acht!«, gab ich, glücklich darüber, wenigstens dies genau zu wissen, zur Antwort. Er sagte noch zweimal »Ja, gut« und legte auf. »Du kannst jetzt zurück in die Klasse gehen.« Wie, dachte ich, das soll es schon gewesen sein? Halb aus der Tür getreten, drehte ich mich wieder um »Soll ich denn den Polizisten nicht die Stelle zeigen, wo er liegt?« »Wenn es ihn gibt, werden sie ihn schon finden. Geh jetzt. Und Grüße an deinen Vater.« »Mach ich.«

Auf dem Rückweg in meine Klasse kam mir plötzlich die Idee, aus der Schule heraus zum Gartentor zu rennen und der Polizei zuvorzukommen, um nachzusehen, ob er noch da war. Aber in diesem Moment klingelte es, die Schüler strömten aus den wild aufgestoßenen Türen, und meine Überlegung ging im allgemeinen Trubel unter. Mitschüler umringten mich, löcherten mich mit Fragen nach dem Rentner, und anfangs gelang es mir sogar noch, die ganze Sache wahrheitsgetreu zu erzählen. Aber bald schon war es einfach zu verlockend, durch kleine Ausschmückungen meine Fragesteller und Zuhörer, darunter auch mehrere Mädchen, weiter in meinen Bann zu schlagen. Auf die Frage »Hast du sein Gesicht gesehen?« hatte ich zuerst immer mit einem klaren Nein geantwortet. Doch dann, beim dritten oder vierten »Bist du sicher, dass du nicht mehr gesehen hast?«, antwortete ich: »Vielleicht doch ein wenig. Die Nase.« »Aber wenn du seine Nase gesehen hast, musst du doch auch ein Auge gesehen haben?« »Hab ich ja auch. Die Nase und das eine Auge.« »War es auf oder zu?« »Es war ….«, ich wurde sehr leise, »… auf.« Meine Frager hatten solch eine Sehnsucht nach dem Gesicht des Verblichenen, dass sie ihn durch die Intensität ihrer Fragen nach und nach auf den Rücken drehten. Ich wollte sie nicht enttäuschen. Von Pause zu Pause wurde mein Toter gruseliger. Gegen zehn Uhr starrten seine geöffneten Augen in den Himmel, gegen zwölf Uhr hing aus dem zahnlosen Rentnermund bereits eine weißliche Zunge heraus, und der Beginn der letzten Schulstunde verhinderte nur knapp, dass ihm ein schwarz schillernder Käfer in den Schlund krabbelte.

Nach Schulschluss – in keiner Unterrichtsstunde hatte ich an diesem Vormittag auch nur das Geringste mitbekommen, da ich besessen an den Details feilte – durchbrach ich schließlich auch noch den letzten Wahrheitswall. Von einem ganzen Pulk umringt, fabulierte ich mich auf dem Pausenhof um Kopf und Kragen. Der Klassenprimus, der oft tagelang fehlte, da er an Schachturnieren in beiden Teilen Deutschlands teilnahm, und mich sonst keines Blickes würdigte, fragte: »Und du bist dir zu hundert Prozent sicher, dass er nicht mehr gelebt hat?« »Ja, eigentlich schon, obwohl …« Ich sah nachdenklich in die gebannt an meinen Lippen hängende Runde, tat plötzlich überrascht, so als würde mir ein bisher entgangenes Puzzleteil der Geschichte wieder einfallen: »Obwohl, wenn du mich so fragst … Zwei Finger der … warte mal … ja, der linken Hand haben sich unter den Blumen bewegt.« »Unter den Blumen? Wie konntest du das denn dann sehen?«, warf sein vom Schachspielen bis zum Anschlag auf Logik trainiertes Hirn ein. »Na ja«, sagte ich, überwältigt von der Aufmerksamkeit, die mir zuteilwurde, die Spannung genießend, »seine beiden Finger sind ganz langsam, wie Würmer aus der Erde, durch das Blumengestrüpp hindurch an die Oberfläche gekrabbelt.«

Die Reaktionen meiner Familie auf meinen Toten waren ganz unterschiedlich. Meine Mutter drückte mich an sich und tröstete mich: »Du Armer, ist wirklich alles in Ordnung mit dir? Das klingt ja schrecklich.« Mein psychologisch geschulter Vater sprach mit mir über die Vergänglichkeit des Lebens, rückte meinen Fund in einen allumfassenden Kontext und klärte mich über die Todesart des Rentners auf:

»Das klingt ganz nach einem Herzinfarkt. Er wird nicht gelitten haben. Eigentlich ein guter Tod. Morgens beim Blumenpflücken.« Danach, was ich trotz seines Verbotes überhaupt in den Schrebergärten zu suchen hatte, fragte er zu meiner Erleichterung nicht.

Meine beiden älteren Brüder glaubten mir kein Wort, obwohl ich zur ursprünglichen Fassung meiner Leichenfunderzählung so gut ich mich nach all den Ausschmückungen überhaupt noch an sie erinnern konnte – zurückgekehrt war. Erst nachdem ich einen meiner Tobsuchtsanfälle bekommen hatte, bitterlich weinte und schluchzte »Warum glaubt ihr mir nicht? Ich schwöre es, bei allem was mir heilig ist, ich schwöre es bei meinem Leben: Ich hab einen Toten gefunden!«, trat allmählich Bewunderung anstelle ihres Skeptizismus. Sie trösteten mich und quetschten jede noch so winzige Einzelheit aus mir heraus.

Dass sich allerdings in den nächsten Tagen kein einziger Polizist bei mir meldete, dass ich nicht in die Zeitung kam – ich stellte mir ein großformatiges Bild vor, auf dem ich ernst aussehend mit dem Finger auf die Fundstelle zeigte – und dass es für Tote keinen Finderlohn gab, all das kränkte mich nachhaltig.

Wieder und wieder musste ich in den folgenden Wochen von meinem Fund berichten. In der Schule, im Schwimmverein, meinen Brüdern, Verwandten und den Freunden meiner Eltern. Ich verfeinerte die Geschichte, merkte mir gelungene Formulierungen und entwickelte sogar so etwas wie auf die Zuhörerschaft abgestimmte Varianten. Meine Mitschüler und Brüder wollten sich gruseln, das Wort »verwest« war eine sichere Bank, und der Satz »Seine geöffneten Augen starrten in den Himmel. Sie waren leicht verwest« ließ auch mich jedes Mal aufs Neue erschaudern. Männliche Erwachsene galt es durch kindlich resolutes Handeln zu beeindrucken: »Ich hab mir alles genau eingeprägt: Uhrzeit, Fundstelle, die Haltung der Leiche, und bin losgerannt, direkt zum Direktor, und hab alles gemeldet!« Dem weiblichen Publikum gegenüber ließ ich nach und nach meine Scheu vor zu großem Pathos fahren und servierte schamlos Sätze wie diesen: »Ein Windhauch wehte abgerissene Rosenblüten über den steifen Körper. Einige verfingen sich in seinem grauen Haar.«

Natürlich war es mir vollkommen klar, dass ich log, aber es kam mir so vor, als würde die Geschichte ein Eigenleben führen und ich die Verantwortung dafür tragen, ihr zu genügen, mich ihrer würdig zu erweisen. Wer findet schon einen Toten? Ich wollte unbedingt, dass sich dieses außergewöhnliche Ereignis bei mir wohlfühlte, wollte, dass es bei mir blieb, und beschenkte es verschwenderisch mit Girlanden und Arabesken.

Da geschah etwas für mich Unfassbares, etwas, das bis heute mein Leben geprägt hat. Ich erzählte meine Rentnergeschichte zum ich weiß nicht wievielten Mal, diesmal einem Freund meines ältesten Bruders. Wie immer begann ich mit meinem Entschluss, den Schulweg zu verlassen, warf den unreifen Apfel, baute die Spannung auf, verirrte mich, kletterte über das Tor und entdeckte den in seinem Beet zusammengebrochenen Mann. Um mich nicht zu langweilen, erfand ich immer neue Einzelheiten und sagte schließlich: »Da sah ich, dass er einen Ring am Finger trug. Der sah richtig wertvoll aus. Kurz überlegte ich, vom Tor zu klettern und ihm den Ring vom Finger zu ziehen. Aber da klingelte die Schulglocke, und ich rannte davon.«

Während ich das mit dem Ring erfand, schoss mir plötzlich ein heißer Schauer über den Rücken, und ich sah den

Ring tatsächlich vor mir. Es stimmte! Ich hatte es gar nicht erfunden. Mein Toter trug einen goldenen Ehering an seiner leblosen linken Hand!

Ich rief: »Das stimmt. Das stimmt ja wirklich! Er trug einen Ring!« Mein Bruder und sein Freund sahen mich verständnislos an. »Wie, was soll denn das heißen: Das stimmt?« »Na, das mit dem Ring. Das stimmt wirklich!«

Nie werde ich diesen Augenblick vergessen. Ich hatte etwas erfunden, das wahr war. Der ausgedachte Ring, der aus der Luft gegriffene Ring hatte den tatsächlichen Ring, den wahrhaftigen Ring wieder zum Leben erweckt. Wie ein archäologisches Instrument hatte die Lüge ein eingeschlossenes Detail herausgekratzt und den Tiefen des Gedächtnisses wieder entrissen.

Für mich war das eine unfassbar befreiende Erkenntnis: Erfinden heißt Erinnern.

Zuhause in der Psychiatrie

Das Landeskrankenhaus für Kinder- und Jugendpsychiatrie, in dem ich aufgewachsen bin, hieß damals und heißt auch noch heute »Hesterberg«. Es ist das größte seiner Art in Schleswig-Holstein. Mein Vater war Kinder- und Jugendpsychiater, und als er dort Direktor wurde, gab es über eintausendfünfhundert Patienten. Gegründet wurde die Anstalt bereits 1817 von einem Herrn namens Dr. Suadicani, der sich mit der Bitte um den Bau einer Irrenanstalt »zur Rettung dieser unglücklichsten Menschen, deren Not zum Himmel schreit«, an den König gewandt hatte. Alle paar Jahre wurde sie umbenannt. Zuerst hieß sie »Provinzial-Irrenanstalt«, dann »Provinzial-Idiotenanstalt«, dann »Provinzial-Heil-und Pflegeanstalt für Geistesschwache«. Dann spezialisierte sie sich auf junge Menschen und nannte sich »Heil- und Erziehungsanstalt für blöd- und schwachsinnige Kinder« und schließlich, nach hundertfünfzig Jahren, »Klinik für Kinder- und Jugendpsychiatrie Hesterberg«.

Es wohnten allerdings auch viele ältere und sogar sehr alte Patienten in der Klinik, die niemals in die Erwachsenen-Psychiatrie verlegt wurden, da ihnen das Verlassen ihrer meist schon seit dem Kleinkindalter vertrauten Umgebung nicht zuzumuten war.

Bis auf eine kurz vor der Einweihung stehende moderne

Klinik stammten die Gebäude aus der Zeit der Jahrhundertwende. Riesige düstere Backsteinkästen, in denen bis zu zwanzig Patienten in einem Zimmer schliefen. Lange Leitern standen an den vierstöckigen Hochbetten. Die oberen Betten konnte man verriegeln, es waren eher kleine Käfige als Betten, damit die Patienten nicht herausfielen.

Das Gelände der Psychiatrie war groß und eine Welt für sich. Es gab eine Gärtnerei, eine Großküche, eine Tischlerei, eine Schneiderei, eine sogenannte Dampfwaschanstalt, sogar ein eigenes Kohleheizwerk mit rot gemauertem Schornstein und eine Schlosserei, in der fast ausschließlich Gitter geschweißt wurden: Fenstergitter, Gitterbetten, meterhohe Umzäunungsgitter für die Stationsgärten. An einigen dieser Orte arbeiteten Patienten in einer Mischung aus Arbeitstherapie und Ausbeutung.

Unser Haus war der Mittelpunkt dieser Anlage. Die Direktorenvilla war vom Gründer der Psychiatrie ganz bewusst im Zentrum platziert worden. Der prunkvolle Bau war gleichermaßen eine Machtdemonstration wie auch ein Bekenntnis, als Direktor nicht außerhalb dieser Welt zu stehen. So bin ich aufgewachsen. Inmitten von eintausendfünfhundert psychisch Kranken, geistig und körperlich Behinderten. Meine Brüder und ich gaben den Patienten die unterschiedlichsten Namen. Wir nannten sie knallhart Idioten, Irre oder Verrückte. Aber auch die Dödies, die Blödies, die Tossen, Spaddel, Spackos und Spasties. Oder die Psychos, Mongos, die Deppen, Debilen und Trottel – der Favorit meines ältesten Bruders war: die Hirnies. Sie so zu nennen war für uns vollkommen normal. Selbst meine Eltern benutzten hin und wieder, wenn wir unter uns waren, einen dieser Ausdrücke.

Die Hälfte meines Schulweges führte mich jeden Morgen durch die Psychiatrie, und ich traf dort auf die immer selben Patienten. Gleich auf der ersten Bank, wenn ich unseren Vorgarten durch ein Törchen verlassen hatte, saß ein Junge, der nichts lieber tat, als Zigaretten mit einem einzigen Zug niederzurauchen. Er wartete dort auf meinen Vater, der ihm oft eine seiner Roth-Händle gab. Der Junge hechelte, stieß alle Luft aus, steckte sich die Zigarette in den Mund, zündete sie an und zog und zog. Ein einziger Zug – und die ganze Zigarette brannte ab! Dann spuckte er den Stummel zu den anderen vor die Bank, atmete langsam aus – so viel Rauch! – und saß da, in Schwaden gehüllt, mit glücklich vernebelten Augen.

Dann, auf der nächsten Bank, ein anderer Junge: Thorsten, der immer fragte: »Haste Parfüms? Haste Parfüms? Haste Parfüms?« Er schürzte oft unvermittelt die Lippen, machte ein ganz spitzes Kussmündchen und pustete. Blies seine Fingerkuppen an oder Fussel vom Ärmel. Wenn im Frühjahr die wolligen Fäden der Balsampappeln auf den Psychiatriebänken lagen, blies er tagelang die Bankbretter und Lehnen sauber. Von mir hat er einmal eine ganze Flasche »Lagerfeld« bekommen, angepustet, aufgeschraubt und einfach ausgetrunken.

Ein paar Meter weiter, um die nächste Häuserecke herum, begegnete ich oft einem Mädchen. Wenn sie es schaffte, sich ihren Schutzhelm herunterzuzerren, schlug sie sich die Stirn auf, um mit ihrem blutenden Kopf Sonnen, Sterne und Monde auf die Straße zu malen. Das habe ich oft gesehen, diese eingetrockneten Blutsterne auf dem Asphalt.

Im Sommer lag in einem der vielen hoch umzäunten Gärten hin und wieder ein Junge auf der Wiese. Nah am Zaun. Er hatte keine Augen. Stirn, Nase und Wangenknochen waren zu einer geschlossenen Fläche verwachsen. Auf diese von Narben durchzogene Haut waren mit einem schwarzen Filzstift Augen aufgemalt. Zwei Kreise mit Pupillenpunkt. Wie mir mein Vater erzählte, war dies sein eigener Wunsch, um sich für den Garten schön zu machen.

Dann gab es noch einen in sich gekehrten Mann, der spazieren ging, immer freundlich war und eine kalte Pfeife rauchte. Er hieß Egon. Mein Vater warnte mich vor ihm, da er gerne Drahtkleiderbügel zusammenbog und sie anderen in den Hintern steckte. Für ein paar Tage hing an unserem Küchenfenster eine Röntgenaufnahme, auf der man im Grau durchleuchteter Organe einen Klumpen Draht ausgezeichnet erkennen konnte.

Und dann war da natürlich noch Rudi, genannt Tarzan. Er kletterte gerne auf Bäume oder lag bewegungslos im Gras, auf der Lauer. Er trug stets einen sehr echt aussehenden Revolver bei sich, stürzte hervor, blitzschnell und lautlos, und hielt einem den Lauf an die Schläfe. Jeder, der ihn kannte, wusste, wie harmlos er war, machte ihm eine Freude und erschrak sich zu Tode. Tarzan liebte es, wenn man sich vor ihm auf die Knie fallen ließ und bettelte: »Bitte, bitte töte mich nicht!« Sein Kopf mit dem roten Haarbüschel war nicht viel breiter als ein Handteller.

Ein penetrantes Mädchen, genannt Bine oder Trine. Sie war klein. Als ich zehn war, war ich schon größer als sie. Traf man sie, wurde man sie nicht mehr los, und sie begleitete einen bis zum Ausgang der Anstalt. Mit piepsiger Stimme stellte sie immer dieselben zwei Fragen: »Na, wer bist du?« und »Na, wen haben wir denn da?«. Wenn ich ihr meinen Namen sagte, lachte sie, drückte mir ihre prallen Brüste in die Rippen und widersprach: »Nee, nee, wer bist du?« Ich versuchte mich loszumachen, aber sie war stark. Klammerte sich an mich, roch streng und rieb sich an mir. Egal was man sagte, es war falsch: »Na, wer bist du?« Immer wieder. Mehrmals drängte sie mich gegen eine Mauer, ließ minutenlang nicht ab von mir. »Na, wen haben wir denn da?« Ich versuchte mich loszumachen. »Nee, nee, nee. Wer bist du?«

Am Ausgang, Tor 2, spielte ein Patient Kontrolleur. Er trug eine Fantasieuniform, auf den Schultern des Jacketts angeklebte Epauletten aus Schaumstoff, das ganze himmelblaue Uniformjackett gespickt voll mit Kronkorken-Orden. Um die Hosenbeine hatte er bunte Gürtel geschnallt, deren Enden seitlich abstanden. Unter Höchstanstrengung wölbte er seine Brust, knallte seine Hacken zusammen, winkte Autos durch und fragte mich jeden Morgen: »Wohin soll's denn gehen?« Ich sagte: »In die Schule.« Er salutierte, rief laut: »Ah, wieder ficki-ficki machen?«, und gab den Weg frei.

Ich grüßte das Wachpersonal, dem ich gut bekannt war, die Schranke wurde geöffnet, und ich verließ das Gelände.

An den beiden Toren und auch vor den Haupteingängen der Gebäude spielten sich oft dramatische Szenen ab. Entweder weigerten sich die frisch Eingelieferten, das Gelände bzw. die Gebäude zu betreten, klammerten sich an ihre Angehörigen und traten nach den Pflegern, oder aber Patienten wehrten sich mit Händen und Füßen, das Gelände bzw. die Gebäude zu verlassen, klammerten sich an die Pfleger und traten nach den Angehörigen. Sowohl der Weg in die Psychiatrie hinein wie auch der aus ihr heraus war für viele der blanke Horror.

Natürlich gab es auch die Unscheinbaren, die deutlich in der Überzahl waren, in sich versunken herumsaßen, brabbelten oder rastlos auf dem Gelände herumtigerten. Es gab eine Station, etwas abseits gelegen, wo in einem Hinterhof mehrere Bänke standen. Dort saßen Patienten, die sich auf gespenstische Art ähnlich waren. Kahl rasierte Schädel mit dicklippigen Mündern, riesigen Nasen und melancholischen Augen mit vergrößerten Pupillen. Selbst die Ohrläppchen ihrer fleischigen Ohrmuscheln schienen geschwollen und schwer. Ihre Gesichter sahen farblos aus, wie mit einem zu weichen Bleistift gezeichnet. So kauerten sie auf den Bänken oder den Rückenlehnen, und wenn die Sonne unterging, kam es vor, dass das schräge Abendlicht blutrot durch ihre Segelohren drang. Mein ältester Bruder sagte zu mir: »Schau sie dir an, wie sie da hocken und glotzen. Bisschen unheimlich, oder? Die sehen alles, riechen alles, hören alles, die kriegen zehnmal mehr mit als wir und machen den ganzen Tag absolut nix!« Wir nannten den Ort »Hinterhof der traurigen Eulen«.

Viele Patienten bekam man gar nicht zu Gesicht, da sie die Stationen nicht verlassen konnten oder durften. Sobald es das Wetter zuließ, es einmal nicht regnete, wurden die Kranken nach draußen geschoben, lagen, wenn es noch kalt war, bewegungslos mit Mützen in rollbaren Betten oder saßen in Decken eingeschlagen in Rollstühlen. Wobei die Rollstühle völlig unterschiedlich aussahen. Manche waren für winzige, verwachsene Kinder gebaut und konnten hydraulisch auf und nieder, vor und zurück gekippt werden. Andere hatten Kopfpolster, die links, rechts und von oben eng anlagen. Sogar unterm Kinn gab es einen Bügel. Die Köpfe waren wie gerahmt, lagen wie Masken in ihren Futteralen.

Viele dieser schwer körperbehinderten Kinder wurden an warmen Tagen in die Stationsgärten gelegt. Diese waren hoch eingezäunt, wie Gehege für gefährliche Tiere, und teilweise an den Oberkanten mit Stacheldraht gesichert – dabei sah man weit und breit niemanden, der solche Hindernisse er- oder sogar überklettern konnte. Da blieb ich oft stehen, hakte meine Finger in den Zaun und blickte über die mit Löwenzahn oder Gänseblümchen bedeckte Wiese hinweg, in der auf bunten Decken die Patienten wie hingestreut lagen. Einige versuchten zu krabbeln, andere rekelten sich, genossen die Sonnenstrahlen. Da ragten weit gespreizte Zehen aus dem Gras, dort eine vereinzelte Hand, die sich krallig in den blauen Himmel reckte. Manche hatten sich die Unterhosen heruntergestrampelt, und ich sah ihre Genitalien. An einem Tisch saßen Schwestern und Pfleger, rauchten und tranken Kaffee. Hinter ihnen eine Stellage, an der abgeschnallte Prothesen hingen: verschieden geformte Stütz-Korsagen mit Lederriemchen und Schnallen für die Brust, das Becken oder für Köpfe, die ohne Stütze wegsacken würden. Einem Jungen war das Stofftier aus der Hand gefallen. Es lag direkt neben ihm im Gras. Er strengte sich an, aber es gelang ihm einfach nicht, es zu erreichen. Kam ich Stunden später aus der Schule, hatte er es immer noch nicht geschafft.

Die Pfleger kannten mich und winkten, oder eine der Schwestern brachte mir etwas Leckeres zum Gitter, schob ein Stück Marmorkuchen durch den Zaunspalt.

Es war mein Zuhause.

Vom Sehen kannte ich Hunderte. Jungen und Mädchen, Jahr für Jahr hinter denselben verschmierten Fensterscheiben. Es war die große Zeit der Fingerfarbe, und expressive Farborgien bedeckten oft ganze Fensterfronten. In Kitteln standen die Patienten hinter den Scheiben und wischten und matschten das Glas voll.

Schon immer erstaunte mich, dass ich nur selten auf Patienten stieß, die miteinander spielten. Es gab einen großen Spielplatz mit einem herrlichen Hubschrauber-Klettergerüst, Schaukeln und Rutschen – doch der war meistens verwaist. Vielleicht war das sogar das Auffälligste: Obwohl das Gelände voll, ja überfüllt war, waren viele der Patienten ganz für sich, mit sich beschäftigt. Selbst wenn sie an der Hand eines Pflegers gingen, blieben sie Einzelne.

Es gab solche mit dickledernen Helmen, die aussahen, als wären sie aus Medizinbällen herausgeschnitten worden. Und andere mit wattierten Fäustlingen, die fest mit der hinter dem Rücken zu knöpfenden Jacke verbunden waren. Ihre Schuhe, Hosen und Hemden, Kleider, Pullover und Mäntel kamen aus der Altkleidersammlung. Dadurch wirkten sie wie aus der Zeit gefallen. Waren es die abgetragenen, planlos miteinander kombinierten Klamotten oder die Art und Weise, wie sie sie trugen, die stets ein Bild des Nicht-Passens, des Unbequemen, des leicht Verwahrlosten erzeugten?

Einmal geschah es sogar, dass ich einen Patienten sah, einen Jungen, der meinen ausrangierten Pullover trug. Das war ein ungutes Gefühl. Dass da etwas, was ich nicht mehr brauchen konnte, zerschlissen und ausgeleiert, für jemand anderen genau das Richtige sein sollte.

Oft war ich mir aber auch nicht sicher, ob die Kinder oder Jugendlichen, denen ich auf dem Psychiatriegelände begegnete, überhaupt Patienten waren. Es kamen immer viele Besucher. Es gab einen Kindergarten für Mitarbeiter und jede Menge ambulanter Behandlungen für Probleme aller Art.

Eine der Hauptbeschäftigungen der Patienten war es, zu rauchen. Sie taten es nie nebenher, so wie mein Vater, der mit Zigarette im Mund einen Krimi las, Auto fuhr oder, auch das kam vor, sich elektrisch rasierte. Die Patienten rauchten mit gespannter Ausschließlichkeit. Schon die Art, wie sie die Zigarette aus der Schachtel zogen, sie hielten, zum Mund führten und an ihr zogen, war von verbissener Aufmerksamkeit. Sie saßen dabei auf den Bänken, lehnten an den Mauern oder wandten sich ab, um ihre Ruhe zu haben. Den Blick nach innen gewendet, inhalierten sie tief, schienen betäubt und abwesend zu sein. Oft kam es mir so vor, als wären ihre Lippen hart vor Gier, so eng schlossen sie sich um die Filter. Sie strahlten nichts Lässiges aus, hatten keine weich abgeknickten Handgelenke, vollführten keine grazilen Schwünge, wie ich sie von den Filmstars her kannte. Sie wirkten eher so, als seien sie mit Heimlichkeiten beschäftigt, als lauerten sie schon verschlagen und gierig auf den nächsten Glimmstängel.

Erstaunlicherweise waren viele von ihnen sehr jung. Doch darum kümmerte sich niemand. Alkohol war auf dem gesamten Anstaltsgelände strengstens verboten, und nie habe ich einen Patienten mit einer Bierdose gesehen, aber Nikotin schien eine von höchster Stelle und ohne Altersbeschränkung freigegebene Droge zu sein. Auch die Pfleger, Schwestern, Ärzte, Psychologen und Therapeuten, alle rauchten und alle verteilten großzügig Zigaretten an die bettelnden Patienten. Das wenige, was die Insassen sich verdienten, gaben sie für Zigaretten aus.

Doch vor und höchstwahrscheinlich auch in keiner anderen Station wurde so obsessiv geraucht wie bei den Manisch-Depressiven. Sie qualmten die Zigaretten stets bis zu ihren rußgelben Fingerspitzen hinunter. Sie fraßen den Rauch in sich hinein, als wäre er ihre Rettung. Der Weg zum Haupteingang dieser Station war dicht bestreut mit Zigarettenstummeln, links und rechts davon, vor den Bänken lagen maulwurfshaufengroße Filter- und Stummelhügelchen. An einer Wand des Gebäudes waren über Jahre hinweg Zigaretten ausgedrückt worden. Tausende Aschepunkte besprenkelten sie, und wenn ich meine Augen etwas unscharf stellte, sahen diese schwarzen Flecken wie winzige Einschusslöcher oder Eingänge in einen gigantischen Termitenhügel aus.

Nie wieder habe ich unter freiem Himmel Menschen auf so engem Raum so exzessiv sich eine Zigarette nach der anderen anzünden sehen wie bei den Manisch-Depressiven. Mir kam es so vor, als wären sie Mitglieder einer Sekte mit gespenstischen Ritualen. Plötzlich rauchten alle synchron: Dreißig Depressive ziehen gemeinsam, inhalieren gemeinsam, stoßen den Rauch gemeinsam aus und lassen alle gemeinsam für kaum länger als eine Sekunde die Zigaretten sinken. Die Frauen unter ihnen rauchten mit noch größerer Besessenheit als die Männer. Ich habe Frauen oder Mädchen gesehen, die hingen an ihren Zigaretten wie an einem seidenen Faden aus Rauch über einem schwarzen Abgrund. Geredet wurde kaum. Ihre Gesichter standen in einer mir bis heute rätselhaften verwandtschaftlichen Beziehung zueinander. So wie sie äußerlich diese ungebremste Zigarettensucht verband, so musste, dachte ich, auch innerlich eine Gemeinschaft bestehen, eine Verzweiflungsverwandtschaft der besonderen Art.

Unvergesslich ist mir auch vor einer anderen Station eine junge Frau geblieben, die vor spastischen Zuckungen die Zigarette nicht selbst halten konnte. An den Armlehnen ihres Rollstuhls hatte sie zwei Laschen, in die sie ihre Hände schob, um sie unter Kontrolle zu bekommen. Doch sie liebte Zigaretten. Eine Schwester fixierte ihren Kopf und fütterte sie mit Rauch.

Die Höhe der Buchstaben

Die in zwei Ringen um unser Haus herum angeordneten Anstaltsgebäude waren durchbuchstabiert. Im inneren Ring standen die Buchstaben A bis G, im äußeren Ring lagen H bis P. Außerhalb dieser beiden Ringe lagen die Werkstätten und auch einige Felder. Jedes der Häuser hatte drei Stockwerke. Jedes Stockwerk war eine Station. Die Stockwerke hießen nach ihrer Lage »Oben«, »Mitte« und »Unten«. Wegen Überfüllung gab es ein paar Ausnahmen wie »Keller« oder »unterm Dach«. Hieraus ergaben sich die Stationsnamen wie zum Beispiel »A-Unten«, »J-Mitte« oder »B-Oben«. Mein Vater sprach oft von den Stationen. Er sagte dann: »Heute hat wieder einer in G-Oben gezündelt.« Oder: »M-Unten ist völlig überfüllt. Heute verlegen wir vier Fälle nach D-Unterm Dach.«

Diese Art, mit Buchstaben umzugehen, war mir so vertraut, dass ich sicher war, Buchstaben hätten unterschiedliche Höhen. Als ich schreiben lernte, begann ich Fragen zu stellen: »Schreibt man Hund mit H-Unten oder H-Oben?« Doch es war noch komplizierter. Innerhalb der Gebäude befanden sich die leichteren Fälle unten, die schweren mittig und die schwersten, hoffnungslosen oben.

Wollte ich einem von mir geschriebenen Wort besondere Bedeutung verschaffen, schrieb ich es mit hochgestelltem

Anfangsbuchstaben. Die berüchtigte geschlossene Abteilung »K-Oben« machte alle geschriebenen K-Wörter mit diesem K-Oben sehr gefährlich. Käse, Krankheit, Krümel, Kaffee, Kindergarten oder Katze geschrieben mit K-Oben waren wild und kaum kontrollierbar. Ein Käse mit K-Oben stank und war ungenießbar, eine Krankheit mit K Unten war eine nur leichte, nicht lebensbedrohliche Erkrankung, eine Katze mit K-Mitte konnte, musste aber nicht kratzen.

Die Höhe der Buchstaben verband sich mit den Krankheiten der Patienten. In L-Unten lebten die magersüchtigen Mädchen. Vor diesem Haus waren oft Körperumrisse mit Kreide auf die Straße gemalt. Die magersüchtigen Mädchen mussten sich auf diese Weise, auf dem Boden liegend, ummalen, um zu sehen, dass es sie überhaupt noch gab. Worte mit dem L-Unten der magersüchtigen Mädchen waren zerbrechlich, vom Verschwinden bedroht. Auf Licht, Locken, Leder mit L-Unten musste ich gut aufpassen. Worte, die ich nicht mochte oder vor denen ich Angst hatte, verlegte ich in die jeweilige geschlossene Abteilung. Die durften dann nicht mehr raus. In der Schule hat das zu meinen ersten, mich dann ein Leben lang verfolgenden Tobsuchtsanfällen geführt. Keiner begriff, was ich in mein Heft, oder noch schlimmer, unter dem Gelächter aller, an die Tafel kritzelte. Meine Lehrerin befahl: »Schreib doch mal bitte: Die Katze hat Hunger.« Das sah dann so aus:

Die Katze hat Hunger,

Das war eine sehr böse Katze, die keinen Hunger hat. Die Lehrerin schüttelte den Kopf. Wie hätte ich mich um Groß- und Kleinschreibung, um Grammatik kümmern können? Es ging doch um etwas viel Offensichtlicheres, Schöneres. Es ging nicht um den Buchstaben als Zeichen, sondern um seine Identität, ja, sein Wesen, seinen Charakter.

Tatsächlich wurde ich nach nur vier Monaten in der ersten Klasse zu meiner völligen Überraschung wieder nach Hause geschickt. Immer öfter war ich außer mir vor Zorn gewesen, »aus dem Nichts«, wie es hieß. Schon die kleinste Ungerechtigkeit trieb mich zur Verzweiflung. Mein mittlerer Bruder klopfte mir auf die Schulter: »Gleich in der ersten Klasse sitzen bleiben! Vor dir liegt eine große Zukunft!«

Um diese schmerzliche Erfahrung zu keiner traumatischen zu machen, ersparten mir meine Eltern die Rückkehr in den Kindergarten. Ich durfte den Rest des Schuljahres zu Hause verbringen. Meine Mutter arbeitete an den Vormittagen als mobile Krankengymnastin, und ich begleitete sie auf ihren Fahrten übers Land. Während sie skeptischen Bauern mit Bandscheibenvorfällen richtiges Heben und Tragen von schweren Dingen wie zum Beispiel Düngemittelsäcken beibrachte, streunte ich umher. Oder ich spielte mit dem Spielzeug der fremden Kinder, die ja in der Schule waren. Bei der Reittherapie, die meine Mutter einmal die Woche gab, brachte sie mir in den Pausen ein paar Kunststücke auf dem Pferderücken bei. Hin und wieder nahm mich auch mein Vater mit, und dann durfte ich zusammen mit Schwerstbehinderten zur Schwimmtherapie, ließ mich mit dem Kran ins Wasser heben.

Wenn unsere Putzfrau kam, die Frau Fick hieß, blieb ich zu Hause und genoss die Zeit ohne meine Brüder in deren Zimmern. Meinen früheren Freunden war ich als gescheiterter Erstklässler suspekt. Auch ich fühlte deutlich, dass uns Welten trennten. Und die, die ich noch aus dem Kindergarten kannte, wollte ich nie mehr wiedersehen.

Dass unsere Putzfrau Frau Fick hieß, dass man so heißen konnte, dass man so tun sollte, als wäre das ein Allerweltsname, war eine Ungeheuerlichkeit für mich. Meine Brüder und ich schlossen Wetten ab. Man musste zu ihr gehen und sie, ohne hysterisch zu werden, mit ihrem Namen ansprechen: »Haben Sie vielleicht meine Turnschuhe gesehen, Frau Fick?« Mein Vater machte da auch gerne mit, und seine drei Söhne lagen versteckt um die Ecke und bissen sich in die Handballen, während wir ihn sagen hörten: »Liebe Frau Fick, wenn Sie etwas brauchen, schreiben Sie es auf den Einkaufszettel. Einen schönen Tag, Frau Fick. Ach ja, Frau Fick, schöne Grüße an Herrn Fick!«

Ihr Mann arbeitete in der Schleswiger Wetterstation, und jeden Freitag, wenn probehalber die Sirenen heulten, drückte er auf einen Knopf, das Dach der Station öffnete sich und hinaus flog ein Wetterballon, an dem ein silbernes Messgerät hing. Fünfzig Mark bekam man, wenn man es fand. Wie so viele andere Jungen der Kleinstadt bin auch ich auf dem Fahrrad diesem über unseren Köpfen entschwindenden Ballon über Stock und Stein hinterhergehetzt, abwechselnd den Blick nach oben, Kopf im Nacken, Blick nach unten, auf die Straße. Sackgassen, Holperwege oder die plötzliche Angst, sich zu verirren, die Grenze der Stadt zu weit hinter sich gelassen zu haben, beendeten die Jagd nach dem fliegenden, kleiner werdenden, in der Sonne funkelnden Schatz. Nie, nie habe ich ihn gefunden.

Diese Stadt, in der ich nicht geboren, aber aufgewachsen bin, lag gleich hinter der Anstaltsmauer und war wesentlich unübersichtlicher als das ordentlich durchbuchstabierte Psychiatriegelände. Lange hatte ich geglaubt, die meterhohe rote Backsteinmauer sei ein Schutz, eine Festungsmauer gegen Eindringlinge. Mir hatte dieser Wall immer ein sicheres Gefühl gegeben. Unser Haus war nicht nur durch einen Gartenzaun gesichert, sondern war das Herzstück einer echten Bastion mit Wächtern an den Toren. Wie das kleinste, nicht mehr in der Taille zu halbierende Püppchen einer bunt bemalten Babutschka-Schachtelwelt lag ich in meinem Bett. Um mich herum das Kinderzimmer, darum das Haus, darum der Garten mit seinem Zaun und um diesen herum die Psychiatrie mit der Mauer. Die Heimatstadt gehörte schon nicht mehr dazu.

Noch im Alter von zehn Jahren nannte ich im Ferienlager auf die Frage nach meiner Herkunft nicht den Namen der Stadt, sondern den der Psychiatrie: »Wo wohnst du?« »In Kiel.« »Und du?« »In Lübeck.« »Und du?« »Im Hesterberg.« »Im Hesterberg? Das ist doch eine Irrenanstalt!« »Ich bin da zu Hause und man sagt: Psychiatrie.« »Und wie heißt du?« »Jocki.« »Jocki? Hier steht Joachim!« »Nein, so will ich nicht heißen. Alle nennen mich Jocki.« »Also Jocki vom Hesterberg?« »Ja, ganz genau«, sagte ich.

Wenn jenseits der Mauer nichts außer Wiesen und Feldern gewesen wäre, man sozusagen direkt durch die Anstaltstore in die freie Landschaft hinausgetreten wäre, es hätte mich nicht gewundert. Mein Vater war der Direktor dieses Anstaltskosmos, und ohne groß darüber nachzudenken, ging ich fest davon aus, dass er nicht nur der Leiter der gesamten Psychiatrie war, sondern dass sie ihm voll und ganz gehörte. Er war Arzt und König in einer Person, und wenn ich mit Freunden über das Gelände ging oder auf dem Spielplatz von Haus D spielte, war ich sicher, dass dies auch mein Spielplatz ist. Wie ein Infant flanierte ich über die Straßen, schaute mal hier und mal dort herein, bekam in der Gärtnerei einen vorzeitig erblühten Weihnachtsstern geschenkt, probierte in der Großküche aus einem riesigen Topf ein wenig heißen Schokoladenpudding oder durfte im Heizwerk ein Brikett in den lodernden Ofen schleudern.

Dabei war die norddeutsche Kleinstadt vor den Toren der Anstalt eine sehens-, ja sogar besuchenswerte. Schleswig hat einen Dom mit einem nicht sonderlich alten, etwas zu kantig geratenen Turm und im Inneren den – so wurde immer behauptet, so wurde es einem schon in der Grundschule eingebläut – weltberühmten Brüggemann oder auch Bordesholmer Altar. Wenn ich später in anderen Städten, um meine Heimatstadt näher zu beschreiben, den Namen dieses Altars erwähnte, hatte noch nie jemand von ihm gehört. Leider kann man nicht nah genug an ihn herantreten. Unmöglich, die auf Postkarten vergrößerten und markant geschnitzten Figuren im dunklen Getümmel des Originals zu erkennen.

Der Dom liegt einige Meter tiefer als die ihn umstehenden Häuser, da man im Mittelalter auf dem geweihten Grund weder Abfälle noch Fäkalien zurücklassen durfte. Im Lauf der Jahrhunderte wohnten sich die Kleinstadtbewohner um den Dom herum auf ihrem Dreck gute drei Meter in die Höhe. Wie eingesunken liegt er nun im ältesten Teil der Stadt in einer tiefen Mulde. Rein rechnerisch würden sich die Schleswiger in fünfzehntausend Jahren auf ihrem Unrat bis zur Kirchturmspitze hinaufgemüllt haben.

Eine andere Attraktion: Schloss Gottorf. Ein von einem Wassergraben umschlossener, eindrucksvoller Bau mit einer sehenswerten expressionistischen Gemäldesammlung. Wenn wir ausnahmsweise mal Besuch bekamen, fuhren wir entweder stundenlang ins Noldemuseum nach Seebüll oder mussten in die expressionistische Sammlung Schloss Gottorfs. Dort liegen in Glaskästen aufgebahrt auch die berühmten Moorleichen aus dem nahe gelegenen Haithabu, einer der größten Wikingersiedlungen, die es je gab. Jeder in meiner Heimatstadt kennt diese schwarzledernen Mumien mit den verbundenen Augen, den teilweise noch geflochtenen, feuerroten Haaren, den Spangen und durchlöcherten Sackumhängen.

Auf der Suche nach ihren Wurzeln und um dem struktur-schwachen Norden etwas Gutes zu tun, sind sich die Bewohner meiner Heimatstadt im Laufe der Zeit ihrer Wikingerherkunft immer bewusster geworden. Man könnte sogar so weit gehen zu behaupten, dass viele Schleswiger nie so recht wussten, wohin mit sich, und erst durch die Freilegung ihrer Wikingerseele zu sich selbst gefunden haben.

Seit vielen Jahren finden aus diesem Grund die sogenannten Wikingertage statt. Und für eine Woche im Jahr zeigen sich die Einwohner Tausenden von Besuchern, unter ihnen auch viele Dänen, von ihrer verschütteten Seite. Da kann man dann Optiker in Fellen sehen, Lehrer, die aus selbst gezimmerten, untergehenden Wikingerschiffen gerettet werden müssen, Schuhverkäuferinnen, die mit großen gebogenen Nadeln Lederlappen zu unförmigen Stiefeln vernähen, oder auch Restaurantbesitzer, die mit behörnten Helmen in historisch nachgebauten Öfen Gerichte schmoren und zähe Fladen backen. Für die durch und durch vom Wikingerbrauchtum Durchdrungenen gibt es sogar die Möglichkeit, für die gesamte Zeit der Festivitäten in eine an historischer Stätte, am Haddebyer Noor, errichtete Siedlung zu ziehen.

Obwohl laut Werbung das Hauptanliegen der Wikingertage der Versuch ist, den Wikinger von seinem schlechten Image als Grobian zu befreien und die Wikingerkultur als eine Hochkultur zu rehabilitieren, endet jeder einzelne der Wikingertage mit einem schrecklichen Besäufnis. Völlig mit sich und ihrer Wikingervergangenheit im Einklang, betrinkt sich die halbe Stadt in Lederzelten mit Met, dem hochprozentigen Wikingerbier, und die Krankenwagen fahren bis in die Morgenstunden bewusstlose Männer und Frauen in Fellen ins Krankenhaus.

Der Gipfel der Wikingerbegeisterung schlug sich in einem aberwitzig hässlichen Bauwerk nieder. An einem der idyllischsten Plätze der Stadt, direkt am Wasser gelegen, wurde der sogenannte Wikingturm gebaut. Wohl selten hat eine Kleinstadt ihren Aufbruch in die architektonische Moderne so gnadenlos vergeigt wie meine Heimatstadt. Jahrelang konnten keine Eigentümer für die kuchenstückförmigen Wohnungen gefunden werden. Es gab Gerüchte, dass sich dort Prostituierte einquartiert hätten, die einzig die herrliche Aussicht über das Ausbleiben der knausrigen Kundschaft hinwegtröstete.

Schleswig liegt an der Schlei, dem längsten Süßwasserarm Deutschlands. Bis zum Meer sind es fast vierzig Kilometer. Direkt am Ufer, im ältesten Teil der Stadt, kann man auch heute noch den Holm besuchen, eine wunderschöne Fischersiedlung mit geduckten Häusern und Hochstammrosen davor. Hier lebte, einer uralten Tradition folgend, der Möwenkönig. Er war der Einzige, der die Möweninsel betreten durfte. Auf dieser winzigen Insel inmitten der Schlei brüten Abertausende Lachmöwen. Und nur er, der Möwenkönig, durfte zur Möweninsel übersetzen, Möweneier einsammeln und verkaufen. Für seine Möweneier war Schleswig berühmt. Man musste sie lange kochen, damit die Salmonellen absterben, und da sich die Möwen hauptsächlich von den Abfällen der nahe gelegenen Böklunder-Würstchenfabrik ernährten, schmeckten die Eier immer öfter ekelerregend nach Fleisch und wurden schließlich verboten.

Doch Schleswig hatte eben auch noch eine andere Seite, ein zweites Gesicht: Neben dem Hesterberg, der riesigen Kinder- und Jugendpsychiatrie, gab es noch Stadtfeld, die Erwachsenenpsychiatrie. Auch hier lebten weitere zweitausend geistig oder körperlich behinderte Menschen. Dann gab es noch den Pauli-Hof, Schleswig-Holsteins größte Jugendstrafanstalt, zwei riesige Einrichtungen für Gehörlose, eine legendäre Gehörlosendisco, wo die Schallwellen durch den Boden bummerten, eine sechsstöckige Blindenschule ohne Fenster, das städtische Krankenhaus und unzählige Therapie- und Rehabilitationszentren. Bei nur fünfundzwanzigtausend Einwohnern war das eine Menge. Irgendwie hatte fast jeder in dieser Stadt mit Menschen zu tun, die irgendwie anders waren, der Hilfe bedurften. Im Laufe der Jahre hatte sich wie Trabanten um Schleswig herum eine Vielzahl von Privatanstalten angesiedelt. Sie bekamen ihre Patienten von den beiden großen Psychiatrien der Stadt. Egal aus welcher Richtung man nach Schleswig hineinfuhr, überall sah man am Straßenrand auf Bänken wippende oder einfach in die Landschaft hineingestellte Patienten, die einem zuwinkten. Die große Selbstverständlichkeit im Umgang der Schleswiger mit all diesen sehr speziellen Menschen war erstaunlich. Einmal sah ich, wie sich zwei Patienten mitten in der Fußgängerzone auszogen, zu tanzen begannen und einen Schlager sangen. Die Schleswiger grinsten bloß und riefen: »Kommt, zieht euch mal wieder an. Ist gut jetzt.«

Das Geburtstagsfrühstück

An seinem vierzigsten Geburtstag sagte mein Vater zu uns, meiner Mutter, meinen beiden Brudern und mir beim Geburtstagsfrühstück, zu dem es verschiedene Räucherfische gab – Makrele, Schillerlocken, fetten Aal und die von meinem Vater sehr geschätzten Kieler Sprotten, die er ganz, mit Kopf aß, sodass man die Wirbelsäulen knacken hörte, umso besser, da er seine schönen, von den Fischen fettigen Lippen nie geschlossen hatte –, bei diesem Geburtstagsfrühstück sagte er zu uns: »Heute werde ich vierzig. Vor diesem Geburtstag habe ich mich immer gefürchtet. Auch wenn ich die Formulierung ›runder Geburtstag‹ bescheuert finde, wird dieser sogenannte ›runde Geburtstag‹ der letzte in meinem Leben sein, bei dem ich darauf hoffen kann, noch einmal doppelt so alt zu werden. Vielleicht werde ich ja achtzig. Ich würde sehr gerne achtzig werden. Mein nächster runder Geburtstag ist der fünfzigste. Hundert ist dann wohl doch etwas zu viel verlangt. Kein Mensch wird hundert. Zu Hundertjährigen kommt die Lokalzeitung, man muss das Geheimnis seines Alterns preisgeben und ohne Zähne ›Ich habe jeden Tag einen Apfel gegessen‹ nuscheln. Tizian ist angeblich hundert geworden. Habt ihr das gewusst? Ich wäre mit achtzig hochzufrieden.«

Mein Vater hielt kurz inne, fuhr sich mit der Zungenspitze über die Oberlippe, über seinen gelblichen Schnauzer: »Ich habe eine Neuigkeit für euch, eine Sensation: In zwei Monaten wird die neue Klinik fertig sein. Endlich. Und wisst ihr, wer sich zur Einweihung angekündigt hat? Seine Hoheit, der Ministerpräsident von Schleswig-Holstein, Dr. Gerhard Stoltenberg höchstpersönlich, wird uns die Ehre erweisen.« »Wirklich?« Meine Mutter strahlte. »Er kommt? Wie hast du das geschafft? Da werde ich mir etwas ganz Besonderes überlegen.« »Ja, und auch ihr drei müsst unbedingt dabei sein. Das soll ein netter Mann sein.« Mein mittlerer Bruder sagte: »Der große Klare aus dem Norden. So wird er doch genannt, oder?« »Genau wie der Schnaps – Bommerlunder!«, gab ihm mein Vater recht und sprach weiter: »Das wird ein wahrhaft großer Tag. Aber das ist noch nicht alles. Ich habe beschlossen, ein paar Dinge in meinem Leben zu ändern. Ich glaube, dass so ein vierzigster Geburtstag dafür der richtige Anlass ist. Vielleicht sogar meine letzte Chance.«

Wir saßen um den Frühstückstisch herum und hörten gespannt zu. Sogar unser Hund war verwundert über den euphorischen Tonfall meines Vaters und saß still neben mir. Dort saß er bei jeder Mahlzeit, da mir häufig etwas hinunterfiel, und lauschte. Er war noch nicht ganz ausgewachsen, aber die Größe seiner puscheligen Pfoten war eine deutliche Wachstumsprophezeiung.

»Das Wichtigste, um diese achtzig Jahre erreichen zu können, um mir eine realistische Chance auf dieses gesegnete Alter zu eröffnen, ist ganz offensichtlich – da wird hier sicher keiner vehement Einspruch erheben – ein gesünderes Leben. Ja, und deshalb habe ich mich dazu entschlossen, mit dem Rauchen aufzuhören! Ich möchte aber gleich dazusagen, dass ich an meinem achtzigsten Geburtstag, und zwar am Morgen meines achtzigsten Geburtstages – wer weiß, vielleicht sitzen wir da auch alle so zusammen wie jetzt –, wieder mit dem Rauchen anfangen werde. Ich höre heute also nicht endgültig auf. Ich lege nur eine vierzigjährige Rauchpause ein. Und dünner möchte ich auch werden. Was schätzt ihr, was wiege ich?«

Mein ältester Bruder tippte hundert Kilo, mein mittlerer Bruder fünfundneunzig, meine Mutter achtundneunzig und ich zweihundert. Mein Vater schluckte den Räucheraal hinunter, wischte sich über Mund und Schnauzbart, wodurch auf seinem Handrücken eine fischfettige Schneckenspur glänzte, und sagte lachend zu mir: »Ja, da hast du vollkommen recht. Ich wiege unglaubliche zweihundert Kilo. Absolut richtig. Ich fühle mich exakt so, als ob ich zweihundert Kilo wiegen würde. Ich muss euch etwas beichten. Wenn ich im Stehen pinkele, kann ich meinen Schwanz nicht mehr sehen.« Meine Brüder und ich schrien auf. Das taten wir immer, wenn mein Vater etwas Derartiges von sich gab. Wir schüttelten uns und spielten Ekel und Entsetzen. Meine Mutter rollte mit den Augen und sagte: »Womit wir wieder beim Thema wären.« Mein Vater war ein Meister darin, aus jedem Gegenstand etwas Anzügliches zu machen. Keine Gurke, keine Zucchini, die er sich nicht vor den Hosenstall hielt. Begegnete man ihm nackt auf dem Weg von der Dusche ins Kinderzimmer, hob er mehrmals schnell die Augenbrauen und grinste zweideutig. Wenn meine Mutter auf dem Wochenmarkt zum hakennasigen Händler sagte »Sie haben aber schöne große Eier heute!«, rannen meinem Vater tagelang, sobald er nur daran dachte, vor Lachen die Tränen über seine Hamsterbacken.

»Ich wiege zurzeit hundertundsechs Kilogramm!«, gestand er bedrückt. »Am Morgen! Ich habe mir vorgenommen, sechzehn Kilo abzunehmen. Dann würde ich neunzig Kilo wiegen. Das hab ich zuletzt gewogen, als ich zwanzig war. Bis zur Einweihung der Klinik könnte ich vielleicht die

Hälfte davon schaffen. Ein Kilo pro Woche macht acht Kilo, bis der Ministerpräsident vorfährt. Aber genau wie bei den Zigaretten werde ich nur eine kurze Essenspause einlegen und ab meinem achtzigsten Lebensjahr wieder alles fressen, was mir zwischen die Finger kommt.« Er blähte die Wangen auf, spielte einen noch dickeren Mann, als er ohnehin war, steckte sich drei Zigaretten zwischen die Finger und tat so, als hätte er den Mund mit Essen vollgestopft. Mampfend sagte er: »So stell ich mir meinen Lebensabend vor: als kettenrauchender Fleischklops!«

Meine Brüder und ich sahen amüsiert zu. Meine Mutter schaute eher skeptisch. »Aber so geht das nicht mehr weiter«, fuhr er fort, »ich muss im Sitzen pinkeln. Ich komme kaum noch aus der Badewanne raus. Ich habe einen Hängebusen bekommen.« Er fasste sich mit beiden Händen an die Brust und quetschte die sich deutlich unter dem Hemd abzeichnenden Wölbungen zusammen. »Und wenn ich meine Unterhosen auf der Wäscheleine sehe, schäme ich mich, weil sie aussehen wie von jemandem, der im Zirkus auftritt.«

Diesen Vergleich begriff ich nicht ganz. Zirkus klang doch gut. Gegen einen Vater, der im Zirkus auftrat, hätte ich absolut nichts einzuwenden gehabt.

»Und wisst ihr, was mir neulich während eines Vortrags passiert ist? Ich stehe vor zweihundert Leuten und rede über ein furchtbar ernstes Thema, und plötzlich springt mir ein Knopf vom Hemd. Platzt einfach ab und saust durch die Luft bis in die dritte Reihe der Zuhörer. Alle haben es gesehen und alle haben so getan, als ob nichts wäre. Ich habe am Bauch einen kühlen Luftzug gespürt, mich aber nicht getraut hinzusehen. Ich hab ganz flach geatmet, weil ich Angst hatte, meine dicke Wampe würde auch noch die restlichen Knöpfe in den Saal schießen, und dann hätte ich bauchfrei dagestanden. Das war schlimm.«

Meine Mutter fragte: »Was war denn das Thema?« »Suizid im Kindesalter. Wirklich, ich muss dünner werden!« Mein mittlerer Bruder sagte: »Da würde ich mal versuchen, nur drei Mahlzeiten pro Tag zu essen!« »Ja«, gab ihm mein Vater recht: »Da stimme ich dir zu. Das scheint mir ein erwägenswerter erster Schritt in die richtige, die abspeckende Richtung zu sein. Ab heute nur noch drei Mahlzeiten!« Die vierte Malzeit, die mein Bruder meinte, war gegen den sogenannten »Nachthunger«. Jede Nacht, zwischen drei und vier Uhr morgens, wachte mein Vater auf, von Hungerkrämpfen geplagt, wie er sagte. Wachte auf und ging in die Küche. Er kochte auch nachts. Machte sich Spiegeleier mit Speck oder eine ganze Schüssel heißen Vanillepudding. Der Anblick des vor der offenen Tür des Kühlschranks wie vor einem anzubetenden Heiligtum knienden, vom Lämpchen erleuchteten Vaters war einer der mir vertrautesten überhaupt. Ständig hockte er illuminiert vor dem Kühlschrank und fraß Wurst oder Käse.

Mein ältester Bruder sagte zu ihm: »Das hilft überhaupt nichts, wenn du nur nachts nichts mehr isst. Du darfst auch am Tag nicht so viel fressen. Schoggi und Kokosflocken, alles schon wieder ratzeputz weg.« Er deutete hinter sich auf den Küchenschrank. Ganz oben in einer Schale lagen unsere Süßigkeiten. Den Platz hatte mein Vater gewählt. Durch diese simulierte Unerreichbarkeit hoffte er, seinen Süßigkeitenkonsum zu drosseln. Vergeblich. Auf den Zehenspitzen, seinen dicken Bauch gegen den Schrank gedrückt, die Hemdknöpfe schrammten über das Holz, fischte er mit der Hand in der Schale herum.

»Und vor allem«, mein Bruder zögerte, da er sicher war, das heikelste aller Themen zu berühren, »du musst dich mehr bewegen.« »Ja«, sagte mein Vater, zu unserer aller Überraschung, ganz gelassen, »auch damit hast du vollkommen recht. Ich hab mit dem Stethoskop versucht, mich selbst abzuhören. Ich hab mein Herz nicht gefunden. Das arme Ding! Lebendig begraben unter Tonnen von Fett. Liegt da irgendwo in mir in der Finsternis, ein verschüttetes Lawinenopfer, und wartet auf Rettung. Vielleicht bin ich ja schon tot. Ein Fettfriedhof. Lacht jetzt bitte nicht, aber genau aus diesem Grund werde ich mit dem Laufen anfangen.«

Meine Mutter sah ihn fragend an: »Da hast du dir aber einiges vorgenommen: Nichtraucher, Diät und Sport. Mach doch erst mal eine Sache.« »Nein!« Mein Vater verstellte seine Stimme, sprach betont männlich: »Wenn schon, denn schon. Ein übergewichtiger Nichtraucher kommt genauso wenig infrage wie ein kettenrauchender Läufer. Mein Gott …« Theatralisch schlug er sich seine Hände vors Gesicht. Mein mittlerer Bruder hatte die Finger dieser Hände, die Vaterfinger, einmal Wurstfinger genannt. Das war für ihn eine solche Kränkung, dass er es bis zu seinem Tod nicht vergaß und immer wieder sagte: »Ich hab doch keine Wurstfinger, oder?«

Er saß da, an seinem Geburtstagsfrühstücksplatz, und tat vollkommen erschüttert: »Oh mein Gott …«, wiederholte er, »ich werde heute vierzig! Vierzig! Als ich so alt war wie ihr«, er sah meine Brüder und mich liebevoll an, »da waren alle Vierzigjährigen für mich Tattergreise.«

Mein blitzgescheiter mittlerer Bruder war ein Revolverheld der ansatzlos aus der Hüfte abgefeuerten Sätze. Kaum einer zog schneller als er. So auch jetzt: »Korrekte Einschätzung, Papa! Jung ist was anderes! Noch vor hundert Jahren sind die meisten Menschen in deinem Alter gestorben. Da wärst du statistisch betrachtet sogar schon leicht überfällig.« Mein Vater nickte: »Na danke. Aber es stimmt, dies ist meine letzte Chance, noch etwas zu verändern.«

Ich mochte den Bauch meines Vaters. Wenn wir zusammen an der Ostsee waren, lag mein Vater auf dem Rücken in der Sonne und tat das, was er immer tat, wenn er nicht aß, er las. Ich liebte es, am Strand nach Donnerkeilen und rund gespülten Glasscherben zu suchen. Ich wollte nie gehen. »Bitte, bitte«, bettelte ich ihn an, »noch einen Bauchnabel voll.« Wenn er einwilligte, holte ich vom Meer mit meinen zu einer tröpfelnden Schale geformten Händen Wasser und füllte seinen tief liegenden Nabel damit voll. Ich durfte dann noch so lange bleiben, bis das Wasser verdunstet war. Von weit weg rief ich: »Ist noch was drin?« Er steckte seinen Zeigefinger in den Bauch: »Jaaa, hast noch Zeit.« Durch den nun angedrohten Gewichtsverlust sah ich meine kostbare Strandzeit in Gefahr.

Während ich über das Wasser im Nabel nachdachte, fiel mir die Salamischeibe vom Brötchen und unser Hund schnappte sie sich blitzschnell. Mein Vater tat das, was er immer tat, wenn ich mich in einen meiner Tagträume verabschiedet hatte. Er schnipste nah vor meinen stierenden Augen mit den Fingern. Mein ältester Bruder hatte mich in diesem Zustand sogar schon fotografiert. Das Bild hatte mich befremdet: Ich sah aus wie ein Blinder.

»So, und nun möchte ich im Kreis meiner Familie meine letzte Zigarette rauchen.« Er zündete sie an und zog den Rauch tief ein. »Und, schmeckt sie irgendwie besonders?«, fragte ich. »Allerdings, mein Lieber!«, antwortete mein Vater, »durch einen unglaublichen Zufall habe ich für meine letzte Zigarette die köstlichste Roth-Händle, die je auf diesem Erdball gewachsen, geerntet, gedreht und verkauft worden ist, erwischt. So eine gute hatte ich noch nie.« Er blies den Rauch aus und zog wieder. Wir sahen ihm stumm dabei zu. »Und nun mein letzter Zug.«

Da gab es einen Knall.

Im ersten Moment dachte ich, mein Vater würde explodieren. Hatte er sich mit seiner letzten Zigarette selbst in die

Luft gesprengt? Den Bruchteil einer Sekunde zuvor war ein Schatten über meinen Teller hinweggehuscht. Mein Vater spuckte vor Schreck die finale Roth-Händle auf die Tischdecke, meine Mutter gab einen eigenartigen Laut von sich, so als würde ihr jemand die Gurgel zudrücken, der Hund neben mir sprang auf, stieß sich lefzenschlabbernd den Kopf unter der Tischkante, und auch meine Brüder und ich zuckten zusammen, warfen uns auf unseren Stühlen zurück.

Gegen die Fensterfront des Wohnzimmers war ein Vogel geflogen. Das war schon öfter passiert, doch noch nie beim Frühstück, noch nie zuvor mit solchem Kawumm in eine erwartungsvolle Stille hinein.

Die Glut hüpfte von der Zigarette und lag glimmend auf der Tischdecke. Meine Brüder und meine Mutter sprangen auf und liefen zur Scheibe. Ich starrte auf die Glut. Mein Vater sah mich an. Sein eines Augenlid hing ein wenig. Sein »Gottfried-Benn-Auge« nannte er es. Er tat etwas, das mich tief beeindruckte, das ich ihn noch nie hatte tun sehen. Er leckte seinen kleinen Finger an und berührte damit die glühende Zigarettenasche. Sie blieb an seinem Finger kleben. Er hielt ihn in die Höhe: gelb-oranger Lichtpunkt balanciert auf speichelnasser Fingerkuppe. Er zeigte ihn mir. Mein mittlerer Bruder rief zu uns hinüber: »Eine Amsel!« Ich drehte meinen Kopf von der Glut weg und sah hinaus. Direkt vor der Glasschiebetür lag in der Morgensonne ein schwarz schillernder Vogel am Boden. Sein Schnabel leuchtete gelb-orange, auch er glühte. Es war exakt derselbe Farbton. Ich wandte meinen Blick zurück. Mein Vater sah mich an, und in seinen verschieden großen Augen war etwas, das mir gleichzeitig rätselhaft und vertraut war. Er öffnete den Mund, steckte den Finger hinein, schloss die Lippen um den glimmenden Lichtpunkt und zog den Finger blank geleckt wieder hinaus. Ich konnte nicht glauben, was ich da sah. Warum tat er das? War das ein Kunststück? Glut essen?

Der Hund bellte den leblosen Vogel an. Mein Vater stand auf. Der Stuhl ächzte. Alle Möbel taten das. Betten, Sofas, Stühle, Liegen. Beim Setzen und Aufstehen meines Vaters wurde geächzt. Und auch er selbst ächzte. Wenn er sich setzte, gab es immer diesen wackeligen Moment, da er seinem Gewicht nachzugeben schien und sich fallen ließ. Beim Aufstehen gab er gepresste Töne von sich, da dieses Aufrichten immer auch ein Sich-Hochwuchten war. Er trug schwer an sich.

Mein ältester Bruder hatte die Schiebetür geöffnet, meine Mutter hielt den Hund fest, und mein mittlerer Bruder beugte sich über den Vogel. Die Amsel hatte die Augen geschlossen und einen Flügel flach von sich gestreckt. »Ich glaube, die ist hin!«, war seine einfühlsame Diagnose. Auch ich ging hinaus. Selten warmer Morgen, die Terrassenplatten schon warm unter den Füßen. »Ist sie tot?«, fragte ich. Mein mittlerer Bruder, der wie mein Vater Arzt werden wollte, was die beiden in einer mich irritierenden medizinischen Zweisamkeit verband, stippte den Vogel mit der Zehenspitze an. »Berühr sie lieber nicht«, bat ihn mein Vater, beugte sich vor und sagte: »Wahrscheinlich hat sie sich das Genick gebrochen.« »Ja, sieht ganz nach einer Halswirbelfraktur aus«, fachsimpelte angeberisch mein Bruder, »vielleicht aber auch ein spinaler Schock!« »Nicht ganz, nicht ganz, Herr Kollege«, spielte mein Vater mit. »Ich hole einen Karton«, rief meine Mutter schon im Gehen, »wir können die da doch nicht einfach liegen lassen.« Schon beim vorsichtigen Hineinheben der Amsel in den mit einem Küchenhandtuch ausgeschlagenen Schuhkarton hatte ich das sichere Gefühl, dass sie gestorben war, den Weg zurück von den Scheintoten zu den Lebendigen nicht mehr finden würde. Ihre Leblosigkeit hatte etwas Endgültiges.

So hatte das feierliche Geburtstagsfrühstück voller Vorsätze und einer spektakulären Ankündigung – der große Klare aus dem Norden kommt – durch den Amselknall sein jähes Ende erlitten. Da ich mein Ei noch nicht gegessen hatte, setzte ich mich zurück an den Tisch. Mein Vater ließ sich in seinen Ohrensessel fallen und nahm sein Buch. Hielt es, wie es seine Gewohnheit war, sehr nah vor die Augen, wodurch sein Gesicht fast ganz verschwand. Für Stunden entzog er sich so unser aller Sicht, und nur seine Glatze ragte wie ein spiegelglatter Himmelskörper halb über den Horizont des Buchrandes. Meine Mutter deckte um mich herum den Tisch ab.

»He, ich bin doch noch gar nicht fertig!«, rief ich. »Warum geht ihr denn alle?« Sie strich mir mit der Hand über meine üppigen Locken: »Iss ruhig zu Ende, mein Lieber. Ich fang nur schon mal an.« Meine Brüder verschwanden in ihren Zimmern. Ich nahm das Ei aus dem mit verwaschenem Stoff bezogenen Körbchen. Klopfen oder köpfen? Ich war eindeutig für die Praxis der Ei-Exekution. Ich hub mein Messer in die Schale. Traf ungünstig, zu weit unten. Wäre es ein Mensch gewesen, ungefähr auf Höhe der Schulterblätter. Das Eigelb quoll hervor und rann über den Eierbecher. Und wieder: gelb-orange. Amselschnabel, Zigarettenglut, Eigelb. An diesem Tag hatten die verschiedensten Dinge denselben Farbton. Ich fragte mich, ob das so weitergehen würde, ob mir dieser vierzigste Geburtstag zu Ehren meines Vaters noch mehr farbliche Übereinstimmungen präsentieren würde. Gab es einen Zusammenhang? Einsam aß ich mein Ei, sinnierte über die von allen Seiten auf mich einstürmenden mysteriösen Zeichen nach und murmelte gelb-orangene Zaubersprüche.

Alle Vögel sind schon da

Mein mittlerer Bruder klatschte direkt vor meinen tagträumenden Augen in die Hände und weckte mich: »Komm mit.« Ich folgte ihm. Wir knieten uns vor den Karton mit der Amsel, der im kühlen Vorflur auf dem Boden stand. Nichts hatte sich verändert. Um ihre Augen herum trug sie zwei gelb-orangene Ringe. Mir kam es ein wenig ungehörig vor, dem Vogel so nahe zu kommen. So, als würde ich seine vielleicht ja doch nur momentan durch den Unfall ausgeschaltete Scheu missachten.

Mit einem Buntstift drehte mein mittlerer Bruder die Amsel herum. Die Krallenfüßchen von sich gestreckt, schon etwas steif, fiel sie lautlos auf den Amselrücken. »Ich glaube«, sagte er, »wir sollten uns auf eine Bestattung vorbereiten.« »Wollen wir nicht noch etwas warten? Vielleicht ist sie nur ohnmächtig.« »Ohnmächtig?« Mein Bruder stupste sie mit dem Stift an, schob sie auf dem Handtuch in die Ecke des Schuhkartons. »Klarer Fall von Exitus!« »Aber das war doch schon öfter so«, versuchte ich den Vogel vor diesem unwiderruflichen Urteil in Schutz zu nehmen, »dass die wie tot aussehen, es aber nicht sind. Bitte, lass uns noch ein klein wenig warten.« Mein Bruder spitzte Daumen und Zeigefinger und legte sie um das knorrige Beinchen der Amsel. »Was machst du?« »Ich prüfe ihren Puls!« Er schloss seine Augen, saß einfach nur da. »Nein, da ist nichts. Absolut tote Hose. Die muss unter die Erde, und zwar schnell, sonst fängt sie an zu müffeln.«

Gegen Mittag fand auf unserem Haustier-Friedhof die Beerdigung statt. Hier lagen bereits Zebrafinken und Zierfische meines älteren Bruders, ein ihm entlaufener, erst nach Wochen hinterm Schrank gefundener mumifizierter Gecko und mehrere Vögel, die das Amselschicksal teilten und gegen unsere Scheibe gedonnert waren.

Und natürlich Erwin Lindemann, der Wellensittich meines mittleren Bruders. Er hieß tatsächlich so: Erwin Lindemann. Wochenlang hatte mein Bruder versucht, ihm das Sprechen beizubringen, hatte sogar eine Endloskassette mit dem Satz »Ich heiße Erwin Lindemann« aufgenommen. Mehrere Stunden lang musste sich das der arme grünblau gefiederte Erwin tagtäglich anhören. Irgendwann konnte er es einigermaßen. Es klang unheimlich. Der Wellensittich imitierte die Stimme meines Bruders, klang wie er. Er zwitscherte hell, und dann sprach es aus ihm: guttural, aber klar und deutlich, wie ein Bauchredner, ohne jede erkennbare Bewegung seines Schnabels. Mein Bruder führte ihn seinen Freunden vor, und sie krümmten ihre drahtigen Körper vor Lachen. Ich fand das immer etwas traurig, nichts anderes sagen zu können als den eigenen Namen und dann auch noch dafür ausgelacht zu werden.

Wie das wohl bei über fünfzig Prozent aller Wellensittichtode in Gefangenschaft der Fall ist, so war es auch bei uns: Die Putzfrau war schuld. Frau Fick! Sie war es, die den Käfig hochgehoben und das Fenster offen gelassen hatte. Erwin flatterte davon, in einen sehr dunklen Novembertag hinein. Ihm muss schon nach wenigen Flugmetern klar geworden sein, dass er sehr, sehr weit weg von zu Hause war, eine Heimreise in wärmere Gefilde, selbst Luftlinie, ein hoffnungsloses Unterfangen war. Er flog nicht weit, nur bis hinauf in den Wipfel einer der Linden. Und hier wurde er sozusagen eins mit seinem Namen. Mein Bruder legte den Kopf in den Nacken und brüllte Richtung Baumkrone: »Erwin Lindemann, komm sofort runter!« In der hereinbrechenden Dunkelheit war nur noch ein Schimmer Grün, ein Hauch Blau zu erkennen. Mein Bruder sagte zu mir: »Sei mal still!«, obwohl ich nichts sagte. Ganz leise hörten wir ihn: »Ich heiße Erwin Lindemann. Ich heiße Erwin Lindemann. Ich heiße Erwin Lindemann …«

Mir kam es so vor, als würde mein Bruder, dem das Lachen gründlich vergangen war, neben mir stehen und gleichzeitig sein Gespenst oben im Baum jammern. Am nächsten Morgen war Erwin verschwunden. Aber eine Woche später fand meine Mutter seinen farbenprächtig zerfledderten Leichnam auf dem Rasen. Als sie mit ihm ins Haus kam, dachte ich zuerst, sie würde einen kleinen Strauß bunter Blumen in Händen halten.

Die Aufgaben bei unseren Tierbestattungen waren klar verteilt. Mein mittlerer Bruder hielt die Trauerreden, darauf war er abonniert, das war seine Passion. Ich durfte die auf ein Taschentuch gebetteten Toten tragen, und mein ältester Bruder bastelte die kleinen Holzkreuze. Immer wieder aufs Neue war ich überrascht von der Leichtigkeit der Tiere, die ich trug. Auch die Amsel wog fast nichts. Mir kam es vor, als hielte ich meine leeren Hände wie zum Betteln in die Luft. Für die Amsel hatte sich mein Bruder etwas ganz Besonderes ausgedacht. Er hatte sich trotz der ungewöhnlichen Hitze einen schwarzen Rollkragenpullover angezogen und sprach getragen: »Liebe Brüder, wir haben in letzter Zeit dem ein oder anderen Tier an diesem Ort das letzte

Geleit gegeben. Doch für diese kleine Amsel habe ich mir etwas Neues überlegt. Ich finde die Vorstellung, dass du«, er sah auf den Singvogel in meinen Händen, »in einem kalten Loch unter feuchter Erde verfaulen sollst, unerträglich. Du kanntest nur die Vogelperspektive, und das soll auch so bleiben. Wer sein Leben lang Würmer gegessen hat, soll nicht seinerseits den Würmern zum Fraß vorgeworfen werden. Und deshalb wollen wir dich heute nicht vergraben, sondern wir werden dich verbrennen. Deine federleichte Asche in den Wind streuen. Auf dass sie, so wie du es immer gern getan hast, davonfliegt.«

Mein ältester Bruder warf ihm einen anerkennenden Blick zu und zog sein Feuerzeug aus der Tasche. Es gab einen ständigen Wettstreit zwischen ihnen, wer auf den aberwitzigeren Einfall kam. »Darf man das denn?«, fragte ich meine Brüder. Sie grinsten, und mein ältester Bruder erklärte mir: »Die halbe Welt verbrennt ihre Toten. Das ist völlig in Ordnung. Uralte Tradition. Hygienisch. Vergraben gilt in vielen Ländern als voll abartig.« Wir rannten los, sammelten Äste und Zweiglein. Ich rupfte trockenes Gras aus den Terrassenfugen. Keine zehn Minuten später hatten wir auf dem Rasen einen akkuraten Scheiterhaufen mit Mulde aufgeschichtet. Bei seinem Anblick allerdings war mir nicht ganz wohl. Er sah aus wie ein Nest. Ein gemütliches, gut gepolstertes Nest, in das mein ältester Bruder drei Grillkohle-Anzünder steckte. Behutsam ließ ich die Amsel hineinrollen. Er schnipste das Feuerzeug an und drehte an einem winzigen Rädchen, bis die Flamme größer war als das Feuerzeug selbst und flackernd rauschte. Mit diesem Miniatur-Flammenwerfer kniete er sich vor das Nest. Noch immer war ich mir nicht ganz sicher, ob wir lange genug gewartet hatten. Voller Entsetzen stellte ich mir vor, wie die Amsel, durch das Feuer geweckt, aber schon entzündet, auffliegen würde. Ein lichterloh brennender Vogel, der piepsend in den blauen Himmel davonflattert und hoch über der Stadt verglüht.

Da kam meine Mutter mit einem Wäschekorb auf dem Weg zur Wäschespinne den Gartenweg entlang. Als sich meine Brüder wie ertappt vor die Amsel stellten und mich vor sich zogen, ahnte ich, dass es sich mit der uralten Tradition doch nicht ganz so eindeutig verhielt, wie sie behauptet hatten. »Was habt ihr denn? Warum guckt ihr denn so komisch?« Sie kam näher, stellte den Korb ab und schob die Drei-Söhne-Mauer beiseite. »Habt ihr der Amsel ein Nest gebaut? Wie nett. Was sind denn das für Dinger dadrin?« Sie kniete sich hin, verharrte kurz und sah zu uns auf: »Ihr wollt die doch nicht anzünden, oder?«

Nun geschah etwas, das ich an meinem mittleren Bruder immer bewunderte. Er stritt es nicht ab, so wie ich das getan hätte, er griff an: »Na klar wollen wir die verbrennen. Willst du etwa einen Vogel begraben? Wenn ich mal sterbe, will ich auch verbrannt werden. Ich sag nur: Indien! Willst du dich etwa verbuddeln lassen, Mama? Du frierst doch eh so schnell. Jetzt sag mal, was sollen wir mit dir nach deinem Tod machen? Vergraben, verbrennen, Seebestattung? Darüber kann man sich gar nicht früh genug Gedanken machen. Erde, Feuer, Meer? Denn der Moment kommt, wie man an dieser Amsel sehen kann, oft schneller als gedacht.«

Meine Mutter hatte nicht die geringste Lust, sich auf eine Diskussion über die Art ihrer Bestattung einzulassen. Und doch war die unmittelbare Fassungslosigkeit, die ich ja schon auf ihrem Gesicht gesehen hatte, abgeschwächt. Nachdenklich antwortete sie: »Na ja, ein bisschen Zeit bleibt mir ja hoffentlich noch. Aber eins kann ich euch dreien mit absoluter Sicherheit sagen: Ihr werdet hier und heute in diesem Garten ganz sicher keine Amsel verbrennen. Am vierzigsten Geburtstag eures Vaters! Ihr spinnt ja. Begraben geht in Ordnung. Verbrennen kommt nicht infrage.«

Sie nahm den Korb und begann, hin und wieder zu uns hinübersehend, Wäschestücke aufzuhängen. Mein ältester Bruder konnte wunderbar vorwurfsvoll gehen und machte sich auf den Weg, den Spaten zu holen. Ich zog die Grillanzünder aus dem Scheiterhaufen-Nest, und mein Bruder wählte zwischen den Grabreihen eine passsende Stelle aus. Mein ältester Bruder grub das Loch. Ein Spatenstich reichte. Die Tiertrauerreden meines mittleren Bruders ergriffen mich, obwohl er, das war mir vollkommen klar, Blödsinn predigte. Er sprach sehr laut und anklagend: »Ihr Lieben, ich freue mich sehr, dass ihr euch heute hier so zahlreich versammelt habt, um unserem kleinen gefiederten Freund das letzte Geleit zu geben. Durch einen tragischen Unfall wurdest du mitten im Flug aus dem Leben gerissen. Du hast in deinem kurzen Amselleben gewiss viele Hindernisse gemeistert, Strapazen durchlitten, aufgeplustert eisige Winternächte überstanden und manchem Sturm getrotzt. Doch diese Scheibe war zu dick für dich. Wie gern haben wir dich dabei beobachtet, wie du geschickt Würmer aus dem Rasen picktest. Ja, du warst ein ganz besonderer Vogel!« War das wirklich eine Amsel, die er kannte, fragte ich mich. »Du warst uns in all den Jahren ein treuer Gefährte, hast uns mit deinen herrlichen Melodien erfreut und uns so manchen Streich gespielt.« Mein ältester Bruder flüsterte: »Los, jetzt mach mal hinne.« Mein Bruder kam zum Schluss: »Fahre wohl, kleine Amsel. Deine Seele geht nun ein ins Himmelreich. Wir alle hier, die sich um diese Grube versammelt haben, hätten uns gewünscht, deinen letzten Willen zu erfüllen und deine Asche in den Wind zu streuen, dich der Luft zu schenken. Doch Ignoranz und Lieblosigkeit haben das verhindert!« Meine Mutter knallte mit einer feuchten Jeans. »Wir wünschen dir in diesem nassen Loch von ganzem Herzen gute Besserung und ein langes ewiges Leben. Amen!«

Meine Brüder klatschten, ich kniete mich hin und ließ die Amsel vom Taschentuch in die Minigrube rollen. Mit den Händen schob ich die Erde zusammen. Dabei überkam mich ungewollt ein großer Kummer, und obwohl ich alles tat, um meine Tränen zu unterdrücken, begann ich zu weinen. Ich hielt meinen Kopf gesenkt, ganz nah über den Grabhügel, und klopfte, um Zeit zu gewinnen, mit Sorgfalt die Erde fest. »Jetzt ist mal gut!«, vernahm ich meinen ältesten Bruder direkt hinter mir, »hör mal auf, da so rumzutrommeln. Das ist Störung der Totenruhe.« Unbemerkt wischte ich mir meine Tränen an den Schultern ab und stand auf. Mein ältester Bruder steckte das Holzkreuz hinein. »Was sollen wir singen?«, fragte ich. »Wie wäre es mit: Alle Vögel sind schon da, alle Vögel, alle …«, schlug mein mittlerer Bruder vollkommen ernst vor. Wir sangen, bis wir nicht mehr weiterwussten. Dann gingen wir alle drei, wie nach einem Kirchgang erbaulich gestimmt, ins Haus zurück.

Der Geburtstagstisch meines Vaters sah kümmerlich aus. Ich hatte zu seinem runden Geburtstag einen wahren Geschenkeberg erwartet und schwor mir, dass ich es mit vierzig zu mehr als dieser spärlichen Ausbeute bringen würde. Seine drei älteren Schwestern hatten ihm jeweils ein Buch geschenkt, zwei davon das gleiche, den »Briefwechsel zwischen Friedrich dem Großen und Voltaire«, meine Mutter einen Kaschmir-Schal, der an diesem Sommertag wie ein weichwarmer Irrtum dalag, edel und unbrauchbar, mein ältester Bruder einen seiner berühmten Gutscheine: »Ein Angelausflug. Nur wir zwei!«. Meistens gerieten diese Versprechungen in Vergessenheit und wurden nie eingelöst. Ich hatte zum siebten Geburtstag von ihm einen Gutschein über zehnmal zehn Minuten in seinem Bett liegen bekommen. Das war tatsächlich ein Urwunsch von mir. Während ich unter seiner Bettdecke selig an seine Zimmerdecke sah, unter der eine Landkarte von Mittelerde hing, saß er mit tickender Stoppuhr an seinem Schreibtisch. Als ich am nächsten Tag wieder in sein Bett wollte, sagte er: »Dreh mal den Gutschein um!« Auf der Rückseite stand winzig das Verfallsdatum. Der Gutschein war nur einen Tag gültig gewesen!

Mein eigenes Vater-Geschenk war wie immer ein selbst gemachter Untersetzer aus Holz. Schon als mein Vater das krumpelig eingewickelte Präsent mit den Fingern befühlte, ahnte er: »Na, was das wohl wieder ist?« Das einzige Geschenk, das ihn überraschte, war eine Schuhputzmaschine, die mein mittlerer Bruder ausgesucht hatte. Wir alle bewunderten ihn für diesen Einfall. Eine harte, weiße Bürste zur Reinigung, eine rot flauschige zum Polieren und in der Mitte eine Düse, die auf Druck mit der Schuhspitze einen Klacks Schuhcreme spendete. Mein Vater freute sich: »Wie bist du denn darauf gekommen? Was für eine prima Idee. Wo hast du die denn bloß her?« »Ach weißt du, Papa, ich finde es halt wichtig, dass ein Geschenk eine echte Überraschung ist. Nur originell ist genauso falsch wie rein praktisch. Da ist eine Schuhputzmaschine genau das Richtige. Und du hast doch viele Schuhe!« »War die denn nicht mordsmäßig teuer?« Mein mittlerer Bruder sah gekonnt schulmeisterlich durch seine Brille: »Aber Papa! Heute ist doch dein Vierzigster!«

Eigentlich war das immer meine Aufgabe gewesen, die Schuhe meines Vaters zu putzen. Ich bekam pro Paar fünfzig Pfennig. So gab die vorzügliche Auswahl meines mittleren Bruders nicht nur alle anderen Geschenke der einfallslosen Lächerlichkeit preis, nein, sie beraubte mich auch einer geliebten Tätigkeit und Einnahmequelle.

Es gibt Tage, die sind so vollgestopft mit großen Ereignissen, dass das Erinnerungsnetz immer engmaschiger wird und schließlich lauter unbedeutende Dinge mit herausfischt, die eigentlich für das Vergessen prädestiniert wären. Wie Schmarotzer saugen sich diese nichtigen Begebenheiten an den Sensationen fest und überdauern so die Zeit, hängen wie Misteln an Hochzeiten und Beerdigungen. Wozu um alles in der Welt weiß ich noch, dass sich mein Vater an diesem seinem vierzigsten Geburtstag in seinem Sessel sitzend eine Werbebeilage für Gartenmöbel ansah, auf deren Rückseite eine junge Frau, kniend, mit lustig gemeinten, viel zu großen Handschuhen, einen Gartenzaun knallrot anstrich? Nichts daran ist interessant. Obwohl, jetzt fällt mir etwas ein: Ich ging damals näher an die Rückseite heran, um mir die Frau genauer anzusehen. Mein Vater studierte den Prospekt weiter von seiner Seite aus. Ich stützte die Hände auf die Knie und beugte den Kopf vor. Ganz langsam hob da mein sitzender Vater die Werbung in die Höhe. Die papierene Trennwand fuhr nach oben, und unsere Gesichter waren direkt voreinander. Da, wo eben noch die Frau den Zaun gepinselt hatte, war jetzt das vertraute Vatergesicht. Wir lachten, und wie ein Magier ließ er den Prospekt wieder sinken.

Spezialgebiet: Wüste

Zum Mittagessen hatte sich mein Vater an diesem Geburts-tagssonntag sein Leibgericht gewünscht: Nierchen mit Reis. Er hatte sie am Vorabend in eine Schüssel mit Milch ein-gelegt, wodurch über Nacht die Harnsäure herausgespült wurde, damit sie nicht bitter schmeckten. Der gesamte Spei-seplan meiner Familie war etwas eigenartig. Wir alle lieb-ten Innereien. Meine Mutter, das hatte sie von ihrer Mutter, liebte gekochte Zunge mit heißen Pfirsichen. Mein ältester Bruder wünschte sich oft scharf angebratene Hühnerherzen mit selbst gemachten Pommes. Das war seine eigene Krea-tion. Für meinen mittleren Bruder: Leber mit Apfelringen, so oft wie möglich, trotz Schwermetallwarnung. Ins Kartof-felbrei-Gebirge drückte er mit dem Löffel Gräben, füllte sie mit geschmolzener Butter. Und ich aß für mein Leben gerne gebackenes Schweinehirn mit Zitronensaft. Brägen, wie das im Norden heißt. Wenn man das von Eiweißfasern durch-wirkte hellrosafarbene Schweinegehirn mit dem Zitronensaft übergoss, zuckte es, schnurrte zusammen wie in einem gal-vanischen Experiment. Sogar unser Hund bekam hin und wieder gekochtes Herz. Das schmeckte auch mir, wie Wild. Wenn es niemand sah, schnitt ich mir im Topf etwas davon ab und aß das Hundefutter heiß von der Gabel.

Während des Mittagessens spielten wir wie jeden Sonntag ein Spiel. Es hieß »Die Superfamilie«. Jeder von uns hatte sein Fachgebiet, und mein Vater stellte Fragen. »Also los geht's«, sagte er und fing mit meinem ältesten Bruder an, der sich gut mit Fischen auskannte: »Schwere Frage: Alle Aale schlüpfen in einem bestimmten Gewässer. Wie heißt das?« Schon auf halber Strecke der Frage hatte mein Bruder gelächelt: »Das ist die Sargossosee. Früher dachte man, dass ihre Larven vom Golfstrom zu uns nach Europa getragen werden. Aber die schwimmen tatsächlich selbst Tausende von Kilometern durchs Meer.« »Dafür bekommst du ganz klar drei Punkte.« Drei Punkte bekam man, wenn es einem gelang, über die Frage hinaus noch etwas Interessantes zu ergänzen.

»So, als Nächstes bist du dran.« Das Spezialgebiet meiner Mutter waren Pflanzen. Ich glaube nicht, dass sie damit sonderlich glücklich war. Sie hätte immer gerne Italien genommen. Aber das lehnte mein Vater ab. Meine Mutter und Italien war für ihn ein heikles Thema. »Hier deine Frage: Welcher Busch blüht im Winter?« »Oh, das weiß ich. Da gibt es mehrere. Aber du meinst bestimmt einen Winterschneeball. Da denkt man immer: Was ist denn jetzt los? Warum blüht der schon? Aber November ist nicht ungewöhnlich. Die Blüten riechen eigenartig.« Mein Vater nickte: »Zwei Punkte.« »Wieso denn nur zwei?«, fragte meine Mutter, »ich hab doch alles gewusst.« »Ja das schon, aber du hast ja nichts Weiterführendes geantwortet.« »Was soll ich denn da Weiterführendes antworten. Außerdem hab ich doch gesagt, dass die ein bisschen stinken.« »Gib ihr doch die drei Punkte. Jetzt bin ich dran.«

Unser Hund lag, während wir spielten, auf dem Küchenboden und träumte. Zuckte unrhythmisch mit den Pfoten und witterte etwas. Mein Vater dachte nach: »Also gut. Drei Punkte für dich. So und jetzt du.« Mein mittlerer Bruder strich sich die Haare aus dem Gesicht und wartete. Mein Vater überlegte. Die Fragen an meinen Bruder mussten wohl gewählt sein. Waren sie zu leicht, wurde er sauer und war tief in seiner – davon war er fest überzeugt – einzigartigen Ausnahme-Intelligenz gekränkt. Waren sie zu schwer, konnte es passieren, dass er anfing zu weinen, da er es nicht aushielt, etwas nicht zu wissen. Sein Spezialgebiet war natürlich die Medizin. »Gut, also hier deine Frage: Was ist eine Bursitis?« Obwohl mein Bruder so tat, als wäre das eine hammerschwere Frage, hatte ich durch das Blau seiner Augen einen glücklichen Funken springen gesehen, der mir eindeutig verriet, dass er es wusste. »Oh Mann, das ist wirklich hart. Bursitis?« »Zu schwer?«, fragte meine Vater. »Du kannst ein Mal eine Frage tauschen.« »Gib ihm doch einen Tipp«, bat ihn meine Mutter. »Nee, Tipp is nicht!«, beharrte mein ältester Bruder streng auf den Regeln. Mein mittlerer Bruder legte seine Stirn in Falten, tat so, als würde er in den überprall mit Wissen vollgestopften Gehirnschubladen seines Universalgeistes stöbern: »Bursitis. Hmm. Bursa? Das müsste auf Lateinisch Tasche oder Beutel bedeuten. Ah, warte mal. Beutel. Genau!« Wir alle sahen ihn an, wir alle durften dabei sein, wie sich die Wissenssplitter unter höchster Gedankenanspannung zusammenfügten. Jetzt war das Ergebnis da: »Bursitis – ganz klar – Schleimbeutelentzündung. Kann an den unterschiedlichsten Stellen auftreten. Überall da, wo Sehnen über Knochen oder Muskeln gleiten. Das wird ordentlich dick und warm. Dagegen hilft eigentlich nur kühlen. Wenn es eitrig wird, muss man den Schleimbeutel chirurgisch entfernen. Das riecht gar nicht gut.«

Das tief befriedigte Nicken meines Vaters wurmte mich. Woher wusste mein Bruder so etwas? Kein Junge der Welt in seinem Alter wusste, was eine Schleimbeutelentzündung ist. Mein Vater gab ihm selbstverständlich die volle Punktzahl.

Glücklich sagte er: »Ganz klar! Drei dicke, fette Punkte für dich. Besser hätte ich das auch nicht formulieren können. Volltreffer. So, und nun bist du dran, mein Lieber.«

Der schlafende Hund schien etwas Köstliches gefunden zu haben, sabberte auf die Küchenfliesen und kaute auf seinem Traum herum. Mein Spezialgebiet war die Wüste. Tatsächlich habe ich mich damals brennend für die Wüste interessiert.

»Wie nennt man die sehr giftigen Tiere, mit denen man in der Wüste auf keinen Fall in Berührung kommen sollte? Und ich meine keine Schlangen!« Alle guckten mich an. Warteten. Alle wussten die Antwort. Ich überlegte. Hirnleere. Das einzige Tier, das mir unter den Blicken meiner Familie in den Sinn kam, war: Kamel. Aber das konnte nicht sein, das war völliger Blödsinn: giftiges Kamel. Nach dem Unterschied zwischen Kamel und Dromedar hatte mich mein Vater schon viel zu häufig gefragt. Wer ist giftig und lebt in der Wüste? Meine Mutter formte ihre Hände zu zwei auf und zu schnappenden Zangen. »He, keine Hilfestellung! Das gibt Punktabzug!« Da wusste ich es plötzlich. Ich sah das gefragte Tier vor mir, aber seine Bezeichnung fiel mir nicht ein, und ohne weiter darüber nachzudenken, rief ich: »Krebs!« Meine Brüder ließen sich vor Enttäuschung überdramatisch nach vorne auf die Tischplatte fallen, wodurch der Hund aufwachte und einen Gähnkrampf bekam.

»Fast …«, sagte mein Vater. »Fast! Es sieht einem Krebs ein wenig ähnlich, aber es heißt anders!« Meine Mutter sagte: »Das gibt es auch als Sternzeichen!« Ich war so aufgeregt, wollte unbedingt den Punkt ergattern. Sternzeichen? Mein Sternzeichen ist doch …? Ohne weiter darüber nachzudenken, unendlich dankbar für den Tipp meiner Mutter, rief ich zum zweiten Mal: »Krebs!« Meine Brüder fingen an zu lachen: »Ey, schnall das doch mal: Es ist kein Krebs. Warum brüllst du denn andauernd Krebs? Es gibt keine Krebse in der Wüste. Krebse leben im Meeeeer!«

Mein Vater hatte die Hoffnung noch nicht aufgegeben: »Lasst ihn doch noch mal überlegen.« Gegenüber von mir fuchtelte meine Mutter mit ihren Zangenhänden herum, schnapp, schnapp, und sah mich so an, als wolle sie mir mit der geballten Kraft ihrer aufgerissenen Augen über meine Denkblockade hinweghelfen. Aber ich wusste es nicht. Dieses Nichtwissen tat weh. In mir war eine schmerzende Leere, ein pochendes Vakuum. »Los, jetzt gib schon auf, bitte, bitte, bitte«, flehte mich mein ältester Bruder an. »Wir wollen noch 'ne Runde spielen, bevor Papa fünfzig wird.«

Ich sagte sehr leise: »Spinne? Vogelspinne vielleicht?« Woraufhin mein einer Bruder den anderen fragte: »Sag mal, was bist du noch mal für ein Sternzeichen?«, und dieser »Das weißt du doch« antwortete, »ich bin Spinne«. Ich war kurz davor, »Hummer« zu sagen, brachte aber einfach nichts mehr heraus. Mehrmals gaben meine Brüder Tut-Signale von sich, um meine Ratezeit endgültig zu beenden.

»Also gut!« Mein Vater sah mich unglücklich an, ich tat ihm leid. »Es ist ein Skorpion. Aber du bekommst einen Punkt, weil ich das mit dem Krebs gar nicht so schlecht fand. Die sehen sich ja wirklich ein wenig ähnlich.« Doch meine Brüder kannten in solchen Dingen keine Gnade. »Wie bitte?«, rief mein mittlerer Bruder entrüstet, »einen Punkt für Krebs? Was soll das denn? Krebs ist komplett falsch. Dafür gibt es ganz genau null Punkte.« Er warf mir diese gerufene Null voll an den Kopf. Auch mein ältester Bruder fand meine Bewertung ungerecht: »Papa, das ist wirklich Quatsch. Wenn diese Punkte irgendeinen Sinn machen sollen, dann darf er keinen bekommen. Das ist doch ein Wissensspiel und kein Ratespiel! Und wenn er einen Punkt bekäme, würde er ihm doch eh wegen Hilfestellung gleich wieder abgezogen, da

Mama die ganze Zeit den Skorpion vorgespielt hat. Der hat doch keine Ahnung. Mich nervt das langsam. Letztes Mal hat er auf die Frage ›Was ist die Mehrzahl von Kaktus?‹ ›Kaktusse‹ geantwortet und auch einen Punkt bekommen.« »Hat er nicht sogar Kacki gesagt? Der hat doch Kacki gesagt«, korrigierte ihn mein mittlerer Bruder, »ein Kaktus, zwei Kacki.«

Nun hatten sie mich gleich so weit. Da wo sie mich haben wollten. Meine Kopfhaut fing zu jucken an. Das war ein erstes Anzeichen des nahenden Kontrollverlustes, ein wegweisendes Symptom auf dem Weg in die Sackgasse Jähzorn.

»Kommt, bitte hört auf! Nicht am Geburtstag. Wir wollen doch noch weiterspielen«, versuchte meine Mutter zu schlichten. Doch die Lunte brannte schon. Mein ältester Bruder erhob sich, als wolle er eine Rede halten, und verkündete: »Gegen Mittag erreichte die Karawane die Oase, die voller Kacki war!« Mein mittlerer Bruder sang: »Mein kleiner grüner Kacki steht draußen am Balkon!«, und dann beide zusammen, sich die Nasen zuhaltend: »Kacki, Kacki, Kacki!«

Ich sprang vom Tisch auf, schlug meinem mittleren Bruder fahrig die Hand an den Hals, der weinend zusammenbrach, als hätte ihn ein Tomahawk getroffen, und warf mich auf den Küchenboden. Ich trat um mich und machte meinem Spitznamen »Die blonde Bombe« alle Ehre. Treten und Schlagen. Zappeln und Schreien.

Und was tat mein Vater? Nichts! Er tat nichts. Mein Vater nahm sich noch eine große Portion Nierchen und Reis. Der Hund lag neben mir und hechelte. Mein älterer Bruder stand auf und stieg mit einem großen Schritt über mich hinweg, als wäre ich irgendein sabberndes Tier, vor dem man sich in Acht nehmen musste. Meine Mutter versuchte mich vom Boden aufzuheben, aber ich hatte die Zorn-Zugbrücke hochgezogen: Ich strampelte, schrie und war uneinnehmbar – ich war in Sicherheit! Nach einiger Zeit gelang es meiner Mutter, mich zu besänftigen, mich in einer wohldosierten Mischung aus Festhalten und Umarmen zu beruhigen.

Doch ich machte mich los, rannte in mein Zimmer und setzte mich auf die breite Steinplatte über der Heizung, direkt unter dem Fenster. Dort saß ich oft. Im Sommer war der Stein herrlich kühl, im Winter schön warm. Den Vorhang konnte ich ein wenig vorziehen und mich so, direkt aus dem Fenster sehend, in einer schmalen Höhle verbergen. Im Marmor der Fensterbank waren Versteinerungen, leicht erhoben, Schneckengehäuse und längliche Muschelhülsen. Diese mit den Fingerkuppen zu betasten gefiel mir. Ich stellte mir vor, sie mit einem Hämmerchen und einem Schraubenzieher herauszuklopfen und teuer zu verkaufen oder sie in einem Mörser zu zerstoßen. Dieses fossile Zauberpulver, hoffte ich, würde mich unbesiegbar machen.

Das Kaffeekränzchen

Zum Geburtstagskaffeekränzchen kamen, das hatte schon Tradition, vier Patienten der Psychiatrie zu uns nach Hause. Es waren immer dieselben, die einzigen Personen, die mein Vater als Gratulanten zuließ. Immer wieder hatte meine Mutter versucht, ihn davon zu überzeugen, auch mal jemand anderen ein- oder wenigstens dazu zu laden. »Ich freu mich ja auch, wenn die kommen, Hermann, aber so ein richtiges Abendessen mit Gästen, ach, das fände ich auch mal nett!« Mein Vater wollte davon nichts wissen. »Nee, wer denn?« »Jacobs, Henkels, die Eckmanns, es gibt so viele!« Bei jedem dieser Namen wurde mein Vater missmutiger. Jeder dieser Namen schien mit einer ganz speziellen unangenehmen Vorstellung verknüpft zu sein und zu akutem Unwohlsein zu führen. »Nee!« »Wir wohnen jetzt schon so lange hier und haben noch nie Gäste gehabt. Das ist schon etwas seltsam. Das musst du zugeben. Selbst die stellvertretende Direktorin hat es noch nie bis in unser Wohnzimmer geschafft.« »Gott sei Dank«, murmelte mein Vater und blätterte betont laut um, so als könne er die Namen mit der Buchseite aus seinen Gedanken wegwischen. Es blieb dabei.

Zu Kaffee und Kuchen waren für drei Uhr geladen: Margret, Ludwig, Dietmar und Kimberly.

Margret trug seit Jahren, sommers wie winters, die gleiche blümchenblau gemusterte Kittelschürze und klobige Sandalen. Ihre ockerfarbenen Strumpfhosen zogen meinen Blick magisch an. Entlang der Schienbeine und über den Waden schien der stramm gespannte Stoff ungewöhnliche Unebenheiten zu verbergen. Wie über borkige Rinde war das Nylon gezogen, und ich stellte mir jahrelang die Frage, wie Margrets Beine wohl nackt aussähen. Brauchte sie die strapazierfähige Strumpfhose, um geschwollene Adern zusammenzuhalten und deren Platzen zu verhindern, oder hatte sie eine die Haut verkrumpelnde Krankheit? Sie war vollkommen alterslos, irgendwo zwischen zwanzig und sechzig, immer bestens gelaunt und sehr laut. Alles gefiel ihr über die Maßen. Ihr Enthusiasmus entzündete sich an nichts Bestimmtem, war immer schon vorher da und bereit, sich auf alles zu stürzen, was ihr vor die winzigen, flinken Augen kam.

Sie sprach eigenartig. So, als wäre jeder Satz ein Wort: Ohhsiehtderkuchenleckerausichglaubichwerdnichtmehr. Wasfürhübschetellerhier. Dietischdeckedieistjawunderschön. Dasgibtsjanichtkakaoichglaubichwerdnichtmehr. Das war ihr Lieblingsausruf: Ichglaubichwerdnichtmehr! Selten beendete sie einen Satz ohne ihn. »Bistdugewachsenichglaubichwerdnichtmehr«, rief sie jedes Mal, wenn sie mich sah.

Ludwig dagegen war still. Eine schweigsame, hohlwangige Bohnenstange mit Fingern wie Fühler. Er war nicht viel älter als ich, aber größer als meine Mutter. Ständig leckte er sich mit seiner Zunge über die Lippen, züngelte in seinen Mundwinkeln herum und bleckte, wenn ihn etwas erregte, die Zähne. Dadurch spannten sich die Sehnen an seinem Hals. Das sei ein uralter atavistischer Reflex, um Fliegen zu verscheuchen, hatte mir mein mittlerer Besserwisserbruder erklärt. Ludwig trug ausnahmslos Latzhosen und hakte, wenn er nicht gerade tastend seine blassen Nosferatu-Finger über den Tisch krabbeln ließ, seine Daumen unter die Verschlüsse der Träger. Er hatte Todesangst vor unserem Hund, wünschte sich aber nichts sehnlicher, als ihn zu streicheln. Er schnaubte, rang seine Furcht nieder und bat, die einzelnen Worte in einer Dreiersalve abfeuernd, »Streicheln! Streicheln! Streicheln!«. Immer wieder fragten wir ihn: »Bist du sicher?« Er nickte, wippte und bleckte die Zähne. »Sicher, sicher, sicher! Ludwig will!« Doch sobald der schwanzwedelnde Hund von meinem ältesten Bruder ins Wohnzimmer geführt wurde, presste der dürre Ludwig die geballten Fäuste an die Schläfen, brüllte los und stürzte, ein hysterisches Strichmännchen, aus dem Zimmer. So ging das jedes Jahr, flehentliches Betteln und Bitten gefolgt von unentrinnbarer Angst und Flucht. Ich weiß nicht genau, warum, aber ich sah es gerne, wenn Ludwig Panik bekam. Mich beschäftigte die Frage, wie es sein konnte, dass genau das, wonach man sich am meisten auf der Welt sehnt, das ist, was einem die grauenhafteste Angst einflößt.

Dietmar war einer der Lieblingspatienten meines Vaters, etwa so alt wie mein mittlerer Bruder und, auch das eine Ähnlichkeit, von unstillbarem Wissensdurst getrieben. Er umarmte einen bei jeder Gelegenheit. Er fragte und fragte, wippte dabei vor und zurück, hielt den Kopf etwas schräg, sprang von Thema zu Thema. Vor allem wollte er wissen, wer etwas wann erfunden hatte. Mein Vater war fasziniert von seinen hakenschlagenden Gedankensprüngen und widmete sich ihm mit Hingabe. »Möchtest du ein Stück, Dietmar?« »Was ist das für ein Kuchen, Professor? Wo kommt der her?« »Bienenstich.« »Wer hat den Bienenstich erfunden, Professor?« »Das weiß ich nicht. Meine Frau hat ihn gebacken.« »Deine Frau? Was hast du ihr bezahlt?« »Nichts.« »Essen Bienen Honig, Professor?« »Nein, Bienen sammeln Honig.« »Stechen Bienen Kuchen?« »Nein, aber sie mögen ihn.« »Stechen Bienen Frauen?« »Klar, das kommt vor.« »Mögen Bienen Bienenstich, Professor?« »Ja«, meinem Vater gefiel so etwas, »das glaub ich schon.« »Ich sammle auch was!« »Was denn, Dietmar?« »Aufklebers, ne?« »Die würde ich gerne mal sehen.« »Kannst mir welche abkaufen, Professor. Wer hat Aufklebers erfunden?« »Weiß ich nicht, Dietmar. Tut mir leid!«

Er wippte schneller, stand plötzlich auf und umarmte meinen Vater innig, drückte sein Gesicht an seinen Hals, legte ihm eine Hand auf die Glatze und ließ ihn nicht mehr los. Auch mein Vater legte seine Arme um ihn, und sie wiegten sich ein wenig.

Man durfte ihn unter keinen Umständen alleine auf das Klo gehen lassen, da er gerne seine Fäkalien an die Wände schmierte. Nachdem dies einmal geschehen war, musste unser Bad nicht geputzt, sondern komplett renoviert werden.

Kimberly war das hässlichste Mädchen, das ich kannte. Ihr Kopf war deformiert. Wie eine Seifenblase im Wind hatte ihr Schädel Dellen und Ausbuchtungen, die sich zu verändern schienen. Immer wenn ich ihr begegnete, kam es mir so vor, als hätte sich ihr Gesicht weiter verformt. Ihre Haare sahen aus wie eine schlecht sitzende, nach hinten verrutschte, struppige Mütze, und auf ihrer welligen Stirn gab es eine feuerrote verkrustete Beule, ein mit Schorf und einzelnen Haaren überzogener Knubbel. An ihren Schläfen schien die Haut dünn wie Pergament zu sein. Wenn ich sie sah, musste ich mir zwanghaft vorstellen, wie es wäre, meinen Zeigefinger durch diese Membrane hindurch in ihren Kopf zu stoßen, so wie ich das gerne durch die goldene Folie bei noch unangebrochenen Nutella-Gläsern tat. Ihre Augen waren trüb und leicht verdreht.

Das ganze Mädchen hatte etwas Waberndes und sah aus, als würde es sich jeden Augenblick verflüssigen. Mein mittlerer Bruder hatte meinem Vater angekündigt, dass er dieses Jahr nicht wieder neben ihr sitzen wolle. »Warum denn nicht?« »Die sieht so komisch aus!« »Das finde ich nicht«, hatte mein Vater geantwortet, »schau sie dir mal genau an. Dann kannst du sehen, was für ein hübsches Mädchen Kimberly ist.« Mein Bruder sah ihn ungläubig an.

Wir alle kannten diesen Hinweis meines Vaters. Immer und immer wieder wies er uns auf eine in den Gesichtern der Patienten wie im Verborgenen liegende Schönheit hin. »Es braucht so wenig«, beharrte er oft, »damit ein Gesicht aus den Fugen gerät.« Er demonstrierte es, indem er sich selbst ein wenig die Nase hochdrückte oder sich, die Lider mit den Zeigefingern herabziehend, Bluthund-Augen machte. Es reichte sogar, nur ganz leicht zu schielen, den Kopf einen Hauch schräg zu stellen, und schon sah mein Vater irre aus. Das machte ihm Spaß, aber er meinte es ernst. Eindringlich sprach er darüber, wie verwundert er oft sei, wenn er die Patienten nachts in ihren Betten sehe: »Da denke ich, ich kenne ein Mädchen seit Jahren, und plötzlich sehe ich sie schlafen. Entspannt, ruhig atmend, mit einem völlig anderen Gesicht. Und dieses arme Mädchen, dass den ganzen Tag Fratzen schneiden muss und sich die Hand an den Kopf schlägt, das liegt dann da und ist wunderschön.«

Um Punkt drei klingelte es, der Hund wurde weggesperrt und die Haustür geöffnet. Dort standen die vier, in sommerlicher Kleidung, von einem Pfleger eskortiert. »Ich komm dann um fünf wieder, Herr Professor. Alles Gute zum Geburtstag.« »Vielen Dank, bis nachher.«

Margret sah mich an: »Bistdugewachsenichglaubichwerdnichtmehr!« Dietmar umarmte uns alle mehrmals lange, hob mich sogar ein wenig vom Boden hoch. Seine Umarmungen waren nie flüchtig oder verhuscht. Wenn einen Dietmar umarmt hatte, dann spürte man das noch eine ganze Weile, so intensiv drückte er einen an sich. Es war mehr als eine Umarmung, es war ein In-den-Arm-Nehmen, Festhalten und Wieder-Loslassen. Besonders lange umarmte er meine Mutter, klopfte ihr mit seinen kleinen prallen Händen auf den Rücken, sogar auf den Po, und meine Mutter sagte mahnend: »Dietmar!« Mir kam es immer so vor, als ob er es genoss, lauter Dinge zu tun, die man eigentlich nicht tut, und das auch genau wusste.

Jeder von ihnen hatte meinem Vater etwas mitgebracht. Margret einen Blumenstrauß aus der psychiatrieeigenen Gärtnerei, in der sie arbeitete. Mein Vater roch an ihm, tat so, als ob ihn der Duft in der Nase kitzeln würde, und nieste. Die Patienten lachten. Meine Mutter bedankte sich und holte eine Vase.

Sie hatte auch schon erlebt, dass ein Patientenpaar an der Tür geklingelt und ihr einen riesigen Strauß Rosen geschenkt hatte. Als sie die Blumen auf die Fensterbank stellte und hinaussah, entdeckte sie, dass in unserem Garten alle Rosen abgeschnitten waren.

Ludwig schenkte meinem Vater eine selbst gedrehte Kerze aus gelb-wabigem Bienenwachs. Dietmar hatte einen bemalten Kleiderbügel dabei und Kimberly eine selbst gehäkelte Wurst, auf die zwei Knöpfe genäht waren. Jedes Geschenk wurde von meinem Vater in den höchsten Tönen gelobt und zu unseren Geschenken auf den Geburtstagstisch gelegt. »Die haben sich richtig Mühe gegeben«, sagte mein ältester Bruder leise in seiner für Gemeinheiten erprobten und tausendfach bewährten Piesack-Lautstärke zu mir, »die schenken ihm nicht jedes Jahr dasselbe! Guck mal, wie Papa sich freut!« Mein Bruder hatte recht. Mein Vater zeigte für den bemalten Kleiderbügel weit mehr Interesse als für meinen Untersetzer. »Nicht mal einer von den Hirnies würde es wagen, hier mit so einem hingepfuschten Holzteil aufzutauchen. Bruderherz, kein Mensch kann diese Dinger gebrauchen! Und das zum Vierzigsten.« Dabei hatte ich ja eigentlich ein anderes, ein wunderbares Geschenk gehabt. Eines, das es mit Leichtigkeit mit der Schuhputzmaschine hätte aufnehmen können!

»Was ist denn das für ein tolles Tier?«, fragte mein Vater Kimberly. »Ein … … …«, ihre Augen trieben bäuchlings wie zwei tote Fische durch das Zimmer. »Ein was?«, fragte mein Vater, ohne sie zu drängen »Eine … … Schlaaange.« »Oh, das freut mich aber ganz besonders. So eine Schlange kann ich gut gebrauchen. Die bekommt einen Ehrenplatz.« Also das hatte mein Vater, nachdem er mein Geschenk ausgepackt hatte, definitiv nicht gesagt.

Sobald die Patienten am Tisch saßen, trug meine Mutter das Blech mit dem duftenden Bienenstich herein. Ich saß zwischen Ludwig, der jedes einzelne Stück auf seiner Gabel, bevor er es in den Mund führte, genau betrachtete, als würde es sich dabei um eine seltene, vom Aussterben bedrohte Kuchenart handeln, und Dietmar, der gerade meinen Vater nach dem Erfinder des Strohhalms fragte. Margret machte meiner Mutter Komplimente: »Duhastaberschönehaareheutemenschichglaubichwerdnichtmehr.« »Ja, ich war gestern beim Friseur.« »Derprofessorhateineschönefrauunddasbistdu!« »Oh, danke für das Kompliment, Margret.« Mir kam meine Mutter seit dem Friseurbesuch etwas fremd vor. Sie hatte sich die Haare in einem Schwarz färben lassen, das viel schwärzer war als das ihrer eigenen, grau durchzogenen Haare. Sie sah leicht indianisch aus, und mein Vater hatte sie Nscho-tschi genannt, wie die Schwester von Winnetou.

Meine Mutter war schrecklich gekränkt, und Margrets Kompliment freute sie sichtlich.

Ludwig unterbrach sein Mahl. Ich hatte schon vorher gesehen, wie sich etwas in seinem Ausdruck verändert hatte und die uns allen bekannte Wunschvorstellung von ihm Besitz ergriff. Er sprach mit fest aufeinandergepressten Zähnen, wodurch man ihn nur schwer verstand: »Heute streichelt Ludwig den Hund. Streicheln, streicheln, streicheln!« Mein Vater antwortete: »Lieber nicht, Ludwig. Dieses Jahr lassen wir das mal. Der Hund ist heute sehr müde, der schläft!« »Wach machen. Streicheln.« Er bohrte sich seinen Spinnenfinger ins Auge, kratzte sich und schob so brutal seinen Augapfel hin und her, dass ihm meine Mutter die Hand hinunterbog. »Jetzt nimm dir doch noch ein Stückchen Kuchen.« Ludwig grimassierte, zog seinen blassen, mit Haaren nur büschelweise bewachsenen Kopf ein und verkrampfte. Er fing an zu weinen. Dietmar sprang auf und umarmte ihn, und Margret lachte: »Neejetztflenntderschonwiederichglaubichwerdnichtmehr.« Kimberly aß unverdrossen ihren Bienenstich, kaute, wischte sich die Augen und glotzte wie eine todmüde Kuh vor sich hin. Nirgendwo fanden ihre Augen Halt.

Mein Vater versuchte, Ludwig zu trösten: »Ist doch nicht so schlimm. Du weißt doch, dass das nicht gut geht und du dich dann furchtbar erschreckst.« Mein ältester Bruder war der Ansicht, dass man den Hund ruhig hineinführen sollte, wenn er es unbedingt wollen würde, und sagte: »Vielleicht schafft er es ja dieses Jahr. Gehört doch irgendwie dazu.« Mein mittlerer Bruder war derselben Meinung: »Ich finde auch, dass er ein Anrecht darauf hat, es jedes Jahr wieder zu versuchen. Das hat doch schon Tradition.« Er sah mich an und nickte kurz, so als wolle er sagen: Gleich geht das Spektakel wieder los. Ludwig weinte herzerweichend. Klammerte sich an seine Latzhosenträger. Alle Muskeln maximal kontrahiert. Wippte er von alleine oder zog er sich selbst an seinen Trägern vor und zurück? »Bitte, bitte, bitte. Streicheln. Ludwig mutig! Ludwig mutig! Ludwig mutig!« »Ludwigmutigichglaubichwerdnichtmehr.« »Professor, wer hat die Latzhose erfunden?« »Keine Ahnung, Dietmar. Doch, warte mal. Das weiß ich ja. Das hab ich gelesen: Levi Strauss. 1873!« Dietmar sprang auf, stolperte über die Kuchen mampfende Kimberly und fiel meinem Vater um den Hals. Ludwig war nicht zu beruhigen. Er wollte den Hund sehen. Selbst eine extra Portion Schlagsahne konnte ihn nicht von seiner Streichel-Obsession abbringen.

»Also gut, dann versuchen wir es halt! Hol du den Hund rein!« Mein ältester Bruder stand auf und verschwand in der Tür. Meine Mutter suchte nach einer Zwischenlösung. »Vielleicht ist es ja auch schön, Ludwig, wenn du ihm winkst. Das wäre doch toll. Wink ihm doch.« »Das ist doch Quatsch, Mama! Hunde streichelt man, denen winkt man nicht!«, wies mein mittlerer Bruder sie zurecht. Mein anderer Bruder rief von draußen: »Ich komm jetzt um die Ecke!«, und erschien im Türrahmen. Ludwig fing an zu schnaufen. Dietmar rannte zum wedelnden Hund, umarmte ihn und ließ sich das Gesicht lecken. Das fand ich ungerecht, denn das hatte man mir verboten. Auch ich, der ich unseren Hund über alles liebte, hätte mich gerne von ihm abschlecken lassen. Ludwig stand auf und reckte seinen Hals. Irgendetwas knirschte in seinem Genick. »Alles klar, Ludwig?« Es war unmöglich zu entscheiden, ob sein verzerrter Mund ein lachender oder verzweifelter war. »Willst du näher rangehen?«, fragte meine Mutter und hakte sich bei ihm ein. Mein mittlerer Bruder hatte seinen wissenschaftlichen Blick bekommen. So einen lustvollen, überheblichen Röntgenblick, der so tat, als würde er den Dingen auf den Grund sehen. Margret

schrie begeistert: »Wennderhundnochnäherkommtdann-
fängteranzuschreien!« Dietmar war vom Sich-lecken-Lassen
zum Selberlecken übergegangen. Das überstieg sogar meine
Sehnsüchte. Er schleckte dem Hund über die schwarze Nase,
und ihre Zungen verschlangen sich schmatzend ineinander.
Dann ließ er sich auf den Rücken fallen und klammerte sich
an den Hundebauch. Die Gutmütigkeit unseres Hundes war
grenzenlos. Er war einiges von meinen Brüdern und mir gewohnt. Wir zogen ihm Schlafanzüge an und stellten seine
Schlappohren mit Gummibändern auf.

Während dieser ganzen Aufregung hatte sich Kimberly die
Kuchenreste von Ludwig und Dietmar auf ihren Teller hinü-
bergezogen. Sie aß jetzt mit zwei Gabeln. Als sie eine davon
in das halbe Stück von Margret rammte, brüllte diese: »Die-
blödesauichglaubichwerdnichtmehrwillmirmeinenkuchen-
klauen!«

Mein Vater rief: »Kommt, jetzt beruhigt euch mal alle.
Wolltet ihr nicht noch für mich singen?« Ludwig machte ein
paar Schritte auf meinen Bruder und den Hund zu. Seine
knochigen Finger zuckten. Es sah aus, als würde er die Luft
durchkitzeln, virtuos eine unsichtbare Harfe zupfen. Unser
Hund sah diesen Jungen auf sich zukommen, diese fuch-
telnde und zehn Gesichter pro Sekunde schneidende, dürre
Gestalt – und bellte. Ein einziges Mal: Wufffff. Ein schöner,
aus dem enormen Resonanzkörper des Hundebrustkorbs he-
rausschallender Beller. Ludwig stieß frontal gegen dieses so-
nore Wufffff, drehte sich um und stürzte, sich die Fäuste gegen den Schädel hämmernd, schreiend aus dem Zimmer. Ich
senkte meinen Blick, verbarg meine grinsenden Mundwinkel und schüttelte betroffen den Kopf. Also auch dieses Jahr
trotz runden Geburtstages wieder nichts.

Ein paar Jahre später sollte es dann doch noch gelingen:
mit einem Trick. Mein Vater hatte ein Foto von Ludwig ge-

macht, ihn mit der Nagelschere fein säuberlich ausgeschnitten und auf eine andere Fotografie direkt neben unseren Hund geklebt. Dieses Bild schenkte er ihm, und Ludwig hielt es von nun an ununterbrochen zwischen seinen feinknochigen Fingern, bis es weich wie ein Stück Stoff war. Es funktionierte. Bei seinem nächsten Besuch ging Ludwig wie am Schnürchen gezogen auf den Hund zu, stellte sich haargenau wie auf der Fotomontage neben ihn und streichelte seiner haarigen, sabbernden Urangst den Kopf.

Nach dem Kaffeekränzchen wurde für meinen Vater gesungen. Meine Mutter versuchte uns alle, die Patienten und ihre Söhne, unter die Fittiche ihres hellen Soprans zu nehmen und melodisch zu stützen. Umsonst. Eine ungebremste Lust am Singen zerschmetterte die Melodie. Nur die Stimme meines mittleren Bruders schwebte hell und rein, ganz für sich, hob ab, verselbstständigte sich und hing als goldene Klangwolke über uns unter der Wohnzimmerdecke. Mein Vater saß in seinem Ohrensessel und genoss sichtlich das mehr gegrölte als gesungene Geburtstagsständchen.

Dann gingen wir alle zusammen in den Garten. Die Sonne war so grell, dass man den Federball nicht sehen konnte, seine Flugbahn am Zenit im Gleißen ausgelöscht wurde. Ich spielte mit Dietmar. Nach jedem Punkt umarmten wir uns. Wenn ich den Punkt machte, kam er zum Gratulieren, wenn er den Punkt machte, um mich zu trösten. »Wer hat den Federball erfunden?« »Keine Ahnung, Dietmar, keine Ahnung.« »Warum heißt das Ball? Das ist doch kein Ball?« »Los, spiel!« »Hat ein Ball Federn? Ein Ball ist doch rund.« »Ja, Dietmar, jaha.«

Kimberly hatte ihre Hose ausgezogen, sich im Schatten der hohen Linden in die Wiese gelegt. Meine Mutter kam mehrmals zu ihr und erklärte: »Wirklich, Kimberly, du darfst keine Gänseblümchen essen. Die sind nicht gesund. Ja, hast du das verstanden?« Besorgt sah ich, wie dichte schwarze Löckchen links und rechts unter ihrer Unterhose hervorwucherten. Sie hatte ihren Pullover etwas hochgerollt, döste und streichelte ihren Bauch. Margret kniete in unserem Rosenbeet und zupfte Unkraut: »Nahiersiehtsausichglaubichwerdnichtmehr. Dasmussallesrausichmachdasschon.« Mein Vater nahm Ludwig an der Hand und gemeinsam spazierten sie durch den Garten. Meine Brüder hatten es sich auf Liegen bequem gemacht, flüsterten miteinander, sicher planten sie etwas, und tranken aus bauchigen Gläsern einen ihrer Spezialcocktails. Ohne Alkohol, aber die einzelnen Zutaten so geschickt eingefüllt, dass sie sich wie durch Zauberhand im Glas nicht vermischten und rot, gelb und grün übereinanderlagen: gestapelter Saft.

Oft wusste ich nicht, ob meine Brüder etwas ernst meinten, ob sie tatsächlich glaubten, was sie sagten, oder es einfach nur genossen zu sehen, wie ich an ihren Lippen hing und alles für bare Münze nahm, was sie mir auftischten. Oft spielte ich aber auch mit und tat so, als würde ich etwas nicht kapieren, da ich glücklich war, wenn sie Zeit mit mir verbrachten.

Nach der Amsel-Beerdigung baten sie mich in das Zimmer meines ältesten Bruders. Allein das war schon eine Ehre für mich, dass ich in dieses Zimmer geladen wurde. Seine Tür war tapeziert mit Aufklebern und ausgeschnittenen Anzeigen. Auf meiner Augenhöhe prangte eine Fleischwarenwerbung mit Rechtschreibfehler: Kinderbraten: Kilo acht Mark.

Mein ältester Bruder mochte es gern schummerig. Seine Vorhänge blieben oft den ganzen Tag lang geschlossen. Die Sonne blendete ihn, das ständige Grau und der Regen bedrückten ihn. Da der Vorhangstoff schwer und grün war, herrschte in diesem Raum meistens ein dickflüssig-algiges

Unterwasserlicht. Verstärkt wurde dieser Eindruck noch durch die drei blubbernden Hundert-Liter-Aquarien mit ihren wabernden Wasserpflanzen. Betrat ich sein Zimmer, lag er so gut wie immer auf seinem Bett. Auch seine dunklen Haare waren eine schwere Gardine und hingen ihm weit über die braunen Augen. Ein über Jahre sich hinziehendes Dauerthema zwischen ihm und meinen Eltern war das Lüften. »Wie hältst du das nur aus?«, fragte ihn meine Mutter, »du erstickst ja. Hier drin stinkt es wie in einem Karnickelstall!« Doch so wie die Fische das Wasser um sich brauchten, so brauchte mein Bruder stickige, stehende Luft um sich. Das alles machte einen Besuch bei ihm zu einem Tauchgang in seine, eine andere Welt. Manchmal war es so dunkelgrün in seinem Zimmer, die Aquarienlampen die einzigen Lichtquellen, dass ich gar nicht genau sehen konnte, wo er lag, wo die Aquariumscheiben das grüne Wasser von der grünen Luft trennten. Da sah es dann so aus, als würden die Guppys, Neonfische und Buntbarsche frei im Zimmer herumschwimmen und das Bett meines Bruders tief unten auf dem Grund eines Teiches stehen. In diesen vier Wänden herrschte ein eigenes, träg blubberndes Tempo. Mehrere Fensterputz-Welse saugten am Glas und lutschten sich hin und her, die zu langen Fäden verlängerten Flossen der Skalare trieben über den Kies und mein Bruder dämmerte im Bett vor sich hin oder las zum zehnten Mal »Der Herr der Ringe«.

An diesem Nachmittag erwarteten sie mich beide und zogen mich hinein ins geheimnisvoll-muffige Grün. Im Zimmer durfte ich mich sogar auf sein Bett setzen.

»Als die Amsel gegen die Scheibe geflogen ist«, begann mein mittlerer Bruder konspirativ und funkelte dabei durch seine schlierigen Brillengläser, »da wusste ich, noch bevor ich mich umgedreht habe, dass es eine Amsel war. Ich hab die Vogelart anhand des Aufpralls erkannt.« Ich hatte keine

Ahnung, worauf er hinauswollte. Mein verständnisloses Gesicht ärgerte ihn. »Weißt du denn nicht, was das bedeutet?« Ich schüttelte den Kopf. »Er ist dazu in der Lage, eine Vogelart am Aufschlaggeräusch zu erraten«, belehrte mich mein älterer Bruder: »Das ist genial. Damit können wir reich werden!« Ich verstand immer noch nicht, was sie vorhatten, aber reich werden wollte ich natürlich auch. »Wie denn?«, fragte ich und gleich noch mal: »Ja, wie denn?« »Ganz einfach«, weihte mich mein ältester Bruder endlich ein, »wir treten im Fernsehen auf. Verschiedene Vögel werden gegen ein großes Fenster gescheucht und du«, er sah meinen selbstsicher nickenden mittleren Bruder an, »wirst erraten, was es für einer war. Sobald Papa und Mama weg sind, fangen wir mit dem Training an. Wir bereiten schon mal alles vor.«

Der Plan war, dass ich als Trainer verschieden große, mit unterschiedlichen Materialien gefüllte Socken von außen gegen die Scheibe schleudern sollte. Mein mittlerer Bruder würde mit verbundenen Augen im Inneren auf einem Stuhl sitzen und anhand des Aufschlaggeräusches die Art erraten. Die Aufgaben wurden verteilt und wir machten uns an die Arbeit. Wie Diebe schlichen wir durch das Haus, stahlen Socken aus den Schränken, Nudeln und anderes Füllmaterial aus der Speisekammer.

Nach einer Stunde lagen auf dem Bett meines ältesten Bruders fünf Attrappen. Der leichteste Vogel war eine mit aus der Hundebürste gezupftem Hundehaar gestopfte Muttersocke – als Zaunkönig. Der schwerste eine prall mit Vogelsand gefüllte, noch nie getragene Wandersocke meines Vaters – als Storch. Probehalber warf ich einen erbsengefüllten Bussard im Zimmer meines Bruders in die Höhe. Er platzte auf, und die Erbsen fielen als grüner Regen von der Decke. Meine Brüder brachen zusammen, schmissen sich prustend auf das Bett und brüllten in die Bettdecke.

Ich war froh, dass der Plan aufgegeben wurde. Denn meistens war ich derjenige, der bei solcherlei Experimenten am Ende verantwortlich gemacht wurde. Das sah ich zwar selten voraus, aber diesmal hatte ich arge Bedenken. Höchstwahrscheinlich würde ich mit der Storchensocke das Fenster zertrümmern, meine Brüder sich in Luft auflösen und ich wie ein Volltrottel dastehen. Auf die Frage »Bist du wahnsinnig geworden? Warum um alles in der Welt wirfst du eine mit Sand gefüllte Socke durch die Scheibe?« gibt es schlichtweg keine gute Antwort.

Vierzig Kugeln Sorgfalt

Zwei Tage vor dem vierzigsten Geburtstag meines Vaters war es zwischen mir und meiner Mutter zu einem furchtbaren Streit gekommen – obwohl Streit nicht das richtige Wort ist. Während ich wie ein vom Zorn betriebener menschlicher Kreisel auf dem Küchenboden um mich selbst rotierte, stand meine Mutter fassungslos vor mir und sah mich an, als hätte mich die Tollwut gepackt. Wie schon so oft, hatte sie mir durch eine gute Tat den Garaus gemacht. Das war eine Spezialität meiner Mutter. Vollkommen überzeugt und im Reinen mit sich, tippte, ja bohrte sie ihren liebevollen, mütterlichen Finger in wunde Punkte. Sie selbst war stets perplex, wenn sie sah, was sie angerichtet hatte. Da sie sich für den freundlichsten Menschen der Welt hielt, einen Menschen, dem jede Hinterhältigkeit, jede Heimtücke vollkommen fremd war, konnte sie es gar nicht fassen, wenn man ihr bösen Willen unterstellte. Das Ganze wurde dadurch kompliziert, dass sie im Grunde wirklich eine durch und durch liebevolle Person war. Aber irgendwo in meiner Mutter gab es eine subversive Kraft, die ihr die absonderlichsten Ideen injizierte. Ein Beispiel von vielen: Mein ältester Bruder hatte ihr zu ihrem Geburtstag eine Picasso-Zeichnung geschenkt, einen Matador mit Stier. Das Besondere daran war, dass Picasso das ganze Bild gezeichnet hatte, ohne den Stift abzusetzen. In einer einzigen Linie waren beide Figuren ineinander verwoben, somit nicht nur kämpferisch, nein auch zeichnerisch eine Einheit: der Torrero kurz vor dem todbringenden Stoß und der heranstürmende Stier. Meine Mutter freute sich sehr über das Bild und hängte es noch am selben Tag – mein Bruder war beim Angeln – in sein Zimmer. Er kam nach Hause, sah sein Geburtstagsgeschenk über seinem eigenen Bett hängen, ging zu meiner Mutter und fragte: »Mama, was macht der Stierkämpfer in meinem Zimmer?« Und meine Mutter antwortete liebevoll: »Der hängt da gut, nicht wahr? Ich fand das einfach den schönsten Platz.« Mein Bruder sagte: »Ja, aber das ist doch dein Bild. Das hab ich dir geschenkt.« Und meine Mutter munter weiter und sehr großzügig: »Das ist völlig in Ordnung. Ich leih es dir!« Dass daraufhin mein Bruder türenknallend in seinem Zimmer verschwand, war ihr ein Rätsel. Aus tiefster Anteilnahme fragte sie meinen Vater: »Was hat er nur? Wahrscheinlich nichts gefangen!«

Der Auslöser meines Zusammenbruchs war ähnlich. Da ich meinem Vater endlich etwas anderes als einen Untersetzer schenken wollte, hatte ich mir etwas ganz Spezielles ausgedacht. Er liebte Marzipankartoffeln. Mein Plan war es, ihm zum Vierzigsten vierzig davon zu schenken. Aber nicht gekaufte, sondern selbst gemachte. Von mir! Das war ein – da war ich mir sicher – fantastischer Einfall. So würde ich meinen Brüdern auf Geschenk-Augenhöhe begegnen. Ein Achtjähriger scheut keine Mühe, wird zum Zuckerbacker und kreiert für seinen Vater dessen Lieblingssüßigkeit.

Ich hatte mir von meiner Mutter das Rezept besorgen lassen und gemeinsam mit ihr die Zutaten gekauft. Die Liste klang exotisch: Mandeln, Puderzucker, Bittermandelöl und Kakaopulver. Eine Zutat, das gefiel mir besonders gut, mussten wir aus der Apotheke holen: Rosenwasser. Die Marzipankartoffel war demnach mehr als nur eine Süßigkeit, sie war eine Arznei. Ich ging sehr sorgfältig vor und verbat mir jegliche Unterstützung mütterlicherseits. Wahrscheinlich sind noch nie zuvor fünfhundert Gramm Mandeln so exakt abgewogen worden wie von mir. Drei zu viel, zwei zu wenig. Eine zu groß, die andere zu klein. Die alles entscheidende knabberte ich halb durch. Da kam meine Mutter vorbei und sagte vorsichtig: »Du musst die schälen!« Mandeln schälen? Sollte das ein Witz sein? »Die Schale ist doch schon ab, Mama! Mandeln sind Nüsse!« »Ja, aber schau mal hier, diese braune Haut muss auch noch weg. Soll ich dir nicht helfen? Die muss man mit kochendem Wasser übergießen.«

Ich hatte Sorge, dass, wenn ich nicht alles zu hundert Prozent selbst machte, meine Brüder sagen würden: Das ist also das Geschenk von Mama und dir? Doch ich hatte keine Ahnung, was sie meinte, und nahm zögerlich ihre Hilfe an. Die Mandeln wurden abgebrüht, und tatsächlich konnte ich sie danach ganz einfach aus ihren Hüllen quetschen. Sie flutschten nur so heraus. Ich trat einen Schritt zurück und schoss warme Mandelkerne in die Schüssel. Ich zerkleinerte sie, mischte den zuvor gesiebten Puderzucker unter, gab Bittermandelöl hinzu und – genau abgezählt: dreißig Tropfen Rosenwasser. Ich knetete die Masse durch. Es roch tatsächlich nach Marzipan. In diesem Moment war ich mir sicher, nie mehr etwas anderes als genau das machen zu wollen. Ich hatte meine Bestimmung gefunden. Ich würde der beste Marzipankartoffelhersteller aller Zeiten werden. Rollend, mit den Handballen, formte ich kirschgroße Kugeln. So stand es im Rezept: kirschgroß. Darüber wunderte ich mich ein wenig. Von mir aus hätte dort auch marzipankartoffelgroß stehen können. Jeder wusste doch, wie groß sie sind. Würde in ei-

nem Rezept für einen Kirschkuchen stehen: marzipankartof-
felgroße Kirschen? Nein, niemals!

Ich formte vierzig Kartoffeln, für jedes Jahr eine. Da be-
griff ich zum ersten Mal, wie alt mein Vater wirklich war.
Wie viel älter als ich. Bei der ersten Kartoffel sagte ich laut:
»Eins.« Mein Vater ist ein Jahr. Was für eine absonderliche
Vorstellung. Mein einjähriger Babyvater. Bei der achten Kar-
toffel war er so alt wie ich. Ich fand acht viel, aber auf dem
Blech sah es verdammt wenig aus. So ging es weiter, bis die
Vierzig voll war. Bei jeder Marzipankartoffel, die zwischen
meinen Handflächen kreiste, spürte ich ein wenig von der
Vergänglichkeit eines Jahres. Wie viel und gleichzeitig wenig
das war, so ein Marzipanjahr. Ich rollte und träumte und sah
eine kakaobestäubte Zukunft vor mir.

Ich löffelte den Kakao in eine Schale und stellte ihn neben
das Blech. Ich musste aufs Klo. Um ein Austrocknen der Kartoffeln zu verhindern, tränkte ich ein Kuchenhandtuch mit
Wasser, wrang es mit aller Kraft aus und breitete es schützend und befeuchtend über mein Werk. Auf der Toilette sitzend überlegte ich, wie ich mein grandioses Geschenk am
effektvollsten verpacken könnte. Jede einzeln war Quatsch.
Im Geschäft waren sie in einem durchsichtigen Zellophan-
Säckchen, aber das schien mir doch arg unter meinen Möglichkeiten. Im Badezimmer war es ganz still. Am Morgen war
die Putzfrau da gewesen, und es kam mir jedes Mal so vor, als
ob das blitzeblanke Badezimmer viel stiller war als das nicht
ganz so saubere. Auch mein gesaugtes und aufgeräumtes
Kinderzimmer war nach ihrem Besuch stets etwas betäubt,
und erst wenn ich meine Schuhe in die Ecke gepfeffert und
die Bettdecke zerwühlt hatte, kam es wieder zu sich. Wenn
ich krank war und nicht in die Schule musste, saß ich gerne
auf dem zugeklappten Klodeckel und sah meinem Vater dabei zu, wie er sich wusch und rasierte. Er trug nichts weiter

als eine seiner riesigen Unterhosen. Sein Rücken war dunkel behaart, und für einen Mann, der niemals Sport trieb, hatte er ein erstaunlich breites Kreuz. Jeden Morgen rieb er sich mit einem mit Rasierwasser getränkten Wattebausch die Glatze sauber, bis sie rötlich glänzte. Er zeigte mir die graudreckige Watte: »Ist doch unglaublich, was da immer runterkommt, obwohl ich geduscht habe.«

Er rasierte sich elektrisch, drückte so fest auf, bis die Haut leicht gereizt babyglatt war. Der Ton des Rasierers verriet mir, wie lange es noch dauern würde, bis er fertig war. Das Raspel-Geräusch wurde leiser und leiser. Schließlich surrte es nur noch hell, und der Rasierer glitt reibungslos über die weiche Vaterhaut. Um sich zu rasieren, klappte er die beiden Spiegeltürchen des Allibert-Schränkchens leicht auf. Auf allen drei Teilen dieses Spiegel-Triptychons war nun der rosige Vater zu sehen. Wenn ich meine Augen, was ich oft und gerne tat, etwas unscharf stellte, sah ich einen dreiköpfigen, mehräugigen Mann mit verschachteltem Mund und haarigem Rücken. Dieses unscharfe Ungetüm konnte drei Dinge gleichzeitig: die Rede für die Belegschaftsversammlung üben, sich rasieren und mehrere Zigaretten in den Mundwinkeln einklemmen, deren Asche einfach ins Waschbecken fiel.

An der Wand hing an einem Haken ein Lappen, der nur eine einzige Funktion hatte: der gefürchtete Polappen. Mit ihm wischte sich mein Vater jeden Morgen, nachdem er sich eine halbe Stunde eingeschlossen hatte, den Hintern sauber, und meine Brüder und ich, bestimmt auch meine Mutter, hatten einen Heidenrespekt vor diesem Ding. Meine Brüder drohten mir, mein Gesicht damit zu waschen oder, völlig absurd, mich zu zwingen, daran zu saugen. »Wenn du Papas Polappen auslutschst, darfst du ein Jahr lang jeden Tag durch mein Mikroskop sehen«, sagte mein mittlerer Bruder.

Im stillen Badezimmer war mir eine gute Idee für die Verpackung der Marzipankartoffeln gekommen. Ich wollte aus Alufolie ein vierzig-muldiges Tablett formen. Vielleicht fand ich in meinem Zimmer eine Murmel, mit der sich die Ausbuchtungen modellieren ließen. Schnell ging ich zurück in die Küche.

Das Blech war leer. Das feuchte Handtuch lag zusammengeknüllt auf dem Küchentisch. Mein erster Verdacht war der Hund. Aber hatte ich ihn nicht eben tief schlafend auf den Windfangfliesen liegen gesehen? Oder tat er nur so? Hatte er das Maul voller Marzipankartoffeln und stellte sich tot? Ich rannte zu ihm und zog ihm die Lefzen hoch. Er schrak auf, wusste überhaupt nicht, was ich wollte und warum ich ihm an der Zunge zerrte. Ich rannte zurück in die Küche. Da entdeckte ich eine mit einem Suppenteller zugedeckte Schale auf dem Kühlschrank, die, da war ich mir sicher, vorher noch nicht dagestanden hatte. Um die Schale herum waren Kakaopulverspuren zu erkennen.

Ich hob den Deckel von der Schüssel. Da lagen sie! Dunkelbraun, sauber aufgetürmt, eine Pyramide aus bestäubten Kugeln. Fix und fertig – kakaoüberzogen. Ich schrie auf. Meine Mutter kam angelaufen, voller Sorge, mir ware etwas zugestoßen: »Was ist denn passiert?« Ich wusste plötzlich nicht mehr, wie ein ganzer Satz geht. Wie man anfängt und aufhört. Ich zeigte auf die Schüssel und brüllte: »Waaaaass?« Und gleich noch mal: »Waaaaaaass!?!« Meine Mutter verstand nichts, sah mich verständnislos an. »Was ist denn passiert, mein Lieber?« Ich schnappte mir die Schüssel und hielt sie ihr hin: »Waaaaaaass?« Sie schüttelte den Kopf. Sie konnte sich doch sicher sein, mich zu kennen, aber dieser blondgelockte Junge mit der Schale in der Hand, der immer nur »Waaaaaaaass?« schrie, war ihr ein Rätsel. »Die sind doch toll geworden!«, rief sie. Eine Oktave höher kreischte ich:

»Daaaas wooollte iiich maaachen!«, und dann noch mal lang gezogen und schmerzerfüllt: »Waaaaaas!«

Ich griff in die Schüssel und matschte die Kartoffeln zusammen. Meine Mutter sah mich unwillig an: »Was machst du denn? Die waren doch gut so! Also wirklich. Ist doch nicht so schlimm!« Mit dem Klumpen in den Händen rannte ich ins Badezimmer zurück, schloss mich ein und begann, ihn abzuwaschen. Wie konnte sie das nur tun? Auf nichts hatte ich mich so sehr gefreut wie darauf, meine vierzig Geschenke einzeln im Kakaopulver zu wenden. Das sollte doch der Höhepunkt meiner Sorgfalt werden. Ja, genau! Darauf war ich doch so stolz: dass ich etwas sorgfältig machte. Das war das eigentliche Geschenk. Ich, der immer als fahrig und unkonzentriert galt, ich, der kein Buch zu Ende las, keine längeren Unterhaltungen führen konnte, ohne ins Weite davonzuzappeln, der in der Schule von dreißig Minuten still sitzen hysterisch wurde, der bei jeder Gelegenheit in Tagträume abglitt, ich wollte meinem Vater zum vierzigsten Geburtstag vierzig selbst mit Kakaopulver bepuderte Kugeln Sorgfalt schenken. Ein bestäubtes Versprechen an die Zukunft! Und das alles hatte meine Mutter mit ihrem vorauseilenden Hilfsgehorsam zunichtegemacht.

Aber das Drama sollte sich noch steigern. Unter warmem Wasser wusch ich den süßen Klumpen ab. Es roch immer und immer stärker nach Marzipan. Genauso hatte ich mir den Duft in meiner eigenen Manufaktur vorgestellt. Es klopfte an der Tür, meine Mutter drückte die Klinke. Sie sprach mit zwei Stimmen. Die eine tröstete und sagte: »Komm doch bitte raus. Es tut mir leid. Ich wusste doch nicht, dass du das unbedingt selber machen wolltest.« Die andere Stimme aber ärgerte sich über mich und mahnte: »Jetzt komm mal raus. Darüber kann man sich doch nicht so aufregen. Du führst dich ja auf, als wäre sonst was passiert.« Und während mir die Tränen kamen, löste sich im heißer werdenden Wasser der Marzipanklumpen auf, wurde kleiner und kleiner, rann mir durch die Finger und verschwand gurgelnd im Abfluss. Ich versuchte ihn zu halten, neu zu formen. Aber es war nur noch ein sämiger Brei und schließlich cremige Marzipansuppe. Der Ausguss rülpste, stieß mandelbitter auf und würgte den letzten Schluck hinunter.

Noch einen Augenblick betrauerte ich den vierzigfachen Verlust, doch dann kam der Zorn. Eine heiße Welle aus den Füßen und ein Schwall von Rachegedanken. Ich sah Fäuste und Blut, hob den Kopf und stand plötzlich meinem Spiegelbild gegenüber. Dass ich so wild aussehen konnte, war mir nicht klar gewesen. Meine geröteten Augen starrten mich bitterböse an, die Unterlippe bibberte. Ich war fasziniert von diesem mir unbekannten, enthemmten, teuflisch dreinschauenden Jungen. Ich ließ mich nicht aus den Augen.

Meine Mutter klopfte und rief: »Es tut mir leid. Ich wollte dir wirklich nur einen Gefallen tun!« Mit hoher, wie vom Kreidefressen aufgehellter Stimme rief ich: »Nicht so schlimm! Ich komm gleich!« Diese Tonlage passte absolut nicht zu meinem Zorngesicht. Aber genau darin lag eine seltsame Lust. »Bist du sicher?«, fragte meine Mutter. »Jaha, bin ich, Mama. Alles wieder gut.« Ihr Mund musste ganz nah an der Tür sein, denn sie sprach nicht laut: »Komm doch bitte wieder raus.« In meinen Mundwinkeln hatte sich ein wenig Speichelschaum gebildet. Ich leckte ihn nicht ab, ließ ihn über mein Kinn rinnen. »Wirklich, Mama. Ich komm gleich!«, säuselte ich mit glockenheller Knabenstimme und starrte dabei diesem außer Kontrolle geratenen, sabbernden Wesen in die blutunterlaufenen Augen.

Meine Mutter ging. Ich öffnete die Lippen so weit ich konnte, biss die Zähne zusammen und knurrte mich an. Nur mit viel, viel kaltem Wasser gelang es mir, die Hassfratze abzuwaschen. Aber dass ich mich so gesehen hatte, machte mich neugierig und ängstlich zugleich. Wo kommt dieses zweite Gesicht her, fragte ich mich, und ob es vielleicht sogar mein echteres sei? Hatte ich mich eben zum ersten Mal wirklich gesehen?

Sehnsucht nach Schreien

Kurz vor dem Einschlafen kam wie jeden Abend – außer am Montag, da war Rotary Club – mein Vater zu mir ins Kinderzimmer und öffnete meine Terrassentür. Es war noch hell draußen.

Meine Brüder haben mich um diese Terrassentür immer beneidet. Als ich älter war, bin ich an fast jedem Freitag, nachdem mich meine Mutter auf den ihrer Meinung nach schlafenden Kopf geküsst hatte, wieder aufgestanden und durch diese Terrassentür hinaus in die Nacht entschwunden, um in eine zwanzig Kilometer entfernte Dorfdisco zu trampen. Wenn ich im Morgengrauen nach Hause kam, es selbst auf dem Psychiatriegelände still geworden war, schlich ich in unseren Keller, wusch mir dort, um nicht so nach Rauch zu stinken, heimlich im Gästezimmer die Haare. Das war herrlich: nach durchtanzter Nacht betrunkenes Haarewaschen im Keller.

Mein Vater öffnete die Terrassentür, trat einen Schritt hinaus ins Freie, leckte an seinem Zeigefinger und hielt ihn seemännisch in den Wind. Ich lag im Bett, roch die frische Luft und stellte wie immer dieselbe Frage, rief zu ihm nach draußen: »Woher kommt er?« Mein Vater rief: »Norden!« Jeder Wind erzählte ihm eine andere Geschichte. Es gab den schwedischen Wind, den englischen Wind, den russischen

Wind und einen seltenen Wüstenwind. Die Windstärke spielte eine große Rolle. Je stärker der Wind, desto kürzer war es her, dass er über dem Meer gewesen war. Mein Vater kam zurück in mein Zimmer, setzte sich auf meine Bettkante, und wir errechneten die Reisezeit der Windböe, die wir kurz zuvor in den hohen Linden vorm Haus gehört hatten. Bei Orkan waren es nur zehn Minuten von der Küste bis zu uns. Ich roch das Salz in der Luft. Und das Rauschen der Linden klang wie das Rauschen der Brandung.

Eine Geschichte, die mein Vater bei Nordwind immer und immer wieder erzählte, war die eines Zwergs, der sein trostloses Dasein bei einem bösen Zauberer fristete. Tagsüber musste der Zwerg bei Wind und Wetter auf einem umgedrehten Eimer nackt vorm Schloss stehen, damit er hohes Fieber bekam. Nachts durfte er zum Zauberer ins Bett und musste ihm, glühend krank, die Füße wärmen. So etwas mochte mein Vater: ein Zwerg, der auf Leben und Tod als Wärmflasche arbeitet. Kam der Wind aus einer Zwischenrichtung, vermischten sich die Geschichten. Wenn mein Vater nicht mehr weiterwusste, nahm er mich auf den Arm und ging mit mir zusammen hinaus auf die Terrasse, um dem Wind zu lauschen. Dabei machte er: »Aha. Verstehe, aha«, tat so, als würde er mit der Luft telefonieren. Ich flüsterte in sein Ohr: »Was sagt dir der Wind?« Er trug mich zurück ins Bett, erzählte zu Ende, zog die Vorhänge zu, löschte mein Licht und küsste mich auf den Kopf.

Es war keine Seltenheit, wenn mitten in der Nacht das Diensttelefon klingelte. Dann rannte mein Vater im wehenden Arztkittel wie ein Gespenst hektisch den Flur auf und ab, verließ das Haus, und sein Schatten flog an meinem Fenster vorbei. Das war für mich vollkommen normal. Ich freute mich, das Telefon zu hören, denn am Morgen würde er beim

Frühstück erzählen, was geschehen war. Meistens hatte jemand einen schlimmen Anfall, war abgehauen, über die Mauer auf und davon, oder ein Pfleger war verletzt worden. Beunruhigender war es, wenn die Psychiatriesirene losheulte. Das hieß, es brennt. Angezündete Matratze oder Mülleimer. Seltsam, aber letztlich hat mich auch das nicht sonderlich geschockt. Mein Vater würde es schon richten. Da war ich mir sicher. Er war der Direktor. Wer, wenn nicht er, musste wissen, wie das geht?

Als mein Vater an diesem Abend zu mir in mein Zimmer kam und sich zu mir setzte, sagte er: »Das war wirklich ein schöner Geburtstag. Vielen Dank für den tollen Untersetzer!« Ich sah ihn im Dämmerschein meiner Nachttischlampe an. »Jetzt habe ich, glaube ich, vier. Nächstes Jahr fünf und dann hat jeder einen. Dann können wir ein richtiges Fest feiern.« »Ich hatte eigentlich was ganz anderes für dich.« Ich wusste nicht, ob meine Mutter ihn über das Marzipankartoffel-Desaster informiert hatte. »Wirklich, was denn? Jetzt hast du mich aber neugierig gemacht. Was wolltest du mir schenken?« »Ach, nichts Besonderes. Marzipankartoffeln.« »Oh, da hätte ich mich aber sehr gefreut. Ich liebe Marzipankartoffeln!« »Ich hab die selber gemacht. Vierzig Stück. Für jedes Jahr eine.« »Das glaub ich nicht. Das ist doch furchtbar schwer, die zu machen. Wo sind die denn? Ich will die jetzt alle essen!« »Egal«, sagte ich leise. Ich wollte die Geschichte nicht erzählen, da ich wusste, ich würde mit jedem Wort sofort wieder wütend und unglücklich werden. Es war eigentlich kein großer Unterschied für mich, etwas zu erleben oder zu erzählen. Ich schob mich näher an das Bein meines Vaters und vergrub meine Nase zwischen seinem Oberschenkel und dem Bettlaken. Ich hörte einen gedämpften Klopfer. Das war der Hund, der mit seinem bollerigen Kopf die Tür aufgestoßen hatte. Da roch ich ihn auch schon. Er presste seine kalte Nase an meinen Hals, und ich umarmte ihn.

»Jetzt sag doch mal, was ist denn passiert?«, beharrte mein Vater. »Ach, es ist halt schiefgegangen.« »Also, da kann ich nur sagen, auch wenn ich die Marzipankartoffeln, aus welchem Grund auch immer, nicht bekommen habe, ich freue mich sehr über sie. Das ist eine großartige Idee. Vierzig Stück und selbst gemacht. Vielen Dank!« Ich nickte und kraulte den Hund. »Willst du noch eine Geschichte? Zauberer?« »Ich bin müde!«, gähnte ich. Mein Vater gab mir einen Kuss. »So, gute Nacht, mein Lieber. Schlaf gut, Josse.« Er ging zur Terrassentür, rüttelte an ihr, mehrmals, nahm den wedelnden Hund beim Halsband und ging. Die Zimmertür ließ er wie immer angelehnt. Er brach, das wusste ich, zu seinem allabendlichen Rundgang durch das Haus auf, bei dem er kontrollierte, ob alle Fenster, die beiden Haustüren und die Kellertür sicher verschlossen waren.

Draußen war es noch immer nordisch hell. Selbst um zehn Uhr abends spiegelte sich die Sonne in den vom Lindenhonig klebrig überzogenen Blättern. Ich hörte die Patienten: Schreie. Ob Schmerzensschreie oder Glücksschreie, das war nicht so leicht zu unterscheiden. Jaulen, Stöhnen, lang gezogenes Wolfsgeheul, das ganze Spektrum menschlicher Laute. Spitze Schreie, Todesschreie, Jubelschreie. Gurgeln und Röhren, schwebende Wehklagen. Die Stimmen waren miteinander verwoben. Die Anstaltsgebäude hatten große Balkone, die aus Sicherheitsgründen mit Maschendraht gesichert waren. Wir nannten sie die Verrücktenvolieren. Von meinem Bett aus konnte ich sie sehen. Gleich hinter dem Türmchen des Krematoriums hingen sie wie eckige Waben an den Mauern der Gebäude. Einzelne Stimmen kannte ich, kannte ich von Beginn an, bevor ich überhaupt sprechen konnte.

Ich soll als Baby nie geschrien haben. Das wundert mich nicht. Wozu auch, wenn das um einen herum, Nacht für Nacht, tausend andere tun. Wie Vögel am Morgen zu einer bestimmten Zeit zu singen beginnen, so schien auch das Abendgeschrei einer gewissen Logik zu folgen.

Ich lag in meinem mit Margeriten verzierten Frottee-schlafanzug unter der flauschigen Bettdecke, hielt meinen von zig schlecht vernähten Bauchoperationen lädierten Affen im Arm und lauschte dem Zeter und Mordio. Anstaltsgesänge, untermalt von Klappern und Rütteln. Was war das? Der Wind? Dumpfes Schlagen gegen Wände? Köpfe? Gitterbett-Schutteln? Dreihundertfunfundsechzig Tage im Jahr, allabendliches Brullkonzert mit großem Orchester. Ob Jungen oder Mädchen? Das war schwer zu unterscheiden. Manch eine vermeintlich weibliche Stimme grölte plötzlich in tönendem Bass, manch eindeutig männliche schraubte sich plötzlich hinauf und schrie im Sopran.

Meine apokalyptischen Reiter waren zu fünft, galoppierten im Wind auf den Vokalen und umzingelten unser Haus. Das »Ahhh …« für gedehnte Schmerzen, langen Atem und lautstarken Aufruhr, das »Ehhh …« für gestautes Aufbäumen, zwischen den Zähnen, irgendwie störrisch, das »Iiii …« meist kurz und geschleudert, meckernde Affen in üppigen Wipfeln, das »Ohhh …« für den Kummer und Eruptionen der Freude, und schließlich das »Uuuh …« geduldig im Hintergrund, resignierend, voll dunkler Kraft. Wie gut ich das alles kannte. Ich wusste genau, wer wem wie antworten würde. Von Bett zu Bett, von Station zu Station, selbst von Anstaltsgebäude zu Anstaltsgebäude gellten die Schreie. Präzise Einsätze, dirigiert von irgendeiner dunklen Macht. Einer alleine. Mehrmals. Dann zu zweit. Kleines Duett. Frage und Antwort. Dann stimmten andere mit ein. Dann ein Gespann. Dann eine Horde. Besonders beeindruckt hat mich immer die Länge der Rufe und dass ich nie jemanden hörte, dessen Stimme versagte. Wenn meine Mutter von der Chorprobe kam, krächzte sie heiser. Anderthalb Stunden Kantaten gaben ihren Stimmbändern den Rest. Das Atemvolumen der Patienten war enorm, ihre Schreitechnik perfekt.

Es ist nicht oft warm bei uns in Schleswig. Die lauen, windstillen Sommerabende sind an einer Hand abzuzählen. Höchstens vier-, fünfmal im Jahr saßen wir noch um zehn Uhr auf der Terrasse. Mein Vater gab diesen Abenden Namen, so selten sind sie gewesen, wie tropischen Wirbelstürmen: die warme Marie, die lauschige Anna, der leicht klamme Anton.

Nächte mit Namen. Das kannte ich gut. An diesen seltenen Abenden eskalierten die Gesänge, steigerten sich zu ohrenbetäubendem Gebrüll. Eine festliche Hysterie, verborgene Begierde, Rastlosigkeit des Blutes oder eben doch ein Wissen um das Grauenhafte, Ausweglose der eigenen Situation brachen heraus, feuerten sich gegenseitig an, bis tief in die sommerliche Nacht, bis hin zur totalen Erschöpfung. Ich liebte dieses Gebrüll, diese Partitur nächtlicher Stimmen. Mühte mich, wach zu bleiben, nicht wegzudämmern. Wie sich das türmte und bäumte! Anschwoll und verhallte! Echos in den Anstaltsschluchten. Ich hörte das gerne. Ich schlief gerne dabei ein. Konnte sogar am allerbesten genau dabei einschlafen. Meine beiden älteren Brüder, meine Eltern schlossen trotz der Wärme mit Seltenheitswert ihre Fenster. Der Hund wurde unruhig, bellte, verkroch sich hinter dem Sessel. Mein Fenster aber musste offen bleiben. Ich lag da und lauschte den Schreien. Auch durfte meine Zimmertür nie ganz geschlossen sein. Das Flurlicht musste anbleiben. Der schmale Lichtstreif fiel genau über das Ende meines Bettes. In diesen Lichtstreifen hinein legte ich meinen Fuß. Etwas von mir sollte im Hellen bleiben. Der nackte Fuß sollte wach bleiben und mich beschützen. Auf dem Flur, im Türspalt, im Anschnitt, die bügelnde Mutter, das Bett frisch bezogen, das Fenster gekippt und die Abendflaute erfüllt vom infernalischen Konzert der Patienten: Das war perfekt. Schlief ich woanders, bei meinen Großeltern in München, bekam ich schreckliches Heimweh. Die Stille setzte mir zu. Ich hasste es, mein Blut im Kopfkissen rauschen zu hören, wie eine für die Ewigkeit präparierte Mumie in der Dunkelheit zu stecken. Da hatte ich dann Sehnsucht nach Schreien, nach dem beruhigenden Gebrüll der Kranken.

Die Sportverletzung

Mein Vater und ich gingen gemeinsam in die Stadt. Er kaufte sich mehrere Bücher, um zum Fachmann seiner eigenen Vorsätze zu werden. Bücher über Raucherentwöhnung, über unterschiedlichste Diätformen und über das Laufen. Schon immer hatte mein Vater, sobald ihn ein Thema interessierte, sich dieses durch Bücher angeeignet. Plötzlich las er alles über Jäger. Monatelang studierte er Jagdbücher, kannte den Unterschied zwischen Vorstehhunden, Stöberhunden, Erdhunden, Schweißhunden, Laufhunden und Apportierhunden. Und als wir auf einem unserer Spaziergänge einen Jäger trafen, blühte dieser anfänglich wortkarge Mann dank der kompetenten Fragen meines Vaters regelrecht auf. Nach zehn Minuten unterhielten sie sich wie zwei uralte Jägerfreunde über die Wiesel-Wippbrettfalle.

Mein Vater war ein an seinen Sessel gefesselter Bildungsnomade, graste mit seinem Was-ich-einmal-lese-vergesse-ich-nie-wieder-Verstand Wissensgebiet für Wissensgebiet ab und wurde zum übergewichtigen Universallexikon. Nie wieder habe ich einen Menschen gesehen, der sich mit solch einem unstillbaren Heißhunger in Bücher hineinfraß. Erst wenn er auch die letzte Information aus einem Thema herausgesogen hatte, wandte er sich gesättigt ab. Leicht erschöpft saß er dann in seinem Sessel, und die unzähligen Bücher lagen aufgeschlagen, aufgeblättert wie leer gelesen auf dem Teppich um ihn herum.

Er hatte die unterschiedlichsten Zeitungen abonniert. Und selbst wenn ihn das Interesse daran schon lange wieder verlassen hatte, wurden diese Fachzeitungen weiterhin geliefert. Neben dem Lokalblatt und der kompletten überregionalen Presse bekamen wir jahrelang »Die Biene«, eine Imkerzeitung, »Fisch und Fang«, eine Anglerzeitung, und »Der deutsche Landwirt«, für dessen rustikale Kontaktanzeigen sich mein Vater sehr begeistern konnte. An unserem Kühlschrank klebte eine von ihnen: »Bauer sucht Frau, die noch mit der Hand melken kann und wenig Schlaf braucht«. So was gefiel meinem Vater sehr. Sein Lieblingsgeschenk an uns Kinder waren Zeitschriftenabos. Mein ältester Bruder bekam »Aquaristik heute«, mein mittlerer Bruder bekam ein Hundemagazin, dessen Namen ich nicht mehr genau weiß. Ich meine, mich an den Titel zu erinnern: »Sitz, Platz, Fass« – aber kann das stimmen? Meine Mutter bekam von ihm zum Hochzeitstag »Kraut und Rüben«, ein Gartenmagazin, und ich bekam ein Fachblatt über die Wüste, das auch »Die Wüste« hieß.

Oft saß ich auf dem Sofa und las, während mein Vater in seinem Sessel schauderhafte Bilder vom sogenannten »Aufbrechen« von Wildschweinen studierte, in der »Wüste«. Durch diese keineswegs für Kinder herausgegebene Zeitschrift wusste ich Dinge über die Wüste, die sonst nur echte Wüstenspezialisten wissen. Auch mit Skorpionen kannte ich mich inzwischen blendend aus und konnte zig verschiedene Arten unterscheiden. Unter mehreren meiner zu dieser Zeit in der Grundschule geschriebenen Aufsätze stand: »Bitte schreib doch mal über das gewünschte Thema und nicht immer über die Wüste.« Mir war es egal. Selbst wenn es um Kinder im Straßenverkehr ging, ich landete in der Wüste.

Das ging so: »Mein Schulweg ist nicht besonders lang, die Kinder der Beduinen allerdings brauchen oft Tage, bis sie ihre Schule erreichen.« Zack, schon war ich in der Wüste.

Um dünner zu werden, hatte sich mein Vater für eine Steakdiät entschieden. Während wir weiterhin unsere Lieblingsinnereien aßen, wurde für meinen Vater jeden Mittag ein großes Steak gebraten, sonst nichts. Anstelle der Nachtmahlzeit aß er Gurken, und mit dem Rauchen hatte er tatsächlich aufgehört. Nachdem wir die Bücher besorgt hatten, gingen mein Vater und ich gemeinsam in das einzige Sportgeschäft unserer Stadt. Er kaufte sich eine Turnhose, eine Trainingsjacke und ein Paar Laufschuhe. Er hatte immer behauptet, dass er Schuhgröße dreiundvierzig habe. Der Verkäufer drückte auf die Schuhspitze und schüttelte den Kopf. Selbst vierundvierzig war noch zu klein. Mein Vater kaufte die Fünfundvierziger nur unter den Beteuerungen des Verkäufers, Laufschuhe würden extrem klein ausfallen. Er behielt sie gleich an, um sie, wie er das in seinen Büchern gelesen hatte, einzulaufen.

»Weißt du, was ich glaube?«, sagte er zu mir, als wir beim »Kochlöffel«, unserem Lieblingsgrill, saßen. »Ich glaube, das sind die ersten passenden Schuhe, die ich mir jemals gekauft habe. Keine Ahnung, warum! Aber ich dachte bis heute, Schuhe müssten leicht drücken. Ich dachte, nur ein leicht drückender Schuh ist ein passender Schuh. Was denkst du, könnte der Grund dafür sein, dass dein Vater immer zu kleine Schuhe trägt?« Ich antwortete ihm damals, und ich weiß es deshalb noch so genau, weil meinem Vater die Antwort gefiel und er sie mir oft wiederholt hat: »Wenn dir die Schuhe richtig gut passen würden, würdest du sehr bald vergessen, dass du sie anhast. Da sie dir aber so gut gefallen, willst du immer daran erinnert werden, dass du sie trägst.

Dadurch, dass der Schuh drückt, verhindert er, in Vergessenheit zu geraten.« »Schlaue Antwort!«, sagte er, »ja, das finde ich auch. Es gibt einen Zusammenhang zwischen Bequemlichkeit und Vergesslichkeit.«

Am nächsten Sonntag begann mein Vater mit dem Lauftraining. Direkt gegenüber dem Psychiatriegelände, nur durch eine Straße von der Anstalt getrennt, lag der Wald. Mein Vater hüpfte auf der Terrasse auf der Stelle, machte Dehnübungen, und meine Brüder und ich standen hinter der großen Scheibe und sahen ihm erstaunt dabei zu. Keiner von uns durfte mit. Darauf hatte er bestanden. »Ich werde mich vor den Augen meiner gut gebauten, durchtrainierten Söhne nicht zum Vollidioten machen.«

Er winkte uns zu. »Na, mal sehen, ob er das überlebt«, sagte mein ältester Bruder. Ich sah meinem Vater nach. Von hinten sah er schlank aus. Er hatte dünne Beine, einen kleinen Po, war groß. Er war genau genommen nur vorne dick, frontfett sozusagen. Ich lief ihm nach und begleitete ihn bis zur Straße. Mein Vater brauchte stets ewig, um eine Straße zu überqueren, da er erst losging, wenn die Autos noch so weit entfernt waren, dass man sie kaum sehen konnte. Er war schlecht im Abschätzen von Geschwindigkeiten. Oft stand ich mit ihm an der verlassenen Straße, und obwohl es still war, sah er mehrmals nach rechts und links, nahm meine Hand und sagte: »Ja, ich glaube, jetzt geht's.« Und dann ging er, mich sehr fest haltend, zügig hinüber.

Auch an diesem Sonntagmorgen stand er in seinen neuen Sportsachen lange an der kaum befahrenen Hauptstraße, eilte schließlich hinüber und verschwand im Wald. Ich ging zurück, setzte mich auf den braunen Teppichboden und las in der »Wüste«. Etwas über geschmolzene Blitze. Da stand tatsächlich, dass ein Blitz, wenn er in Sand einer bestimmten mineralischen Zusammensetzung einschlägt, mehrere Meter tief eindringt und diesen zum Schmelzen bringt, sodass man ihn dann vorsichtig ausgraben kann. Einen bis zu fünf Meter langen, gezackten, höchst fragilen Kristallblitz. Das waren so die Berufe, die mich magisch anzogen: in der Wüste Blitze ausgraben oder, auch das hatte ich gelesen, Fata Morganas fotografieren.

Ich wollte meinem Vater, sobald er zurückkommen würde, als Erster entgegenlaufen. Nach einer halben Stunde fragte meine Mutter zum ersten Mal nach ihm. »Ich glaube nicht, dass man gleich so lange laufen sollte.« Nach einer Dreiviertelstunde kam mein mittlerer Bruder: »Wo bleibt er bloß?«

Nach einer Stunde beschlossen wir, nach ihm zu suchen. Wir nahmen den Hund mit, und mein ältester Bruder hielt ihm eine Socke meines Vaters vor die Schnauze und befahl: »Such, na such!«, woraufhin ihm meine Mutter die Socke aus der Hand riss und seltsam gereizt »Hör doch auf!« sagte. Wir liefen über die Straße und in den Wald hinein. Nachdem wir ein wenig auf verschlungenen Waldpfaden gegangen waren, kamen wir zu einem geraden, auf das Schloss zuführenden Hauptweg. Mein Vater saß gute dreihundert Meter entfernt, rechts am Weg auf einer Bank. Zusammengesunken, mit hängendem Kopf. Meine Brüder und ich rannten los, der Hund hinterher. Die Hände meines Vaters waren dreckig, auch sein eines Knie. Der Hund leckte ihm Blut vom Schienbein. Mein Vater sah auf. Leise sagte er: »So ein Mist!« »Was ist denn passiert?«, fragte ich. »Ich bin umgeknickt und hingefallen.« Meine Mutter kam, sah ihn kurz nachdenklich an und strich ihm über den Kopf. Wir halfen ihm auf.

»Ich bin so gut losgelaufen. Ich war so überrascht, dass ich überhaupt laufen kann. Ich bin ja seit Jahren nur noch gegangen, nie gelaufen. Ich wollte nur einmal den langen Weg hier runterlaufen. Mehr wollte ich doch gar nicht. Und weil es so gut ging, dachte ich, ich mach einen kleinen Endspurt. Die letzten zehn Meter etwas schneller. Das soll man ruhig machen. Nicht so schnell man kann natürlich, aber so eine sanfte Endbeschleunigung steigert den Trainingseffekt. Da sind sich die Laufexperten einig. Und dann kam die Stelle, wo der Weg diese Ausspülung hat, wisst ihr, vom Regenwasser. Und da wollte ich rüberspringen. Und ich war wirklich für einen Moment in der Luft. Aber dann bin ich direkt in der Rille gelandet und umgeknickt. Ich hab es im Fuß krachen gehört. Ist bestimmt gerissen. Bin nicht mehr hochgekommen. Und wisst ihr, wer mir geholfen hat? Eine ältere Dame. Die hatte einen Gehstock. An dem musste ich mich festhalten! Die hat mich hochgezogen.« Auf dem Heimweg mussten wir oft Pausen machen. Mein Vater bat mich, ihm den Schuh und die Socke auszuziehen. Sein Fußgelenk sah schlimm aus, blau geschwollen. Mein mittlerer Bruder sagte, und er suchte stets nach der etwas besonderen Formulierung, wodurch er leicht blasiert klingen konnte: »Dein Fußgelenk hat etwas Auberginenhaftes.« »Erzählt das bitte nicht weiter«, bat er uns, »ja? Wie wär's, wenn das unser kleines Geheimnis bleibt?«

In den folgenden Wochen las er weiterhin in seinen Laufbüchern. Mit hochgelagertem Bein erläuterte er uns Trainingspläne für den Wiedereinstieg nach Sportverletzungen. Ja, er nannte seinen Bänderanriss stolz seine »Sportverletzung«. Er kaufte sich Bücher über die Geschichte des Marathons und erzählte mir Laufgeschichten von Paavo Nurmi und Emil Zatopek, der Lokomotive aus Prag. Mit seiner Steakdiät hatte er mehr Erfolg. Für ein paar Jahre wog er so um die fünfundneunzig Kilo und rauchte bis zu einem denkwürdigen Ereignis auch keine einzige Zigarette mehr. Aber die so gut passenden Laufschuhe, die in ihrem kurzen Laufschuhleben nicht mehr als dreihundert Meter gelaufen waren, zog er nie wieder an.

Der Glöckner

Unter den vielen Patienten, die sich frei auf dem Anstaltsgelände bewegen durften, gab es nur einen einzigen, vor dem
ich richtig Angst hatte. Er wurde »Der Glöckner« genannt
und galt als vollkommen harmlos. Er war bestimmt schon
Ende zwanzig und hätte längst in die Erwachsenen-Psychiatrie verlegt werden müssen. Da er aber schon kurz nach seiner
Geburt auf den Hesterberg gekommen war, sein ganzes Leben innerhalb der Psychiatriemauern verbracht hatte, nach
einem genauen Muster tagtäglich die Wege des Geländes abschritt, hatte man von einem Umzug nach Stadtfeld abgese-
hen. Alles an diesem Mann war dunkel. Sein Haar war wild
und schwarz, kannte keine Frisur. Seine großen, unter der
mächtigen Stirn wie unter einem Felsvorsprung im Schädel
steckenden Augen kamen mir vor wie zwei finstere Löcher,
Höhleneingänge, in die ich zwar hineinzusehen versuchte,
aber nie sicher war, ob auch jemand aus ihnen hinausblickte.
Eigentlich wurden die Patienten, wenn es nötig war, rasiert,
aber der Glöckner hatte aus mir unbekannten Gründen das
Recht auf einen üppigen Vollbart. Und auch dieser: schwarz
wie der Dreck unter seinen langen Fingernägeln.

Er trug, außer wenn es wirklich heiß wurde, einen versifften Bundeswehrparka, eine Bundeswehrhose und klobige
Stiefel. Das einzig Weiße an ihm waren seine mit Schuppen

beschneiten Schultern. Er knirschte mit den Zähnen, das machte mir am meisten Sorgen. Dieses malmende Geräusch konnte man schon mehrere Meter entfernt von ihm deutlich hören. Als würde in seinem Kopf ein Werkzeug schaben, furchtbar arbeiten und etwas sehr Hartes, Steinernes aus ihm herausgekratzt oder in ihm zerkleinert werden.

Er hatte einst, da kannte ich ihn noch gar nicht, ein kleines Glöckchen geschenkt bekommen. Mit diesem Glöckchen bimmelte er sich ins Ohr. Doch das reichte ihm schon bald nicht mehr. Der Glöckner, so hat es mir mein Vater erzählt, hatte im sogenannten Trupp gearbeitet. Der Trupp war eine Gruppe von etwa zwanzig Patienten, die auf dem Anstaltsgelände Rasen mähten und Laub harkten. Er hatte seinen Lohn gespart und davon zwei richtige Glocken, Tischglocken, gekauft. Doch auch die wurden ihm bald zu klein, und irgendwann war er dann im Besitz zweier schwerer, goldener Glocken mit massiven Griffen. Nun wusste man immer, wo er war. Er weigerte sich zu arbeiten und war den ganzen Tag auf dem Psychiatriegelände unterwegs. Mit einer sehr ausgefeilten Technik läutete er sich seine Glocken um die Ohren.

Erste Anwohner hatten schon Beschwerde eingelegt, da das Dauerläuten in den direkt an der Anstaltsmauer gelegenen Häusern kaum noch ruhige Stunden zuließ.

Wenn der Glöckner auf einem der vielen verschlungenen Wege seine Bahnen zog, sprangen die anderen Patienten beiseite, und auch Pfleger, Ärzte und Besucher traten wie automatisch an den Rand. Sogar der Essenswagen wich aus und ließ ihm, mittig auf der Straße gehend, den Vortritt. Man hörte ihn lange, bevor man ihn von Weitem kommen sah, eine goldene Glocken schwingende, finstere Gestalt. In kraftvollen Ellipsen wuchtete er die Glocken mit seinen vom ununterbrochenen Heben und Schwenken muskulösen Armen um sich herum. Ein mit Riesenschritten stapfender

Kerl in einem Gehäuse aus Bewegung und Klang. Einmal im Monat durfte er in Begleitung von drei Pflegern die Anstalt verlassen und den Schleswiger Dom besuchen, um in den Glockenturm hinaufzusteigen. Dort oben, im brüllenden Geläut, war er glücklich.

Als ich eines Mittags auf dem Weg von der Schule nach Hause unterwegs war, fing es plötzlich, direkt hinter mir, zu läuten an. Wenn mein Vater mich begleitete, nahm ich ihn bei der Hand und ließ den Glöckner an uns vorbeiziehen. War ich allein unterwegs, vermied ich eine Begegnung mit ihm und lief, sobald ich das Läuten hörte, oft ohne ihn überhaupt gesehen zu haben, in die entgegengesetzte Richtung davon.

Doch an diesem Tag tauchte er ganz plötzlich auf und kam auf mich zu. Ich verließ den Weg, streifte meinen Schulranzen ab und lehnte mich in der Hoffnung, dass er mich nicht gesehen hatte, an einen der raurindigen Alleebäume. Das Läuten kam näher und näher. Ich überlegte, einfach davonzurennen, aber mein mittlerer Bruder hatte mir einmal gesagt, dass man den Patienten niemals zeigen dürfe, dass man sich vor ihnen fürchte. Eine offen erkennbare Furcht könne sie bis aufs Blut reizen, denn dadurch würde man ihnen zeigen, dass etwas mit ihnen nicht stimme. Ich verharrte hinter dem Baum und schob mich, als der Glöckner auf meiner Höhe war, langsam um den Stamm herum und aus seinem Blickfeld heraus.

Er zog an mir vorbei, und ich beugte mich ein wenig vor und sah ihm nach. Da blieb er plötzlich stehen. So überraschend, als hätte jemand dieser wild arbeitenden und tönenden Glocken-Apparatur den Stecker herausgezogen. Stille. Eine Glocke hoch erhoben, die andere seitlich vom Kopf, stand er wie angewurzelt da. Eine mächtige Statue in Bundeswehr-Klamotten. Ein Glöckner-Standbild. Blitzschnell zog ich meinen Kopf zurück und presste mich an den Baum. Noch nie zuvor in meinem Leben hatte ich eine solche Angst gehabt. Ich sah die Allee hinunter. Ganz an ihrem Ende wandelten drei Ärzte. Ihre Kittel wehten wie Segelchen im Wind. In diesem Augenblick war ich mir sicher, dass er sich umgedreht hatte, auf mich zukommen würde, mich hörte und roch. Ich beugte mich hinunter und griff nach meinem Schulranzen. Der Riemen glitt durch meine Finger, und beim Hochheben fielen mehrere Stifte ins Gras. Da hörte ich ein Geräusch. Zähneknirschen. Ganz nah. Wie von einem Katapult abgefeuert rannte ich, ohne mich umzudrehen, los, spurtete auf die wehenden Kittel zu. Doch während ich rannte, mischte sich in meine Angst schon die Scham, vielleicht überreagiert zu haben und bei den Ärzten auf freundliches Unverständnis zu stoßen. Sie kamen näher, sahen mir bereits entgegen, und ich rannte an ihnen vorbei, um die nächste Ecke, hinter einen der Bungalows, die aus Platzmangel überall auf dem Gelände aufgestellt worden waren.

Ich setzte mich und versuchte Luft zu holen. Wie lange war es her, dass ich das letzte Mal geatmet hatte? Ich holte Luft, aber nichts passierte. Ich röchelte. Konnte man das denn einfach vergessen? Wie ging denn das noch? Mund auf und Luft einziehen. Ich sog und sog. Und wieder, trotz meiner Not, Bilder im Kopf, die nichts mit der Situation zu tun hatten. Oder doch? Mich ärgerte das. Warum kam mir so ein Quatsch in den Sinn, obwohl ich zu ersticken drohte. Ich sah meinen mittleren Bruder, der eine Apparatur entworfen hatte, um einen Negerkuss wachsen zu lassen. Unter einer umgedrehten, durchsichtigen und luftdicht abgeschlossenen Plastikschüssel stand der Negerkuss. Durch einen Aquariumschlauch saugte mein Bruder die Luft ab. Und tatsächlich, er wurde größer und größer. Die Schokoladenhülle platzte auf und er dehnte sich immer weiter aus. Mein Bruder wurde knallrot im Gesicht, und der Negerkuss quoll bis an die Decke der Schüssel empor.

War das mein Schicksal? Saß ich unter einer gigantischen Vakuumglocke? Lutschte mir irgendein Gott das Hirn raus? Würde meine Schädeldecke aufplatzen und der Inhalt wie schaumige Zuckermasse herausquellen? Ich schnappte nach Luft. Der Wind wehte direkt vor mir in ein mickriges Stückchen Wiese hinein. Die Halme bogen sich so sanft wie die Härchen auf meinem Arm. Mir fielen die Augen zu. Aber durch die geschlossenen Lider hindurch leuchtete es gelborange. Wie angenehm. Da war es wieder. Gelb-orange.

Da schnalzte es in meinem Hals, ein Sektkorken-Plopp, und die Luft zischte frisch in meine Lungen. Mein ganzer Körper schmerzte und pitzelte, so als hätte ich mich nackt in einem Brennnesselfeld gewälzt. Erschöpft blieb ich an der Pavillonmauer sitzen und atmete tief ein und aus. Mir kam das wie ein Wunder vor, um mich herum alles voller Luft. Den ganzen Weg nach Hause – in einem entlegenen Teil des Geländes hörte ich leises Läuten – atmete ich tief ein und aus und ein und aus. Wie herrlich das war. Obwohl mir eigenartigerweise der Moment des Luftmangels auch gefallen hatte. Die mich bestürmenden Bilder. Ich hatte nicht an etwas Bestimmtes denken wollen, sondern all das, was ich mir vorgestellt hatte, war ganz von allein, prächtig und deutlich, in meinen leer gefegten Kopf gekommen. Vom Glöckner erzählte ich meinen Brüdern nichts, und auch, dass ich plötzlich keine Luft mehr bekommen hatte, behielt ich für mich.

Eine Woche später ging ich Minigolf spielen. Die Psychiatrie hatte eine eigene, etwas holperige Anlage mit achtzehn Bahnen. Den Schläger und die Bälle – es gab drei verschieden harte – bekam ich in der Station N-Unten. Ich klingelte und rief auf ein »Ja, bitte?« »Ich würde gerne Minigolf spielen« in die Gegensprechanlage. Die Tür surrte auf, und ich trat in den stets sauber duftenden Linoleumgang. Ich spazierte vorbei an mehreren Glastüren, die alle wild mit Fingerfarbe beschmiert waren, bis zu einem mit Pflanzen vollgestellten Aufenthaltsraum. In einer Ecke dieses Dschungelzimmers war ein Schreibtisch, in dessen Schublade der Schlüssel für den Schrank mit der Minigolfausrüstung lag. Ein Pfleger kam, händigte mir alles aus, und ich musste unterschreiben. Nach dieser an mich gerichteten Aufforderung »Hier, eine Unterschrift bitte noch« war ich verrückt. Nirgendwo sonst musste oder durfte ich das. Jedes Mal, bevor ich dort hinging, übte ich zu Hause meine Unterschrift. Ich hatte große Sorge, dass sie sich nicht ähnlich genug sehen würde, dass der Pfleger meine zuletzt geleisteten Unterschriften mit der neuesten vergleichen und zu dem Schluss kommen würde, dass ich unmöglich ein und dieselbe Person sein könne. Er würde mich, da war ich mir sicher, entlarven.

Die Unterschrift meines Vaters war ein jeden Tag unzählige Male hingekritzeltes Kürzel. Keinen einzigen Buchstaben konnte ich darin erkennen. Eine Unterschrift, da war ich mir sicher, brauchte Schwung. Aber mein Name war viel zu lang, um ihn im Ganzen zu bewältigen. Schon auf halber Strecke meines Vornamens verlor ich die Übersicht, und während des Nachnamens entglitt mir komplett die Kontrolle. Es sah jedes Mal aus, als wäre jemand kühn und gekonnt gestartet und hätte dann schlagartig zu schreiben verlernt. Meine Unterschrift endete in einer leblosen Linie. So wie bei einer Herzfrequenzmessung die schwächer ausschlagende Amplitude das nahende Ende ankündigt, so erstarb auch meine Unterschrift, und die letzten zwei Silben lagen flach und mausetot auf dem Papier.

Erstaunlicherweise bekam ich aber auch diesmal wieder Bälle und Schläger. »Viel Spaß!«, wünschte mir der Pfleger, und ich durfte gehen. Der Minigolfplatz lag unter herrlichen Bäumen, die allerdings dazu führten, dass ich, bevor ich überhaupt spielen konnte, sämtliche Bahnen von Ästen und Laub reinigen musste. An diesem windigen Tag lag sogar noch mehr Zeug als sonst herum, und ich brauchte ewig, bis ich loslegen konnte. In den Baumkronen wehte der Wind, kein Mensch war weit und breit zu sehen. Ich legte den mittelharten Ball auf die Bahn Nummer eins. Eine einfache Gerade mit Loch am Ende im erweiterten Rund. Ich spielte meinen eigenen Sportreporter: »So, und schon geht es los. Wer wird heute vorne liegen? Er nimmt sich den Ball. Er hat sich viel für heute vorgenommen. Wird er den Bahnrekord knacken? Volle Konzentration und Ruhe bitte!« Ich schlug den Ball knapp am Loch vorbei. »Oh nein, wie konnte das passieren. Aber die Bahn ist auch wirklich Schrott. Dabei sah es so gut aus. Dieser herrliche Schwung!« Beim zweiten Versuch lochte ich ein. »Jaaa, was für ein Schlag! Das wird hier heute ein heißes Kopf-an-Kopf-Rennen.« Von Bahn zu Bahn wurde meine Reportage feuriger. Mit lauter Stimme verkündete ich: »Dieser Junge ist wirklich ein Genie!« Meine Ergebnisse trug ich in einen Block ein. Wenn ich zu schlecht war, erfand ich irgendwelche Widrigkeiten und durfte es erneut probieren. »Nein, bei diesem Wind kann kein Mensch spielen. Wiederholung!« oder »Die Wippe ist verbogen! Der Ball darf jetzt vom Champion direkt vors Loch gelegt werden!«.

Einmal ärgerte ich mich und drosch den Ball mit voller Wucht gegen eine Bande, wodurch er aus der Bahn sprang und ich ihn ewig im Gras suchen musste. Ich war vollkommen in Gedanken versunken, als ich etwas wie von fern knirschen hörte. Ich hielt den Blick gesenkt. Kurze Pause. Doch da war es wieder. Ohne den Kopf zu heben, versuchte ich mich möglichst weit umzuschauen. Er stand beim Looping. Ich richtete mich auf. Er griff in die Tasche seines Bundeswehrparkas, zog einen Stift heraus und hielt ihn mir hin. Es war mein Tintenkiller, den ich seit dem Tag meiner Flucht vor ihm vermisst hatte. Ich wollte wegrennen, um mein Leben laufen, aber ich ging auf ihn zu. Es zog mich zu ihm. Gegen meinen Willen. Er sah mich einfach nur an, und ich ging Schritt für Schritt zu ihm, den Minigolfschläger fest in der Faust. Ich streckte meine Hand nach dem Tintenkiller aus. Für einen Moment hielt er ihn noch fest, obwohl ich zog. In diesem Augenblick fühlte ich seine ganze Kraft. Niemals, niemals wäre es möglich gewesen, diesen Stift gegen seinen Willen aus dieser Faust zu ziehen. Seine Kiefer malmten. Wollte er etwas sagen? Knirschte er Silben? Ganze Sätze? War das seine Sprache, die ich nicht beherrschte? Er öffnete die Hand, und ich trat den Rückzug an.

Er beugte sich vornüber. Was macht er da, fragte ich mich. Nahm er Schwung, um aus dem Stand heraus auf mich draufzuspringen? Da entdeckte ich, dass vor ihm im Gras seine Glocken standen. Er begann mit der größeren. Schwenkte sie hin und her, am Körper entlang bis hoch über den Kopf. Dann kam die kleinere mit dem helleren Klang dazu, klinkte sich organisch in den Bewegungsablauf ein. Er läutete heftiger und nach und nach übertrugen sich die weit ausholenden Glockenschwünge auf seine Schultern, den Rücken, den Kopf. Er wurde immer mehr eins mit diesen schlenkernden Schwungkurven. Seine stattliche Brust begann sich zu verschrauben, sein Bauch zu kreisen. Ich sah gebannt diesem sich selbst wie einen riesigen Motor anwerfenden, startenden und lärmenden Mann zu. Er war so weit. Alles war in Bewegung. Ohrenbetäubend bimmelnd galoppierte er über die Wiese davon.

Schon am nächsten Tag traf ich ihn wieder. Ich hatte gerade Tor 1 durchschritten und auf die Frage des Kontrolleurs »Na,

Kleiner, wieder ordentlich Ficki, Ficki gemacht?« errötend »Heute nicht« gemurmelt, als ich nahes Läuten hörte. Mein erster Impuls war wie eh und je, so schnell wie möglich das Weite zu suchen. Aber ich blieb stehen, sah den Glöckner kommen und hatte zu meiner eigenen Überraschung keinerlei Angst mehr vor ihm. Wie herrlich laut und satt diese Glocken läuteten! Das kitzelte in den Ohren und brachte die Trommelfelle zum Beben. Er kam näher. Seine Augen, zwei feuchte, schwarz glänzende, im Kopf versenkte Kugeln. Keinerlei Weiß. Er blieb vor mir stehen, stellte die Glocken auf den Asphalt, kam noch einen Schritt näher. Ich roch ihn, roch den Bundeswehrparka und die Ausdünstungen seiner zotteligen Haarpracht, seines Bartes. Was war das für ein absonderliches Gemisch? Schweiß, Sekrete, von Drüsen herausgepresste Substanzen? Ich war mir nicht sicher, ob er bestialisch stank oder intensiv duftete. Seine Zähne malmten, aber es klang irgendwie freundlich, auffordernd.

So, als wäre es das Normalste von der Welt, packte er mich am Handgelenk und wuchtete mich auf seine Schultern. Schwang mich in die Höhe wie eine seiner Glocken. Was für eine Aussicht! Da ich zu schwer geworden war, hatte ich die Schultern meines Vaters schon vor Jahren als Transportmittel aufgeben müssen. Doch für die Kraft des Glöckners war mein Gewicht ein Witz. Er rannte los – ekstatisch läutend und so schnell, dass ich mich mit beiden Händen in seinen tiefschwarzen Haaren festkrallte. Dabei musste ich mich ganz klein machen, mich mit dem Druck meiner Oberschenkel an ihm festklemmen, um nicht von den um mich herumsausenden goldenen Glocken nieder- oder heruntergeschmettert zu werden.

Auf der langen Geraden warteten wir auf den Essenswagen, der übel riechende Metalltröge zu den Stationen brachte. Wir ließen dem Wagen einen kleinen Vorsprung und dann galoppierte der Glöckner los, rannte, so schnell er konnte, bis wir den Wagen überholt hatten.

Da die Seitenwände des Essenswagens ganz aus Edelstahl gefertigt waren, sah ich mich, als wir an ihm vorbeipreschten, gespiegelt auf seinen Schultern sitzen, sah einen blondgelockten Reiter auf einem schwarzzotteligen Riesen.

Die Fahrer winkten uns zu. Der Glöckner grunzte glücklich, und gemeinsam verließen wir die Straße, brachen durchs Unterholz, und ich trabte mit ihm noch eine Runde durch den Psychiatriepark.

Fast täglich durfte ich von nun an auf ihm reiten. Er wurde mein menschlicher Thron. Meine Finger rochen nach ihm – selbst noch im Bett, nach dem abendlichen Händewaschen. Auch war nach diesen Ausritten die Haut meiner Hände eigenartig weich, glatt und geschmeidig, wie durch eine teure Essenz gepflegt.

Er liebte alles Süße. Nach Schokolade war er süchtig. Wenn ich ihm eine Tafel mitbrachte, wurde er ganz unruhig, und seine von Haaren zugewucherten Nasenlöcher blähten sich wie Nüstern. Mit seinen spitz zugeknabberten Fingernägeln schlitzte er das Schokoladenpapier auf. Behutsam brach er alle Stücke auseinander und legte sie vor sich hin, wo auch immer man sich befand. Auf ein Mäuerchen, eine Bank oder eine Treppenstufe. Stets reihte er, bevor er zu essen begann, diesen Schokoladenzug auf. Ich fragte: »Wollen wir los?« – keine Regung. Andächtig zerkaute er Stückchen für Stückchen. Hundertprozentige Hingabe.

Er galt als vollkommen harmlos, ja liebenswert. Mein Vater beschrieb ihn als einen der gutherzigsten Patienten der ganzen Anstalt: »Er ist wirklich das genaue Gegenteil von dem, was sein Aussehen vermuten lässt.« Wenn wir am Mittagstisch über ihn sprachen, machten meine Brüder seltsame

Andeutungen, die ich nicht verstand. So als hätte mein Vater ihnen etwas erzählt, eines seiner Geheimnisse, für die ich noch zu jung war. Mein mittlerer Bruder sagte: »Was schätzt ihr, was ist der Durchmesser von diesem Teller? So fünfundzwanzig Zentimeter?« Mit beiden Händen maß er in der Luft die Größe ab. Mein ältester Bruder sagte: »Ich hab neulich einen Aal gefangen. Der war nur fünfundzwanzig Zentimeter lang. Dafür, dass er so kurz war, war er ganz schön dick.« Meine Mutter sagte: »Kommt, ist mal gut jetzt.« »Also ich finde fünfundzwanzig Zentimeter viel!«, mein mittlerer Bruder betonte das »Fünf-und-zwanzig« Silbe für Silbe: »Das ist doch voll der Oschi!« Mein Vater grinste seinen Kartoffelbrei an, und meine Mutter sagte konsterniert: »Womit wir wieder beim Thema wären.« Meine Brüder hielten immer noch Staunen spielend ihre abmessenden Hände in die Luft. »Oh, guck mal, wer da ist! Dein gut bestückter Glockenkumpel.« Mein ältester Bruder nickte Richtung Fenster. Ich drehte mich um und sah den Glöckner, der sich wie so oft auf unser Mäuerchen gesetzt hatte und auf mich wartete.

Zu dieser Zeit entdeckte ich im Dom unserer Stadt eine sicher drei Meter hohe Christophorus-Statue. Die Figur hatte einen wilden Bart aus dunklen Holzlocken und zu beiden Seiten standen wie Flügel die kunstvoll geschnitzten, im Wind schlagenden Mantelschöße ab. In Händen hielt der Fährmann einen langen, ihn weit überragenden Ast. Auf seinen Schultern saß das Jesuskind. Ohne die Geschichte von dem unter dem Gewicht des Passagiers stöhnenden Fährmann zu kennen, war ich fasziniert von dem hoch über mir reitenden Kind. Was für eine Aussicht es von diesem Platz aus haben musste, konnte ich mir nun gut vorstellen.

Der große Klare aus dem Norden

Acht Wochen nach dem Geburtstag meines Vaters – er war tatsächlich schon etwas leichter geworden – war es dann endlich so weit.

Seit über einer halben Stunde warteten wir schon auf Dr. Gerhard Stoltenberg, den amtierenden, jedoch kurz vor der Wahl stehenden Ministerpräsidenten von Schleswig-Holstein. Er hatte über seinen Sekretär der Sekretärin meines Vaters ausrichten lassen, dass er sich ein wenig verspäten werde. Doch wie lange dieses »ein wenig« dauern würde, wusste niemand. Die stellvertretende Direktorin hatte meinem Vater vorgeschlagen, noch einmal hineinzugehen und dann, sobald der Ministerpräsident vorfahren werde, wieder hinauszutreten. Das hatte mein Vater strikt abgelehnt: »Wie sieht denn das aus? Der fährt vor, kein Mensch da, und dann quetschen sich alle durch die Tür. Nein, wir müssen hierbleiben und auf ihn warten.« Um die dreißig Personen standen unter dem Vordach und drängten sich dichter zusammen, da es ein wenig zu regnen begonnen hatte. In der ersten Reihe standen mittig mein Vater, in seinem durch seine überfallartige Diät ausgetricksten, viel zu weiten Anzug, meine Mutter, frisch frisiert, mit hohen Schuhen, dadurch nach oben und unten verlängert, meine beiden älteren Brüder und ich. Direkt neben mir die sehr herbe stellvertretende Direktorin. Erst vor wenigen Monaten hatte ich plötzlich begriffen, dass sie kein Mann war. Hinter uns Ärzte, Krankenschwestern und Pfleger. Etwas abseits, ungeschützt vom Vordach, eine Gruppe von Patienten, die zur Begrüßung singen sollte.

Mein Vater sagte zur stellvertretenden Direktorin: »Wenn Stoltenberg nicht bald kommt und es noch stärker regnet, müssen wir die Patienten reinbringen.« So standen wir da, im kühlen Putz-, Beton- und Mörtelgeruch des mehrstöckigen Klinik-Neubaus, zu dessen Einweihung sich der Ministerpräsident angekündigt hatte. Dieser Neubau hatte in den letzten vier Jahren für meinen Vater eine riesige Rolle gespielt. Von der Idee zur Planung, von der Finanzierung zum Baubeginn: kein Mittagessen, kein Spaziergang, auf dem er nicht von den Fortschritten und auch Rückschlägen berichtet hätte.

»Kann nicht deine Sekretärin den noch mal anrufen?«, schlug meine Mutter vor. »Vielleicht heißt ja ›ein wenig‹ auch in einer Stunde?« Doch mein Vater hatte plötzlich ganz andere Sorgen. »Guckt euch das an!« »Was ist denn?«, wunderte ich mich. »Das darf doch nicht wahr sein. Wir können den doch nicht durch den Matsch stiefeln lassen!« Mein Vater zeigte auf den Boden vor unseren Füßen. Da die Auffahrt noch nicht fertig war, würde der Minister nicht direkt vorfahren können, er würde ein kleines Stückchen laufen müssen. Nicht weit, knappe acht, neun Meter. Von der Straße bis unters Vordach.

Tatsächlich hatte der feine, doch stetige Regen die Auffahrt aufgeweicht. Mein mittlerer Bruder flüsterte: »Wie wäre es, wenn ihn die Patienten rübertragen?« Meine Mutter lachte. Doch mein Bruder hatte unterschätzt, wie sehr meinen Vater dieser Besuch erregte und wie angespannt er war. »Jetzt hör doch auf. Wir müssen irgendwas machen.« Er rief nach hinten: »Wir brauchen hier Bretter. Ganz schnell bitte. Hier ist alles nass. Warum ist diese Auffahrt eigentlich noch nicht fertig?« Ein Krankenpfleger ging ins Innere der Klinik und sprach mit dem Pförtner. Der zuckte mit den Schultern und griff zum Telefon.

Von diesem Pförtner hatte mir mein Vater etwas erzählt, das mich schwer beschäftigte. Erst nachdem ich ihm mehrmals versprochen hatte, niemandem ein Sterbenswörtchen zu verraten, auch meinen Brüdern nicht, hatte er mir anvertraut: »Stell dir vor, der hat seiner Frau die Brustwarze abgebissen. Aber das bleibt unser Geheimnis, versprochen?« Immer und immer wieder sah ich das vor mir, prüfte ich die Bisskraft meiner Schneidezähne und wunderte mich über meinen Vater. »Warum erzählt der mir so etwas?«, dachte ich, »ich bin doch ein Kind.« Das war mir vollkommen klar, dass ein Vater seinem Sohn nicht erzählen sollte, dass irgendein Kerl seiner Frau die Brustwarze abgebissen hatte.

Da fuhr einer der kleinen Traktoren vor, die ständig auf dem Psychiatriegelände herumkurvten, im Herbst die Gartenbänke abtransportierten, Salz streuten im Winter oder die Torwand zum Sommerfest brachten. Genau an der Stelle, wo wir seit mittlerweile über vierzig Minuten die Limousine des Ministerpräsidenten erwarteten, hielt nun dieser mickrige Traktor mit Anhänger. In aller Seelenruhe kletterte der Fahrer von seinem zerfransten Schaumstoffkissen. »Was gibt es denn, Herr Direktor?« Mein Vater war hin- und hergerissen. »Wir brauchen hier ein paar Bretter, Herr Björnsen. Aber Sie können da nicht stehen bleiben.« »Ich hab Bretter dabei. Ich lade die hier ab.« »Bitte, Herr Björnsen, fahren Sie doch ein ganz kleines Stückchen weiter.« »Wo brauchen Sie die Bretter denn?« »Hier, bei der Einfahrt.« »Ja, warum soll ich denn dann weiterfahren?« Mein Vater sah zur Hauptstraße hinüber, von welcher aus der Minister einbiegen würde. Es war seltsam, aber alle unter diesem Vordach konnten spüren, dass er jetzt gleich kommen

117

würde. Sehen konnte man ihn nicht, hören auch nicht. Aber irgendetwas kam näher und näher. Und dieser Herr Björnsen klappte den Anhänger auf, zog gemächlich knallgelbe Verschalungsplatten von der Ladefläche und ließ sie, eine nach der anderen, auf den nassen Erdboden klatschen.

»Sieht doch gut aus«, sagte ich zu meinem Vater. Er nickte. Der Regen wurde noch stärker und trommelte auf den gelben Steg. An dessen Anfang stand Herr Björnsen, sah uns fragend an und rief: »So, geschafft.« Er winkte uns zu sich herüber. Die stellvertretende Direktorin sagte leise: »Der denkt, der Weg ist für uns.« »Wie, für uns?« Mein Vater verstand nicht und wollte nur, dass Herr Björnsen so schnell wie möglich mit seinem Traktor von der Straße verschwand. Mein älterer Bruder sagte zu ihm: »Na, der glaubt, dass wir hier nicht wegkommen und ihn gerufen haben, um uns zu retten.« Mein Vater rief: »Danke, wirklich vielen Dank. Würden Sie jetzt bitte den Traktor wegfahren!«

Genau in dem Moment, als Herr Björnsen wieder einstieg und den Motor anließ, rief einer der Pfleger von ganz hinten: »Ich glaub, da kommt er.« Synchron wandten wir, das wartende Empfangskomitee, unsere Köpfe. Tatsächlich bog in diesem Moment behäbig ein schweres Auto um die Ecke und fuhr auf das Psychiatriegelände ein. Ich dachte im ersten Moment, dass dieser Wagen gar keine Scheiben hätte, so dunkel getönt waren sie, so Ton in Ton mit der Schwärze des Lacks. »Das is er! Das is er!« Mein Vater richtete sich auf, machte sich bereit. Wir alle unter dem Vordach nahmen Haltung an. Auch ich versuchte, mich aufrechter hinzustellen, würdiger. Der Wagen kam näher. Aber ich hörte den Motor nicht. Der Wagen fuhr nicht vor, er rollte vor. Vollkommen geräuschlos glitt die Dienst-Limousine des Ministerpräsidenten durch den nun heftigen, aber auch weich, wie eingeschüchtert fallenden Regen und blieb stehen.

Wir alle sahen gebannt auf die Autotür. Einer der Pfleger trat aus dem Pulk heraus und dirigierte den Chor der durchnässten Patienten. Die stellvertretende Direktorin beugte sich über mich hinweg zu meinem Vater: »Die haben nicht mal Schirme. Das sieht nicht gut aus.« Mein Vater sah unentschlossen zu ihnen hinüber. Einem der singenden Patienten rutschte Ton für Ton seine durchnässte Wollmütze über die Augen. »Zu spät, zu spät. Das schaffen wir jetzt nicht mehr. Oder? Nein, egal.«

Zwei Männer stiegen aus, stellten sich mit dem Rücken zum Auto und schickten hoch konzentriert, wie Raubvögel ruckend, ihre Blicke über das Areal. Über den neuen Parkplatz mit seinen noch schneeweißen Markierungen, über die von der psychiatrieeigenen Gärtnerei angelegten Rabatten bis hin zu den etwas weiter entfernt gelegenen, düsteren Anstaltsgebäuden. Gebannt folgte ich ihren umherwandernden Augen, sah, wie der eine der Männer Etage für Etage die Fassaden kontrollierte, seine Pupillen von Fenster zu Fenster sprangen. Auch uns unter dem Vordach musterten sie genau. Der eine nickte dem anderen zu, und dann wurde die Autotür, hinter der, das war nun jedem der Wartenden klar, der Ministerpräsident saß, geöffnet. Einer der Männer spannte einen Regenschirm auf und hielt ihn schützend über die Tür. Doch der Ministerpräsident ließ sich Zeit. Er saß schemenhaft im getönten Dämmer der Limousine. Mein ältester Bruder staunte: »Guck mal, das gibt's ja nicht, der telefoniert. Der hat ein Autotelefon.« Ich fragte meinen Vater: »Wann steigt der denn endlich aus?« Mein mittlerer Bruder sagte: »Papa, vielleicht wartet er auf dich. Will, dass du zu ihm in den Wagen steigst.« Mein Vater machte einen beherzten Schritt nach vorn und einen zögerlichen wieder zurück.

Da schob sich an einem langen Bein ein glänzender Schuh aus dem Wageninneren und landete schwer auf den Brettern.

Kurz darauf der andere Fuß. Gleiches Hosenbein, gleiche Socke, gleicher Schuh. Und doch völlig verschieden. Diese beiden Füße hatten nichts miteinander gemein. Es sah nicht so aus, als ob sie sich kennen würden. Der eine träge und plump, ganz für sich auf dem Brett ruhend, der andere wippend und in der Luft federnd. Jetzt sogar knöchelkreisend, als würde sich die Schuhspitze umschauen oder den Regen abschütteln. Dann endlich war es so weit: Als Dr. Gerhard Stoltenberg aus seiner Limousine stieg, musste er sich ganz klein machen, so groß war er. Er krümmte sich aus der Autotür heraus und richtete sich auf. Wuchs und wuchs. Und mit jedem Zentimeter, den der amtierende Ministerpräsident von Schleswig-Holstein größer wurde, sich ent- und auseinanderfaltete, veränderte sich etwas, geschah etwas, das ich noch nie zuvor erlebt hatte.

Noch vor wenigen Momenten, vor der Ankunft dieses Mannes, hatte ich mir von meinem trockenen Platz aus alles in Ruhe ansehen, meinen Blick umherschweifen lassen können. Egal, ob der Parkplatz oder die Bäume, die Laternen oder die Gebäude – neben diesem Mann verkümmerte alles. Es gab nur noch ihn. Wir alle bestaunten nur noch ihn.

Stoltenberg hob den Kopf und blickte zu uns hinüber. Sein Haar war perfekt geschnitten, ein akkurat gescheitelter Silberhelm. Das war er also: »Der große Klare aus dem Norden«. Ursprünglich, hatte mir mein Vater erklärt, war das ein Werbespruch für einen weit über die Grenzen Schleswig-Holsteins hinaus bekannten Aquavit der Marke Bommerlunder gewesen. Er zeigte mir Anzeigen im »Spiegel« und im »Stern«. Meer, Kräne, Gischt, blauer Himmel und glitzernde Frische. Die eisgekühlte Flasche am Strand. Die eisgekühlte Flasche an Deck. »Der große Klare aus dem Norden«. So wurde er genannt. Voller Anerkennung, selbst vom politischen Gegner.

Ich hatte den Ministerpräsidenten schon einige Male im Fernsehen, in den Nachrichten gesehen. Mit diesem Mann aber, der da leibhaftig aus der Limousine in den Himmel gewachsen war, hatte das nicht das Geringste zu tun. Ich war mir sicher, dass er mir, nur mir, direkt in die Augen sah. Doch später am Abend behaupteten auch meine Brüder, sogar meine Mutter, dass er auf dem Weg vom Auto bis zu uns sie und nur sie angesehen hatte. Während er unter dem Schirm über den gelben Bretterweg schritt, schwenkten seine Augen zu den singenden Patienten im strömenden Regen hinüber. Hellbrauner Matsch wurde durch sein Gewicht schmatzend an den Bretterkanten hervorgepresst. Das waren doch mindestens acht Meter. Warum aber brauchte er nur vier, fünf Schritte, bis er vor uns stand? Eigentlich war ich klein und mein Vater groß. Doch jetzt war alles anders. Stoltenberg war groß, mein Vater klein und ich winzig.

»Ich freue mich ganz außerordentlich, dass Sie es noch zu uns geschafft haben, Herr Ministerpräsident.« Er nickte bloß, nickte und sah uns an. »Darf ich vorstellen: Meine Frau und meine Söhne. Und das ist meine Stellvertreterin, Frau Professor Harms!« Mein mittlerer Bruder, den eigentlich nichts so schnell verunsicherte und der das war, was man schlagfertig nennt, machte, als ihn der Ministerpräsident begrüßte, einen Diener. Ich hatte meinen Bruder noch nie einen Diener machen gesehen. Ich wusste gar nicht, dass er das konnte. Als Stoltenberg mir die Hand gab, meine Hand in der seinigen verschwand und für einen kurzen Moment wie in einem herrlich vorgewärmten Handschuh steckte, fühlte ich mich plötzlich ganz glücklich, ohne genau zu wissen, warum.

Mein Vater sagte: »Wenn es Ihnen recht ist, dann zeige ich Ihnen jetzt unser neues Klinikum – und danach wartet oben ein kleines Essen auf Sie.« Ein Mann, den ich noch nicht bemerkt hatte, trat zu ihm: »Herr Minister, wir haben vierzig Minuten.«

Ich sah die Enttäuschung auf dem Gesicht meiner Mutter. Sie hatte dieses Essen vorbereitet und sich etwas ganz Besonderes ausgedacht: einen bayerischen Empfang. Sie hatte lauter aus ihrer bayerischen Heimat stammende Köstlichkeiten besorgt und zubereitet. Selbst gemachte Leberknödelsuppe, direkt aus Bayern importierte Weißwürste, Brezeln und mehrere herrlich duftende Schweinebraten.

Bevor der Ministerpräsident in den Neubau eintrat, wandte er sich dem komplett durchnässten Patientenchor zu, der tapfer »What shall we do with the drunken sailor« sang. Ich hörte, was er sagte, alle hörten es: »Herr Professor, das ist ja Sünde.« Mein Vater antwortete mit einem unterwürfigen Grinsen: »Ja, da haben Sie selbstverständlich vollkommen recht. Wir wurden vom Regen überrascht.«

Jemand rief: »Bitte ein wenig näher zusammen!« Es war ein Reporter unserer Zeitung, den ich schon oft gesehen hatte, der stadtbekannt war. Er trug Kamelhaarmäntel, über deren üppige Kragen sein flauschiges Haar wallte. An Samstagen flanierte er durch die Innenstadt. Er hatte einen grunzenden Mops, in dessen Glupschaugen sich unsere trostlose Fußgängerzone spiegelte. Er knipste ein paar Fotos, und dann ging es endlich, mit einer guten Stunde Verspätung, am Brustwarzenpförtner vorbei, hinein in das neue Klinikum für Kinder- und Jugendpsychiatrie.

»Dieses Gebäude«, so mein Vater, »wird der endgültige Abschied sein von einer rein verwahrenden Psychiatrie. Ab jetzt steht die Therapie, das Wohl des Patienten im Mittelpunkt.« Die Ärzte und Pfleger hatten sich auf die Stationen verteilt und gaben vor Ort kurze Einführungen in ihren Aufgabenbereich. Zuerst besuchten wir die Räumlichkeiten der Musik- und sogenannten Gestalttherapie. Egal, wo wir hinkamen, die Patienten saßen an Tischen und malten, bastelten oder musizierten. Mein mittlerer Bruder flüsterte meinem älteren Bruder zu: »Schau dir das an. Die echten Dödies sind alle weggesperrt. Die zeigen heute nur die Braven.« Er hatte völlig recht. Eine ungewöhnliche Stille erfüllte die Stationen. Selbst im Prunkstück des Gebäudes, dem Schwimmbecken für Bewegungs- und Körpertherapie, trieben friedfertig eine Handvoll Insassen herum. Die Patienten wirkten eingeschüchtert, so, als wären sie unmittelbar vor unserem Erscheinen gnadenlos zusammengebrüllt worden. Auch der Ministerpräsident wunderte sich: »Geht das hier immer so friedlich zu?« »Na ja«, erklärte mein Vater, »ab und zu wird es natürlich auch mal laut, aber wir geben uns Mühe.«

Zu einem kleinen Zwischenfall kam es dann aber doch noch. Im oberen Stock gab es eine Einrichtung für Jugendliche, die aufgrund von jahrelangem Drogenkonsum unter psychischen Störungen litten. Hier platzten wir mitten in ein Gruppengespräch hinein. Der Psychologe begrüßte den Minister unwillig, und auch die vier Jugendlichen sahen uns mürrisch an. Während der Erläuterungen meines Vaters stand einer von ihnen auf und sagte zum Psychologen: »Ich hab keinen Bock auf das Geseier. Ich geh pissen.« Mir kam es so vor, als würde sich der Ministerpräsident über diese Bemerkung geradezu freuen, als würde er dieses unvorhersehbare Ereignis dankbar aufnehmen, um seine Gelassenheit unter Beweis zu stellen. Lächelnd sagte er zu meinem Vater: »Wer muss, der muss.«

Als wir nach unserem Rundgang den großen Aufenthaltsraum erreichten, in dem die Tische mit blau-weiß karierten Tischdecken bedeckt waren, trat abermals der Sekretär an Dr. Stoltenberg heran: »Noch zehn Minuten, Herr Ministerpräsident!« Nun übernahm meine Mutter: »Wissen Sie, Herr Stoltenberg, ich komm ja ursprünglich aus Bayern. Und da hab ich mir gedacht, Sie bekommen doch bestimmt dreimal am Tag Fisch. Sie sind sicher auch mal froh, wenn es nicht andauernd dasselbe gibt. Immer Aal und Kieler Sprotten. Also, alles selbst gemacht hab ich natürlich nicht. Brezeln backen kann ich nicht, aber ich schwör's Ihnen, die Leberknödelsuppe ist ein Gedicht. Sogar ein Hefeweizen hab ich für Sie!« Meine Brüder und ich hatten jeder einen Flaschenöffner bekommen und servierten. Ich eilte von Tisch zu Tisch, balancierte Teller und Getränke. Ich hatte mir meinen Flaschenöffner mit einem Band am Gürtel festgebunden. Den Öffner geschickt aus der Hosentasche zu ziehen, den Kronkorken von der Flasche zu ploppen und den Öffner wieder zurückzuschieben, davon konnte ich gar nicht genug bekommen. Die beiden Männer, die aus dem Auto gesprungen waren, saßen an einem Zweiertisch und rauchten, die länglichen Koffer fest zwischen ihre Füße geklemmt. Der Ministerpräsident hatte eine Leberknödelsuppe gegessen, sie sehr gelobt und sich reichlich vom Schweinebraten mit Knödeln genommen. Aber er aß nichts. Er schnitt den Braten klein, zerteilte den Knödel und verteilte die Stückchen auf seinem Teller. Er wischte sich den Mund ab und legte die unzerknüllte Serviette über das zersäbelte Essen. Das war doch eigentlich mein Trick, wenn mir etwas nicht schmeckte. Gerade wollte ich meinem Bruder meine Entdeckung mitteilen, als der Sekretär mit Nachdruck verkündete: »Wir müssen jetzt, Herr Minister!«

Mein Vater fragte: »Wo geht es denn noch hin heute?« Stoltenberg sah fragend seinen Sekretär an. »Wir müssten seit einer Viertelstunde bei der Fischereiinnung sein, Herr Minister.« Das gefiel meiner Mutter. Völlig selbstverständlich legte sie Dr. Gerhard Stoltenberg ihre Hand auf den Oberarm: »Na, was hab ich Ihnen gesagt – auf zum fröhlichen Fischessen!« Bevor wir den Aufenthaltsraum verließen, ging der Minister zum Patiententisch und verabschiedete sich per Handschlag von jedem Einzelnen. Ärzte und Pflegepersonal nickten voller Bewunderung, nur der Psychologe der Gruppentherapie schüttelte angewidert den Kopf.

Wir durchquerten die Empfangshalle und traten unter das Vordach. Die Limousine wartete bereits. Der Ministerpräsident legte mir die Hand auf die Schulter und lobte meine Brüder und mich: »Das habt ihr eben ganz toll gemacht da oben. Bis bald mal!« So, als würden sie sich lange kennen, verabschiedete er sich von meiner Mutter und bedankte sich bei meinem Vater: »Das ist wirklich ein großartiger Bau geworden. War ja nicht ganz einfach, aber jetzt steht er. Wenn es irgendwelche Probleme geben sollte, melden Sie sich einfach. Alles Gute, Herr Professor! Schauen Sie mal, es hat aufgehört zu regnen!« Er betrat den gelben Steg, schritt flankiert von den Koffermännern auf die geöffnete Autotür zu – und da geschah es. Stoltenberg hatte bereits seinen Kopf gesenkt, hatte damit begonnen, sich wieder zusammenzufalten. Da rief jemand laut: »Hände hoch oder ich schieße!«

Noch nie zuvor hatte ich gesehen, wie ansatzlos sich eine Situation im Bruchteil einer Sekunde in eine komplett andere Situation verwandeln konnte. Die beiden Koffermänner stürzten sich auf den Ministerpräsidenten, warfen ihn nieder. Aber das war ein großer Mann. Der fiel nicht so leicht. Sie rammten ihn um. Im Fallen öffneten sie ihre Koffer und zogen schwarze Pistolen heraus. Stoltenberg klatschte der Länge nach in den Matsch. Auf ihn drauf die Männer mit den gezückten Waffen. Ich erstarrte. Aber nicht der Ruf »Hände hoch oder ich schieße!« hatte mich erschreckt. Die Stimme kannte ich ja. Allen, die sich unter dem Vordach versammelt hatten, war diese Stimme wohlbekannt. Was mich so maßlos überraschte, war die Wirkung, die sie hatte.

Die Männer zielten in die Richtung, aus der der Ruf gekommen war. Mein Vater schrie: »Bitte! Bitte! Es ist alles in Ordnung! Bitte! Bitte nicht schießen!« Die Männer rutschten auf dem Ministerpräsidenten enger zusammen, schützten ihn mit ihren Körpern. »Wirklich, bitte. Es besteht keine Gefahr. Es ist einer unserer Patienten.« Hinter einem der erst kürzlich aufgestellten und zur Feier des Tages üppig bepflanzten Blumenkübel tauchte ein rötlicher Haarschopf auf, darunter ein schmales Gesicht, nicht breiter als ein Handteller, mit eng stehenden Augen und vereinzelten Zähnen. Die Männer richteten ihre Waffen auf den Jungen. Mein Vater hob die Hände, Handflächen nach unten. Mit beschwörender Stimme sprach er überdeutlich und ruhig: »Bitte glauben Sie mir. Es ist alles in bester Ordnung. Das ist Rudi, einer unserer Patienten. Er ist völlig harmlos. Er macht das öfter.«

Da hatte mein Vater vollkommen recht. Es stand wohl niemand hier draußen, dem Rudi nicht auch schon auf dem riesigen Areal der Psychiatrie aufgelauert hatte.

Der Junge hinter dem Betonblumenkübel sah überglücklich aus. Solch einen mächtigen Effekt hatte sein »Hände hoch oder ich schieße!« noch nie gehabt. Er trat hervor, hob seinen silbernen Colt und zielte auf die Männer im Matsch. Mein Vater rief: »Wir wollen jetzt nicht mehr spielen. Wirf deine Pistole weg!« Rudi zog eine seltsame Grimasse und machte einen weiteren Schritt.

Einer der Koffermänner brüllte los: »Wenn der noch näher kommt, knall ich ihn ab. Ich knall ihn ab! Der soll die Waffe wegwerfen.« Rudi strahlte, strahlte und machte noch einen Schritt. Mein Vater trat in die Schusslinie. »Rudi, guck doch mal, die liegen doch schon am Boden. Die haben verloren. Du hast gewonnen. Jetzt steck mal deine Waffe weg.« Rudi überlegte. Dann warf er seinen Revolver hoch in die Luft, und das Geräusch, mit dem er auf der Straße aufschlug, klang so eindeutig nach Plastik, dass die Männer im Schlamm zu ahnen begannen, dass mein Vater die Wahrheit gesprochen hatte.

Einen kurzen Moment lang herrschte eine geradezu feierliche Ruhe, ein kollektives Innehalten der besonderen Art. Dann rollten die Männer sich vom Ministerpräsidenten herunter. Mein Vater betrat den gelben Steg. Meine Mutter folgte ihm.

Zwei Pfleger rannten zu Rudi. Drehten ihm, völlig übertrieben, wie ich fand, die Arme auf den Rücken. Die stellvertretende Direktorin fuhr sich mehrmals impulsiv mit den Fingern durch ihre Kurzhaarfrisur. Mein mittlerer Bruder sagte leise: »Wow, das war ja der Hammer!« Der Dandyreporter knipste in rascher Folge ein paar Fotos. Und Stoltenberg rührte sich nicht, lag wie erschossen auf dem Bauch im Matsch. Neben ihm knieten meine Eltern: »Herr Ministerpräsident, es ist alles gut«, sagte mein Vater, und »Sie können jetzt aufstehen« meine Mutter.

Dr. Gerhard Stoltenberg hob langsam den Kopf. Mit einem schlürfenden Sauggeräusch zog er ihn aus dem Schlamm. »Kommen Sie. Ich helfe Ihnen auf.« Mein Vater streckte die Hand aus. Die verschmierten Männer hatten ihre Koffer aufgehoben und die Waffen darin verschwinden lassen. Stoltenberg wollte keine Hilfe. Unbeeindruckt, vielleicht ein ganz wenig brüchig, sagte er: »Danke, das geht schon. Das schaffe ich gut allein.«

Und dann stand er auf. Wieder wuchs und wuchs dieser Mann. Dr. Gerhard Stoltenberg, der Ministerpräsident von Schleswig-Holstein, stand da, tropfend, und sah aus wie ein Schwein. Ein riesiges, aufrecht stehendes Schwein, das sich zusammen mit seinen beiden besten Freunden ein ausgiebiges Schlammbad genehmigt hatte.

Mein Vater bat den Fotografen, keine weiteren Fotos zu

machen. Der nickte triumphierend, lüpfte den Kamelhaar-
mantel, stolzierte wie ein stolzer Storch durch den Matsch,
stieg in seine Ente und brauste davon. »Herr Ministerpräsident, ich wohne hier gleich um die Ecke. Kommen Sie. Ich
kümmere mich um alles.« Und so zogen wir los. Eine seltsame Prozession.

Als unser Hund den Ministerpräsidenten sah, bekam er
einen hysterischen Bell-, Knurr- und Winselanfall. Er zog
den Schwanz ein, krümmte sich, drehte sich vor Angst im
Kreis. Dann fletschte er die Zähne, seine Nackenhaare stellten sich auf, und er sah aus wie eine gemeingefährliche
Hyäne, die eine Erscheinung hatte. Meine beiden Brüder
zerrten ihn am sogenannten Würgehalsband in das Schlafzimmer meiner Eltern.

Im Keller hatten wir ein Gästezimmer mit einer Dusche.
Dort wuschen sich die Koffermänner. Meine Mutter rief
durch die Tür: »Ich lege Ihnen Jogginghosen und T-Shirts
meiner Söhne raus. Ich hoffe, die passen. Wir haben leider
keine Bademäntel.« Stoltenberg hatte sich oben im Badezimmer eingeschlossen. Mein Vater und meine Mutter überlegten, was man ihm zum Anziehen geben könnte. Da mein
Vater um einiges kleiner war, würden seine Hosen nicht passen. Eine Jogginghose, so mein Vater, komme nicht infrage.
»Los, jetzt überlegt doch mal«, bat er uns, »der kommt gleich
raus!« Der Vorschlag meiner Mutter, ihn in eine Decke zu
hüllen, wurde genauso abgelehnt wie die Idee meines Bruders, ihn für eine Stunde ins Bett zu packen. Da hörten wir,
wie die Dusche abgedreht und der Duschvorhang beiseite-
geschoben wurde. Ich rannte in das Arbeitszimmer meines
Vaters, wo er hin und wieder auch Privatpatienten behan-
delte, nahm seinen Arztkittel, der hinter der Tür hing, vom
Haken und lief zurück. »Wie wäre es damit?«

Ich hielt den Kittel hoch. Mein Vater überlegte: »Ja, ich

glaube, das müsste gehen.« Mein mittlerer Bruder klopfte mir auf die Schulter: »Eine Meisterleistung, Bruderherz, eine Meisterleistung.« Und mein ältester Bruder griff mir in die dichten Locken, schüttelte mich gespielt heftig: »Es tut mir so leid, dass ich all die Jahre nicht an dich geglaubt habe!«

»Herr Ministerpräsident, wir haben leider keinen Bademantel. Ich würde Ihnen trotzdem gerne was hineinreichen.« Mit Daumen und Zeigefinger hielt mein Vater den Kittel vor der Tür in die Höhe. Zögerlich ging sie einen Spalt auf, eine Hand schnappte sich den Arztkittel – »Danke!« –, und weg war er. Mein Vater sah triumphierend und belustigt zu uns hinüber.

Aus dem Keller kamen, nasshaarig, die Koffermänner in Trainingshosen und T-Shirts. »Wir haben uns noch gar nicht vorgestellt. Wir heißen beide Michael.« Meine Mutter gab ihnen die Hand: »Hallo Michael. Hallo Michael.« Sie sahen viel jünger aus ohne ihre Anzüge, nicht viel älter als meine Brüder. Der eine Michael fragte meine Mutter: »Wir haben unten im Keller eine Tischtennisplatte gesehen. Dürfen wir vielleicht ein bisschen spielen?« »Na klar! Vielleicht spielt ihr ja alle zusammen!« Meine Brüder und ich sahen uns an. Wir dachten alle drei das Gleiche. Keiner von uns wollte den im Arztkittel aus dem Bad kommenden Stoltenberg verpassen. »Vielleicht später«, sagte mein mittlerer Bruder.

Als Dr. Gerhard Stoltenberg im Arztkittel meines Vaters aus dem Bad kam, sah er unglaublich gut aus, kompetent, absolut vollkommen. Trotz, vielleicht sogar wegen seiner nackten Füße: ein perfekter Gott in Weiß. Wie ich ihn durch den Flur auf mich zukommen sah, begriff ich, dass dieser Mann ein geborener Anführer war. In jedem Krankenhaus dieser Welt würde dieser Mann innerhalb eines einzigen Tages zum unangefochtenen Direktor gekürt werden. Er war von zeitloser Imposanz.

Meinen Vater, das war ganz offensichtlich, kostete es eine Heidenkraft, sich beim Anblick dieses Mannes vor Ehrfurcht nicht in Luft aufzulösen. Ganz anders meine Mutter. Sie lief zur Hochform auf: »Na, das war ja was, Herr Ministerpräsident. Kommen Sie bitte hier entlang. Mein Gott, wie Ihre Aufpasser Sie in den Matsch geschubst haben, Sie Armer. Aber das ist wirklich ein ganz netter Junge, unser Rudi. Wir kennen den ja alle. So, ich hol jetzt mal Ihren Anzug aus dem Badezimmer, und Ihr Hemd hat ja bestimmt auch was abbekommen. Und die Anzüge von Michael und Michael …« Meine Mutter lachte, unbefangen, unbeeindruckt. »In einer halben Stunde ist dann alles wieder da. Die Anstaltswäscherei kennt sich mit eingesauter Kleidung bestens aus, das kann ich Ihnen versichern. So schnell würden Sie es nach Kiel und zurück nie schaffen. Kann ich Ihnen noch irgendwas anbieten? Vielleicht einen kleinen Schnaps? Gott, hab ich mich erschrocken.«

Im Wohnzimmer setzte sich Stoltenberg in den großen Ohrensessel meines Vaters und wippte mit seinem neugierigen, leichten Fuß. Meine Brüder gingen in den Keller, um mit den beiden Michaels Tischtennis zu spielen. Ich blieb auf dem Sofa sitzen und ließ ihn nicht aus den Augen. »Ich hoffe, Ihre erzwungene Abwesenheit bei der Fischereiinnung stellt kein zu großes Problem dar?«, fragte mein Vater etwas gestelzt. Doch der Ministerpräsident antwortete nicht. Er sah meinen Vater an. »Darf ich Sie etwas fragen, Herr Professor?« »Selbstverständlich«, sagte mein Vater, »bitte, fragen Sie.« »Als ich angekommen bin, war doch ein Reporter da, nicht wahr, und hat Fotos gemacht?« »Ja, stimmt«, sagte mein Vater, »das war ein Journalist unserer Zeitung hier. Ich kenne den.«

Stoltenberg überlegte. Er schien sich nicht ganz sicher zu sein, ob er den eingeschlagenen Weg dieses Gespräches weiterbeschreiten sollte. Meine Mutter kam mit einem Tablett und drei eisgekühlten Gläsern.

»Und als dann die Sache mit dem Patienten passierte, war der da auch noch da?« Meine Mutter schenkte ein. Mein Vater nickte: »Ja, der hat Fotos gemacht.« »Hat er auch Fotos von mir gemacht, als ich … als ich am Boden, also, als ich da lag?« »Ja, ich glaube schon«, antwortete mein Vater besorgt. »Ich hab ihn gebeten, damit aufzuhören. Er ist dann weggefahren.« Stoltenberg sprach leiser: »Aha. Verstehe. Hm.«

Er leerte sein Schnapsglas, atmete aus. Seine hellblauen Augen, die durch das Silbergrau seiner Haare noch kühler wirkten, blitzten, waren plötzlich ebenso wie die aus dem Gefrierfach kommenden Schnapsgläser mit einer hauchdünnen Eisschicht überzogen. »Das ist nicht so gut.« »Ich glaube nicht, dass unsere Zeitung so ein Foto bringen würde, Herr Ministerpräsident.« »Ach wissen Sie, Herr Professor, da wäre ich mir nicht so sicher. Ich hab den Fotoaffen doch gesehen.« Hatte er wirklich »Fotoaffen« gesagt oder »Fotografen«? Hatte ich mich verhört?

»Ich befinde mich momentan in einer entscheidenden Phase der Verwirklichung meiner politischen, ja, ich will es mal Ambitionen nennen. Nicht nur auf Landesebene, nein, auch auf Bundesebene.« »Ja, natürlich, ich weiß, Herr Ministerpräsident.« Mein Vater saß genauso da wie ich, weit vorn auf der Stuhlkante, sehr aufrecht.

»Für so ein Bild«, Stoltenberg tippte mit seiner Fingerkuppe in das leere Schnapsglas und leckte sie ab, »für so ein Bild gibt es viel Geld. Und es gibt Zeitungen, die mehr Menschen lesen als die in Ihrem netten kleinen Städtchen hier. Zeitungen mit großen Buchstaben und großen Bildern. Sie verstehen, was ich meine?«

Er sah mich an: »Junger Mann, dein Vati und ich müssen hier was besprechen. Könntest du mir einen Gefallen tun und dich um meine Schuhe kümmern?« »Ja, ja sicher!« Während ich durch den Flur rannte, dachte ich, »Vati, was für ein bescheuertes Wort«. Noch nie hatte ich zu meinem Vater »Vati« gesagt. Da die Schuhputzmaschine – herbe Niederlage für meinen mittleren Bruder – schon nach wenigen Wochen ihren Geist aufgegeben hatte, bürstete und polierte ich in den nächsten zwanzig Minuten wie unter Starkstrom die Schuhe des Ministerpräsidenten. Sogar die Schnürsenkel zog ich heraus, um besser an die Laschen zu kommen.

Auf dem Weg zurück begegnete ich meinen Brüdern und den beiden Michaels, die verschwitzt aus dem Keller kamen. Mein mittlerer Bruder teilte mir mit, dass ich etwas Einmaliges verpasst hatte. Michael und Michael hätten ihnen ihre schusssicheren Westen und sogar den Inhalt der Koffer gezeigt. Mein mittlerer Bruder stellte sich breitbeinig vor mich hin: »Bruderherz, ich hab die Wumme in der Hand gehalten! Eine echte Wumme!«

Ich brachte Stoltenberg seine wie Kastanien glänzenden Schuhe, die vom schnellen Bürsten ganz warm geworden waren. »Danke, mein Junge, und jetzt sei so gut und lauf mal zum Auto und hol meinen Sekretär.« Also wieder los. Der Sekretär saß in der Limousine und telefonierte. Ich wollte nicht stören und wartete, doch dann hörte ich, wie er sagte: »Mich kotzt das an, jedes Wochenende übernachten irgendwelche Kinder bei uns.« Ich klopfte aufs Autodach: »Sie sollen bitte mal reinkommen.«

Als ich wieder zurück ins Wohnzimmer kam, lag unser Hund Stoltenberg zu Füßen und hechelte. Auch meine Mutter saß näher bei ihm als bei meinem Vater. Stoltenberg sagte gerade: »Gut, das sind also alle Namen. Sie kümmern sich um das Personal. Dann machen wir das so.« Der Sekretär fragte: »Also, Herr Ministerpräsident, wie geht's jetzt weiter? Bei der Fischereiinnung warten seit anderthalb Stunden hundertzwanzig Fischer samt ihren Frauen auf Sie. Kutter geschmückt und Buffet an Bord. Im Anschluss, also im Grunde auch schon jetzt, beginnt die Podiumsdiskussion in Husum. Wenn Ihr Anzug tatsächlich gleich kommen sollte, würden wir vielleicht das Ende in Husum noch schaffen.«

Stoltenberg kraulte unseren Hund. Dabei sahen er und meine Mutter sich an. Die beiden Michaels kamen in den Jogginghosen meiner Brüder herein und setzten sich aufs Sofa. Ich sah mich um. In Sekundenschnelle keimte und wuchs, ja wucherte eine Sorge in mir. Vielleicht war Stoltenberg tatsächlich der neue Leiter der Psychiatrie. Vielleicht würde er den Arztkittel meines Vaters nie wieder ausziehen! Er stand ihm so viel besser. Und wo waren meine Brüder? Vielleicht hatten Michael und Michael sie im Keller mit der besagten Wumme beseitigt! Würden die beiden jetzt meine neuen Brüder sein? Warum ließ sich der Hund vom Ministerpräsidenten kraulen? Warum sah meine Mutter so jung aus? Und mein Vater so alt? Was um alles in der Welt ging denn hier eigentlich vor? Würde mir gleich etwas schonend mitgeteilt werden?

Es klingelte. Mein Vater erhob sich. Auf dem Weg durch unseren langen Flur nahm ich ihn bei der Hand. Er sah mich an: »Wollen wir nachher noch runter in die Stadt gehen, Pommes essen?«, fragte ich vorsichtig. »Das machen wir, mein Lieber«, sagte er, »das machen wir.« Drei Anzüge samt Hemden wurden abgegeben, alles sehr ordentlich auf Drahtkleiderbügeln. Und noch eine Plastiktüte, deren Inhalt leider eine böse Überraschung barg. Die graugelb melierte Krawatte des Ministerpräsidenten sah aus, als hätte sie unser Hund zerbissen.

»Das war Wildseide«, sagte der Ministerpräsident. »Oh nein, so was Dummes aber auch.« Meine Mutter streichelte den zerrupften, durchlöcherten Fetzen. »Was machen wir denn da?« »Vielleicht darf ich Ihnen eine meiner Krawatten schenken«, bot ihm mein Vater an, und mit einer Gelassenheit, nach der er lange gesucht und die er nun endlich gefunden zu haben schien, fügte er noch hinzu: »Also, falls Ihnen eine gefallen sollte. Wildseide hab ich leider keine, aber ich glaube, für Husum müsste eine dabei sein.«

Meine Brüder hatten sich in der Zwischenzeit mit dem Sekretär angefreundet, saßen vorne in der Limousine und streichelten die Armaturen. Michael und Michael trugen wieder ihre Köfferchen, inspizierten die Umgebung, und Dr. Gerhard Stoltenberg zog endlich den Arztkittel meines Vaters aus. Er hatte sich einen recht gewagten blau karierten Schlips herausgesucht und darauf bestanden, ihn schon morgen wieder von einem Fahrer zurückbringen zu lassen. Das gefiel meinem Vater: »Nee, wirklich nicht, Herr Ministerpräsident. Meine Krawatte allein in Ihrem Auto, den ganzen Weg von Kiel hierher. Das ist jetzt Ihre. Und vielleicht …«, er gönnte sich einen kleinen Zögerer, »vielleicht ja auch eine schöne Erinnerung an die Einweihung unserer Klinik.«

Da sah Stoltenberg meinen Vater an und streckte ihm die Hand entgegen: »Darf ich Ihnen das Du anbieten? Sie haben mir sehr geholfen heute. In vielerlei Hinsicht.« Mein Vater zögerte. Dann reichte er ihm die Hand. »Ich heiße Gerhard.« »Ich weiß!«, freute sich mein Vater, »ich heiße Hermann.« »Also dann, Hermann, alles Gute und tausend Dank.« Er stieg ein und bekam, sobald er saß, das Autotelefon gereicht. Er winkte, hielt die farbenfrohe Krawatte hoch, formte, während er telefonierte, mit seinen vollen Lippen ein lautloses, überdeutliches »Danke« und zog die Tür zu. Wir standen vor dem Auto, in dessen schwarzen Scheiben sich unsere verformten Köpfe spiegelten, doch nichts geschah. Nach einer Weile sagte mein Vater: »Also ich geh jetzt rein, Gerhard.«

Wir folgten ihm ins Haus. Ich rannte zum Fenster – doch zu spät, die Limousine war weg.

Schon kurz nach der Eröffnung der Klinik zeigten sich an der aus sogenanntem Muschelkalk gefertigten Außenfassade rötliche Schlieren. Tatsächlich waren durch eine grobe Fahrlässigkeit geschredderte Eisenpartikel in die Betonmischung gelangt, die jetzt rosteten und dafür sorgten, dass es so wirkte, als würde das Gebäude aus Tausenden winzigen Wunden bluten, oder als hätte eine rötlich kackende Vogelart das Klinikum gekapert und mit ihrem aggressiven Kot besprenkelt. Mein Vater war außer sich, konsterniert und betrat seine Klinik mit gesenktem Blick.

Auch im Inneren des Baues hatte sich ein anfänglich als Lappalie verharmloster Umstand zu einem gravierenden Problem entwickelt. Die im Keller befindliche Anlage zum Aufwärmen des Großküchenessens gab ihre Ausdünstungen aus unerfindlichen Gründen direkt in einen der drei Fahrstühle ab. Darin fuhr der Gestank von Stockwerk zu Stockwerk und verteilte sich im gesamten Gebäude. Selbst im am weitesten entfernten, im vierten Stock befindlichen Abstellraum roch es nach Rouladen mit Rotkohl. Fugen und Ritzen wurden wieder und wieder gedichtet, Verschalungen verstärkt, Wände erneut gedämmt – zwecklos. Der Essensgeruch kannte Geheimwege, konnte durch Mauern gehen und fuhr Tag und Nacht im Fahrstuhl herum.

Dr. Gerhard Stoltenberg und mein Vater sahen sich nach ihrer Verbrüderung nie wieder. Summa summarum hatte jeder von ihnen nur ein einziges Mal Du gesagt. Aber der schon lange aus dem Amt geschiedene Ministerpräsident kam zu seiner Beerdigung. Wie ein Mann, der unter seiner Größe litt, stand er gebeugt vor meiner Mutter, machte sich klein und kondolierte mit dünner Stimme. Wie konnte das sein? Ich hatte seine Aura für eine gehalten, die gottgegeben aus dem Mark seiner Knochen entsprang und nicht nur das hauchdünne Blattgold eines Amtes war. All seine Autorität und Strahlkraft waren verloren gegangen. Ohne Limousine fuhr er nach dem Begräbnis in einem grünen Kleinwagen davon. Als er den Parkplatz des Friedhofs verließ, setzte er zu weit vor und blockierte, da die Straße nicht frei war, den Radweg. Ein ungefähr fünfzehnjähriges Mädchen klingelte stürmisch und zeigte dem Minister a. D., der beflissen mit seinem Zwergen-Auto zurücksetzte, einen Vogel.

Maria in der Zwangsjacke

Weihnachten war für mich der Höhepunkt des Jahres. Aber das lag nicht am harmonisierend wirkenden, selbst gefällten Tannenbaum – warm eingepackte Familie stapft durch eine verschneite Schonung. Oder an der Fonduefleisch-Orgie – Vorsicht, Kinder, mit dem heißen Öl! Und auch nicht an den Geschenken, über die ich mich natürlich freute. Nein, der weihnachtliche Hohepunkt war etwas anderes: Ich durfte meinen Vater auf seinem Weg durch die Stationen der Psychiatrie begleiten.

Für jede Bescherung hatten wir nur zwanzig Minuten Zeit, dann mussten wir schon weiter zur nächsten. Wir wurden überall begierig erwartet. Ohne uns, den Direktor des Landeskrankenhauses für Kinder- und Jugendpsychiatrie und seinen Sohn, konnte nicht angefangen werden. Wenn wir eintrafen, waren alle Patienten der entsprechenden Station bereits in einem Zimmer versammelt. Sie hatten sich schön gemacht oder waren schön gemacht worden. Streng gescheitelte Haare und geputzte Brillengläser. Sie waren aufgeregt, wippten, warfen sich hin und her. Es wurden zwei Weihnachtslieder mit dem Pflegepersonal und den Stations-ärzten gesungen, und dann wurde die große Flügeltür des Weihnachtszimmers geöffnet. Im elektrischen Kerzenschein lagen dort auf Tischen drapiert die Geschenke.

Und nun begann das, wovon ich nie genug kriegen konnte, das, was für mich jahrelang mein ganz persönlicher Weihnachtshöhepunkt war: Nach einem kurzen Innehalten, bei dem die Patienten vom Anblick des Weihnachtszimmers wie paralysiert schienen, stürzten sie sich völlig entfesselt auf die Geschenke. Zerrissen die bunten Bänder und Kordeln, goldene Schleifchen segelten durch die Luft, zerfetzten das Geschenkpapier mit den Zähnen, zerrupften die Kartons und hoben die Geschenke triumphierend in die Höhe. Und dann, keine fünf Minuten später, war fast alles kaputt. Vor Freude, vor unkontrollierbarer Glückseligkeit, vor totaler Geschenkbegierde. Kaputt!

Puppenarme wurden ausgekugelt, Stofftieren der Bauch aufgerissen. Der neue Anorak schon zerfetzt. Und mit derselben ungehemmten Begeisterung, mit der eben noch das lackrote Feuerwehrauto auf die Tischkante geschlagen wurde, wurde nun mit fassungslosem Schmerz der Trümmerhaufen beweint. In nur fünf Minuten vom besinnlichen Weihnachtszimmer zum rauchenden Trümmerfeld, das gefiel mir unglaublich gut. Überall wurde gefeiert und getrauert, sich geprügelt oder samt Geschenk gewälzt.

Die Pfleger taten ihr Bestes, verhinderten in letzter Sekunde, dass jemand den herrlichen Tannenbaum umarmte oder eine Marzipankartoffel gegen ein Fahrrad getauscht wurde.

Später am Abend bei unserer eigenen Bescherung war ich durch diese martialischen Geschenkorgien immer besonders feierlich gestimmt. Gerade Geschenke schreien ja oft danach, genauso behandelt und zerstört zu werden. Wenn ich etwas Zerbrechliches in meine Hände nahm, z. B. einen großen Kasten mit perfekt gespitzten Buntstiften, durchströmte meine Finger stets ein Kribbeln, eine sich durch die Beschaffenheit des Geschenkes potenzierende Nervosität. Ich freute mich über die Stifte, stellte mir aber zugleich vor, sie einen nach dem anderen zu zerbrechen. Sechsunddreißig Mal von Zartrosa bis Schwarz einfach kracks!, in der Mitte durch. Etwas nicht zu zerstören war dann schon eine Leistung. Geschenktes zu verschonen, das war mein feierlicher Beitrag zum Fest.

Hatte sich die Erregung etwas gelegt, wurden die Patienten zurück in den ersten Raum gebracht, wo jetzt der Tisch gedeckt worden war. Mein Vater und ich mussten auf jeder Station ein Stück Kuchen essen, er einen Kaffee und ich eine Cola trinken. Eigentlich habe ich jedes Weihnachten gekotzt und dann die ganze Nacht von der Cola aufgeputscht mit bummerndem Herzen bis in die Morgenstunden manisch Legosteine zusammengebaut. Die Patienten stopften sich die Weihnachtsmänner mit Stanniol rein, bissen in die Apfelsinen, ohne sie zu schälen, und aßen Torte mit den Händen.

Die Bescherungen waren sehr unterschiedlich. Es gab Stationen, auf denen Menschen ohne Arme und Beine, ja ohne Gehirne vor sich hin dämmerten. Erst als ich älter war, durfte ich auch da mit. Hier war es eher still, alles blieb heil, und die Geschenke wurden den Kranken neben die verformten Köpfe aufs Kissen gelegt. Oder die Station, auf der nur vier junge Frauen waren. Während der ganzen Bescherungszeremonie ließen sie mich nicht aus den Augen, blitzten mich bedrohlich an. Die Weihnachtslieder, die sie sangen, klangen wunderschön. Sie sangen mit ihren ganzen Körpern. Wiegten sich im bemüht melodischen Flötenspiel eines Zivildienstleistenden hin und her. »Holder Knabe im lockigen Haar …« Meinten sie mich? Ihre Augen schimmerten wie die sich in der überheizten Stationsluft mal nach links, dann wieder nach rechts drehenden Christbaumkugeln. Durch den seitlichen Schlitz ihrer Anstaltshemden hindurch sah ich die Wölbungen und Buchten ihrer nackten Körper. Auch einzelne verschorfte Stellen oder tiefe Kratzer in der hellen

Haut. Sie bekamen jedes Jahr Puppen. Diese drehten sie langsam in den Händen und flüsterten ihnen Unverständliches in die Ohren.

Nachdem wir drei Stunden lang eine Bescherung nach der nächsten absolviert hatten – ich hatte neun Stücke Torte gegessen und neun Gläser Cola getrunken –, gingen wir zum Psychiatrie-Gottesdienst in die Turnhalle. Auch hier wurde bereits hin und her gewippt, dass die Stühle jauchzten. Als der Pastor die Sperrholzkanzel betrat, brach kollektiver Jubel aus. Auch später immer wieder Jubel. Im Namen des Vaters – Jubel –, im Namen des Sohnes – Jubel –, im Namen des Heiligen Geistes – Ovationen! Immer wieder stürzten einzelne Patienten zur Kanzel und warfen sich dem Pastor in die Arme. »Ihr seid«, rief der Pastor durch sein viel zu laut eingestelltes Mikrofon, »ihr alle seid Gott herzlich willkommen!« Wieder tosender Applaus. Es war eine wirklich begeisterungsfähige Gemeinde. Zu den Weihnachtsliedern wurde sich untergehakt und geschunkelt oder einfach auf die Stühle geklettert, auf den Sitzflächen getanzt und geschrien. Die Turnhalle war völlig überfüllt. Selbst die Sprossenwände hingen voller Kranker. Diesen Geruch werde ich nie vergessen. Es roch nach Medizinbällen, Tannenzweigen und Spucke.

Der Glöckner saß während des Gottesdienstes still da, überragte die Menge und wartete auf ein Zeichen des Pastors. Sobald dieser ihm zunickte, erhob er sich, im Turnsaal wurde es still, und er begann zu läuten. Hoch über den Köpfen schwang er seine festlich polierten Glocken. Die direkt unter ihm saßen, hielten sich die Ohren zu und duckten sich. Das war das Zeichen: Das Krippenspiel konnte nun endlich beginnen.

Es wurde von Patienten aufgeführt, jedes Jahr von einer anderen Station. Oft endete dieses Krippenspiel in einer Katastrophe. Mal bekam Maria vor Aufregung einen Anfall und stürzte zuckend in die Krippe, oder der Esel schubste den Ochsen in die Dekoration. Mal holte einer der Heiligen Drei Könige, es war Melchior, seinen Schwanz heraus und onanierte mit seiner schwarz geschminkten Hand unter dem Beifall der Menge, oder die Hirten prügelten sich mit ihren Hirtenstäben. Aber sie spielten großartig. In der Mitte stand die Krippe, ein mit Tannenzweigen geschmücktes Gitterbett, in dem ein schwerstbehinderter Jesus lag.

Natürlich war die Spielweise je nach Station völlig verschieden. Da der Psychiatriegottesdienst gemeinsam mit der Erwachsenenpsychiatrie gefeiert wurde, gab es auch Krippenspiele mit für immer eingesperrten Sexualstraftätern, sogar mit Mördern, bei denen hinter jedem Hirten sprungbereit ein riesiger Pfleger stand. Und sogar einen Josef in Handschellen und die Jungfrau Maria in der Zwangsjacke habe ich gesehen.

Ein einziges Mal gab es auch in unserer Familie eine Weihnachtseskalation, einen nur wenige Sekunden andauernden gutbürgerlichen Gewaltausbruch. Dem eigentlichen Ereignis ging eine ausufernde Rede meines mittleren Bruders voraus, ausgelöst durch das eben ausgepackte Trivial-Pursuit-Spiel, in der er die Geschenkpraxis meiner Eltern anprangerte. Mein Bruder hatte sich einen Redestil angewöhnt, der vor Überheblichkeit strotzte und in seiner selbstverliebten Eloquenz reichlich nervte: »Warum schenkt ihr mir eigentlich nie das, was ich mir wünsche? Ich habe mehrmals mit Nachdruck darauf hingewiesen, dass ich dieses Jahr zu Weihnachten gerne Bargeld bekommen hätte. Immer schenkt ihr einem Geschenke, die unterschwellig irgendeine pädagogische Absicht verfolgen. Solange ich denken kann, bekomme ich Geschenke, die mich irgendwie formen oder weiterbilden sollen. Mit Fischertechnik fing es an, um meine taktilen Fertigkeiten zu trainieren, dann immer Bücher, Bücher, Bücher!« Dabei las mein mittlerer Bruder alles, was er zwischen seine seltsam zarten Finger bekam. »Mit Schrecken erinnere ich mich daran, wie ich mir eine Eismaschine gewünscht und einen Füller bekommen habe. Ich habe von Unmengen selbst gemachtem Erdbeer- und Schokoladeneis geträumt, und dann lag da dieser Scheißfüller!«

Nach dieser Ansprache packte meine Mutter das Geschenk meines Vaters aus und traute ihren Augen nicht. »Ein elektrisches Messer. Für Fleisch und Brot«, sagte mein Vater. Meine Mutter hielt wiegend ihr Geschenk in der Hand. Noch am selben Abend zerteilte sie mit diesem ratternden Messer den ungewaschenen Pansen für unseren Hund. Als mein Vater das sah, riss er ihr das Messer aus der Hand, rannte ins Weihnachtszimmer, warf wutentbrannt seinen Gabentisch um, hinter dem die Steckdose lag, und sägte ungeschickt in den Schuber der Gesamtausgabe Adalbert Stifters hinein, die meine Mutter ihm geschenkt hatte. Die Klinge fraß sich im Karton fest, mein Vater ließ das Messer stecken und rannte schwerfällig aus dem Zimmer. Ich hatte das alles aus dem großen Ohrensessel heraus beobachtet und war begeistert. Begeistert darüber, dass mein Vater in diesem Moment genau das tat, wovon ich nur träumte.

Später versöhnten sich meine Eltern, und wir spielten alle zusammen Trivial Pursuit. Mein Vater würfelte, wusste, egal ob Erdkunde, Kultur, Unterhaltung, Geschichte oder Wissenschaft, alles, und wir anderen kamen kein einziges Mal mehr dran. Emsig sammelte er die bunten Eckchen, bis sein Spielstein komplett war, spazierte in die Mitte, beantwortete auch noch die letzte Frage, stand auf, nahm sich eine ganze Handvoll Heidesand-Plätzchen und verabschiedete sich in seinen Ohrensessel.

Der Glöckner

Doch dann, von einem Tag auf den anderen, war der Glöckner plötzlich verschwunden. Auf meinem Schulweg hielt ich Ausschau nach ihm, horchte in die Schreie, den Wind hinein. Keine Glocken zu hören. Das Fehlen des Bimmelns beunruhigte mich. Tagelang versuchte ich, aus der ohnehin gewaltigen Geräuschkulisse ein Läuten herauszulauschen. Nichts.

Ich fragte meinen Vater nach dem Glöckner. Er reagierte seltsam verhalten, leicht verstimmt und sagte nur: »Der muss für einige Zeit auf seiner Station bleiben.« »Was ist denn mit ihm los?« »Nichts Besonderes.« »Darf ich ihn da mal besuchen?« Er schüttelte den Kopf und las weiter.

Ein paar Tage später erzählte mir einer der Männer des Essenswagens, dass der Glöckner einen Pfleger niedergeschlagen, mit einer seiner Glocken lebensgefährlich verletzt habe. Ich fragte nach, doch Genaueres wusste er nicht und schloss mit der lapidar ausgesprochenen Prognose: »Den werden wir so schnell nicht wiedersehen.« Wieder und wieder bohrte ich nach, aber mein Vater berief sich auf seine Schweigepflicht. Meine Brüder machten seltsame Andeutungen, dass der Glöckner ausgebrochen und wieder eingefangen worden sei. Oder sie behaupteten sogar, dass er gar nicht mehr am Leben sei.

Es gab niemanden, den ich fragen konnte. Alle Antwortenden schienen etwas geheim zu halten, mich mit etwas verschonen zu wollen. Ich belauschte ein Telefonat meines Vaters, in dem es um eine Verschärfung der Sicherheitsvorkehrungen ging, und mehrere Tage fehlte er beim Mittagessen, da er in Kiel im Ministerium war. Ich stellte mir immer abenteuerliche Szenarien vor. Sah den mit seinen Glocken um sich schlagenden Glöckner vor mir, sah, wie er mitleidlos immer wieder auf den Kopf eines blutüberströmten Pflegers einschlug, sah, wie er überwältigt wurde, man ihm die Glocken aus den Pranken entwand, wie er des Nachts aus einem Fenster krabbelte und durchs Dunkel davonstapfte. Ich stellte mir sogar vor, dass er mich besuchen, an meine Terrassentür pochen würde. Meine Gedanken kreisten nur noch um ihn in diesen Tagen.

Im nahe der Psychiatrie gelegenen Park gab es einen Teich. Dieser Teich hieß Spiegelteich. Ein Waldteich mit dunklem Wasser. Ich angelte dort im Sommer hin und wieder nach Stichlingen, kleinen Fischen mit prähistorischen Zacken auf dem Rücken. Da ich keine Angel hatte, band ich einen Wurm an einem Faden fest und ließ ihn ins Wasser. Die Stichlinge saugten sich am Wurm fest. Man brauchte einige Erfahrung und viel Geschicklichkeit, um sie genau im richtigen Augenblick aus dem Wasser zu katapultieren, und dann auch noch etwas Glück, um sie auf dem Waldboden wiederzufinden. Von zehn Fischen nur einer fürs Glas.

Im Sommer nach dem Verschwinden des Glöckners lag ich auf dem Bauch, den Kopf direkt über dem Wasser, und starrte auf den Wurm, dem sich ein Stichling vorsichtig näherte. Die Sonne schien, einzelne Strahlen brachen sich grünlich im Wasser des Tümpels. Es war still. Der Stichling saugte sich fest. Ich bewegte vorsichtig die Hand und machte mich bereit. Doch da sah ich etwas auf dem Grund. Weiter draußen, da wo es tiefer wurde, lag etwas zwischen den Wasserpflanzen und blitzte. Ich kniff die Augen zusammen, die Lichtreflexe auf der Wasseroberfläche blendeten mich. Tief unten schimmerte etwas metallisch am Teichgrund. Ich dachte: »Das kann doch nicht sein. Das ist ... ja, das ist eine Glocke!« Eine Wolke schob sich vor die Sonne, und das Funkeln verschwand.

Ich habe den Glöckner nie wiedergesehen.

Katzen im Querschnitt

Ein anderer meiner Freunde in der Psychiatrie hieß Ferdinand. Mein Vater nannte ihn »den Prinzen auf der Erbse« oder auch kurz »Prinz Ferdinand«, da er über alle Maßen empfindlich war. Sobald man auch nur etwas zu laut sprach, legte sich seine Stirn schmerzlich in Falten. Er hatte jede Menge eigenwilliger Angewohnheiten, band zum Beispiel stets die Schleifen seiner ausgezogenen Schuhe wieder zu und brauchte dann zum Anziehen ewig. Immer wieder strich er sich über die Unterseiten der Socken, entfernte mit spitzen Fingern selbst kleinste Fussel. Er trug gerne Pullunder, stets ganz glatt gezogen, und darunter ein weißes Hemd. Seine Sachen waren immer picobello sauber. Er duschte jeden Morgen und Abend mit einer ganz speziellen Seife und roch so gut, dass ich ihm, wenn er vor mir die Kellertreppe hinunterging, hinterherschnupperte. Er war beidhändig geschickt und malte mit zwei Stiften gleichzeitig. Und er behauptete, seine Augen könnten unabhängig voneinander lesen. Das linke Auge las die linke Buchseite, das rechte die rechte. Oder er las mit einem Auge und sah mit dem anderen aus dem Fenster. Wenn es regnete, schüttelte er leidend den Kopf. Er hasste es, auf nassem Asphalt zu gehen. Ohne dass ich ihn je danach gefragt hätte, erklärte er mir immer wieder, dass es ein Irrtum sei, dass er in die Anstalt auf dem Hesterberg eingewiesen worden sei. Ich glaubte ihm.

Wir spielten zusammen in unserem Keller Raumschiff. Eigentlich waren wir etwas zu alt für solche Spiele, aber das war uns egal. Wir spielten, dass wir spielten. Bauten uns aus fleckigen Matratzen einen Planeten und nannten ihn Vulcano. Ferdinand grauste es vor ihm, und erst, als ich aus dem Wäschekeller ein frisches Tischtuch geholt und ausgebreitet hatte, willigte er ein, den Planeten zu betreten und mit mir auf Vulcano zu leben. Wenn wir müde wurden, schlich ich mich nach oben und stahl aus der Speisekammer mehrere Dosen mit eingelegten Pfirsichen. Mit einem Dosenöffner stachen wir zwei Löcher in den Deckel und tranken den dickflüssigen, leicht nach Metall schmeckenden Pfirsichsaft. Die Pfirsiche selbst verschmähten wir. Wir lagen auf der Matratze, sogen abwechselnd an der Dose, und Ferdinand weihte mich in seine Gedankenwelt ein. Er sprach von Verschwörungstheorien, von Signalen, die er empfange, und besonders gern, dass er den Patienten nur spiele, da er einen geheimen Auftrag habe. Wenn er sprach, sah er sich alle paar Sekunden ruckartig um, als hätte er etwas gehört oder als würde uns jemand belauschen. Oft wiederholte er meinen letzten Satz, bevor er etwas Eigenes sagte, und wurde im schummerigen Keller zu meinem raunenden Echo. Dieses Gefühl des Beobachtetwerdens, diese Allzeitbereitschaft zu fliehen, seine kruden Gedanken, seine gehauchten Satzwiederholungen erzeugten eine Spannung, die mich flach atmend und sprungbereit durch den Nachmittag trug.

Er weihte mich in das Geheimnis der unterirdischen Gänge unter dem Hesterberg ein und dass aus der Leichenhalle die Toten verschwinden würden. Er sprach über seine Fähigkeit, Gedanken zu lesen, und erklärte, dass ihn niemand, kein Pfleger, kein Arzt, auch mein Vater nicht, jemals durchschauen werde. Er wäre stets allen einen Schritt voraus. Ich glaubte ihm jedes Wort und behauptete sogar, dass es bei mir auch so sei. Ferdinand sagte leise: »Ich bin nicht der, von dem alle glauben, dass ich es bin. Ich bin ein anderer!« »Ich auch!«, flüsterte ich ergriffen, »ich bin auch ein anderer!«

Ferdinand konnte fantastisch zeichnen und schenkte mir oft selbst gemalte Bilder. Bilder von Katzen im Querschnitt. Er malte nichts anderes, immer nur Katzen im Querschnitt. Bestimmt zwanzig Katzen im Querschnitt hingen in meinem Kinderzimmer. Sie waren sehr detailliert mit Filzstift gezeichnet. Die verschiedenen Organe waren durch Tunnel verbundene Höhlen. Oft waren diese Tunnel so verschlungen, dass ich einen Finger zu Hilfe nehmen musste, um zum Beispiel von der Lunge zum Herzen zu gelangen. In der Katzengehirnhöhle stand meist ein flaches rotes Rennauto ohne Räder. Es hatte einen monströsen, Feuer speienden Auspuff und schwebte schwerelos über dem Katzengehirnhöhlenboden. Die Lunge war der Ort des Wetters. Kantige Kumuluswolken zogen in akribischer Formation über den Himmel. Das Weiß der Wolken war das Weiß des Papiers, penibel mit Blau ummalt. Vor dem Katzenmaul wartete eine Menschenmenge. Jeder dieser streichholzgroßen Männlein war in einer einzigen Farbe gemalt. Die Farbe ihrer Haut war dieselbe wie die ihrer Schuhe oder Haare. Nur durch das unterschiedlich feste Aufdrücken des Filzstiftes ergaben sich Abstufungen.

Diese Farbmenschenarmee marschierte durch den Rachen in die Katze hinein, die Speiseröhre hinunter. Machte die Speiseröhre ein Looping, liefen sie kopfüber weiter – bis in den Magen der Katze. Hier fielen ihnen die Arme, die Beine und der Kopf ab. Dieses große Durcheinander von farbigen, amputierten Extremitäten wurde peristaltisch in den Darm weitergeleitet. Im Laufe der Verdauung setzten sich die Figuren neu zusammen – bis auf eine – und wurden schließlich, völlig wiederhergestellt, nun aber total bunt, ausgeschieden. Sie standen vor der Katzenschnauze meistens in Reih und Glied, verließen die Katze in alle Richtungen. Auf jedem seiner Bilder gab es einen Menschen, der unzerteilt, unverdaulich im Darm stehen blieb. Ich habe mich immer gefragt, wer das sein sollte. Er? Ich?

Jedes Mal, wenn er mich besuchte, brachte er mir eines der Bilder mit. Von den Katzenbildern im Querschnitt habe ich leider keines mehr, aber einmal schenkte er mir etwas zum Geburtstag: Auf meinem festlich geschmückten Tisch lag etwas Großes, in Geschenkpapier eingepackt, und daneben ein kleiner Zettel, auf dem stand: »Von Ferdinand für meinen Freund. Katze von außen«

Er hatte mir eine Stofftierkatze gebastelt, sie aus den verschiedensten Teilen anderer Tiere zusammengenäht. Sie hatte mehrere Schwänze, zwei Köpfe, und aus ihrem Hals bohrte sich seitlich der Kopf eines Lamms heraus.

Er beugte sich zu mir herüber und sprach mit gedämpfter, fast tonloser Stimme: »Ganz schön verrückt, ne?«

Ich bin zwei Öltanks

Hin und wieder besuchte ich meinen Vater auf dem Heimweg von der Schule in der neuen Klinik. Er hatte ein Vorzimmer mit einer Sekretärin, ein Büro für das Organisatorische, ein Wartezimmer für seine Privatpatienten und meinen Lieblingsort: das Praxiszimmer. Oft war er nicht da, sondern irgendwo auf dem riesigen Gelände unterwegs, oder er hatte Sprechstunde. Dann durfte ich nicht lange bleiben, bekam ihn gar nicht zu Gesicht, da er nicht wollte, dass ich seine Patienten sah. Er hatte mir erklärt: »Du, da sind ja auch welche dabei, die du kennen könntest. Aus deiner Schule. Oder Kinder von Lehrern.« Das interessierte mich natürlich: »Wie, du behandelst Kinder von meinen Lehrern?« »Nein, das hab ich nur so als Beispiel gesagt. Aber es könnte durchaus sein.« »Ja, wen denn zum Beispiel?« »Niemand. Es war nur ein Beispiel. Du darfst aber trotzdem nicht in das Wartezimmer.«

Am günstigsten war es für mich, wenn er in seinem Büro saß und Akten bearbeitete. Seine Sekretärin war eine hellwache, aufgekratzte Frau, deren riesige Ohrringe bis hinab zu den Schultern reichten und beim Tippen auf der Schreibmaschine nervös herumhüpften. Mir gegenüber war sie besonders überdreht und sprang, sobald ich das Vorzimmer betrat, auf, strahlte mich so sehr an, dass ich Sorge hatte, ihre Mundwinkel würden einreißen, und klopfte an die Tür meines Vaters: »Herr Professor, Ihr Sohn ist da!« Ich trat ein, mein Vater sah kurz auf, sagte: »Setz dich, ich bin gleich fertig!«, und arbeitete, so als wäre ich gar nicht anwesend, weiter. Das mochte ich.

Schließlich klappte er den Aktendeckel zu: »Oh, was für ein schöner Besuch! Wie war's in der Schule?« Etwas anderes als »Gut!« wollte er nicht hören. Nie hat sich mein Vater auch nur im Geringsten für mein Schulleben interessiert und geradezu stolz seine eigene Schullaufbahn als eine desaströse verklärt. »Darf ich rüber in die Praxis?«, bat ich ihn. »Na klar. Ich komm mit.« Seltsamerweise arbeitete er im Büro im Arztkittel, trug aber, wenn er den Patienten gegenübertrat, nur Hemd und Pullover.

Wir gingen hinüber, an der Sekretärin vorbei. Ich mochte die Dinge, die mein Vater auf dem Praxistisch stehen hatte. Einen Klumpen Lava, in den ein dunkler Stein eingeschlossen war. Ein nachgemachtes, bläulich oxidiertes altägyptisches Operationsbesteck inklusive Hammer, Meißel und Hirnquirl. Einen Gießharzblock, in den fein säuberlich alle Teile einer Uhr eingegossen waren: Zahnrädchen, Federchen und Zeigerlein. Fotos seiner Familie, so wie ich das in den Räumen anderer Ärzte gesehen hatte, besaß mein Vater nicht.

Wenn ich Glück hatte, durfte ich mein T-Shirt ausziehen, und er hörte mich ab. Noch lieber mochte ich es allerdings, wenn ich mich nur in Unterhose auf die Untersuchungspritsche legen durfte und er mich abklopfte. Wenn er seine weiche Hand auf meiner Brust, dem Bauchraum herumschob, mit dem Zeigefinger der anderen Hand auf den Knöchel pochte und mir mal hellere, mal dumpfere Klänge entlockte. »Hier, hörst du, liegt die Leber, da beginnt die Lunge. Klingt gut, scheint alles in Ordnung. So, jetzt machen wir noch die Reflexe.« Er hatte einen mit Gummi gepolsterten Hammer. An dessen einem Ende konnte man mit einer kleinen Schraube eine Nadel, am anderen einen winzigen Pinsel herausdrehen.

»So, mach mal die Augen zu! Wenn du was spürst, sagst du: Jetzt!« Ich lag da und wartete. Ich wollte es gut machen. Minimal tippte etwas an meine Ferse. Ich rief: »Jetzt!« »Sehr gut, weiter!« Ohne dass ich hörte, wie mein Vater seine Position veränderte, nahm ich eine kaum merkliche Berührung am Ohrläppchen wahr: »Jetzt!« »Genau richtig!« Wie hatte er das geschafft? So lautlos von der Ferse bis zu meinem Ohr? Dafür war doch sein Arm gar nicht lang genug! Oft versuchte ich die nächste Stelle zu erraten, nahm es als Zeichen unserer Vertrautheit, sie vorhersagen zu können. Aber mein Vater war absolut unberechenbar. Er strich mir mit dem Pinsel über die geschlossenen Augenlider oder kitzelte mich damit in den Nasenlöchern. Wenn ich kicherte, sagte er: »Bitte, Herr Patient, reißen Sie sich zusammen!« Oder er klopfte mir nicht nur mit dem Hämmerchen auf die Kniescheiben, sondern auch auf dem Kopf herum. Ernst zu bleiben war die unbedingte Voraussetzung für diese Untersuchung. Wenn er mir die Nadel schnell über die Bauchdecke fuhr, zuckte diese nach innen, zog sich zusammen, und auch dafür wurde ich gelobt: »Alles sehr, sehr gut. Setz dich noch mal auf. Schüttle mal die Hände.« Er machte es mir vor, begann langsam. Es sah aus, als würde er zwei unsichtbare Glühbirnen in die Luft schrauben. Dann wurde er schneller. »Wie sieht das denn aus, wenn das jemand nicht kann?«, fragte ich. Er spielte es mir vor. Drehte die Hände ungelenk, asynchron, und klappte krampfig die Daumen nach innen. »So, Augen zu und abwechselnd mit dem Zeigefinger schnell auf die Nasenspitze. Aber von ganz weit weg.« Mein Vater untersuchte mich mit wirklicher Hingabe, und ich genoss die Ernsthaftigkeit, mit der er sich mir widmete.

Hin und wieder kam es vor, dass nebenan das Telefon klingelte und die Sekretärin kurz darauf ihren Ohrring-baumelnden Kopf in das Praxiszimmer steckte und verschwörerisch: »Sind Sie da, Herr Professor?«, flüsterte. »Nein, ich bin nicht da!«, sprach er, ohne von meinem Bauch aufzusehen. »Sie sehen doch, ich habe gerade einen äußerst wichtigen Patienten.« Wenn dann allerdings die Sekretärin insistierte, »Es ist aber dringend. Herr Spichler, aus der Verwaltung«, wandte er sich an mich, »Ich komme gleich wieder«, und ging rüber in sein Büro.

Das waren Momente, in denen ich komplett aus der Zeit fiel. Das noppig am Rücken klebende Plastik der Untersuchungsliege und das Nachklingen der vom Vater gedrückten und beklopften Hautpartien. Ich lag da und sah an die Zimmerdecke, die mit gelblichen, vielfach gelochten Platten bedeckt war. In dieses Lochmuster hinein ordneten meine Augen Formen, ohne dass ich etwas dafür tat: Ein Kreuz aus Punkten sprang über in ein Quadrat oder ein Rechteck, verschob sich zu einem T. Wenn mein Vater wieder ins Zimmer zurückkehrte, sagte er nur »Verzeih« und setzte die Untersuchung genau an der Körperstelle fort, wo er sie unterbrochen hatte.

Als er einmal längere Zeit nicht wiederkam, stand ich auf und setzte mich an seinen Schreibtisch. Dort lag seitlich auf einem Stapel ein Intelligenztest für, so stand es auf dem Blatt, Neun- bis Elfjährige. Ich nahm das Blatt und sah mir die Aufgaben an. Meist ging es um Reihen, die man durch logische Ergänzungen beenden sollte. Ein Viereck, in dem auf dem ersten Bild ein kleiner Kreis in die linke obere Ecke gequetscht war. Auf dem zweiten Bild in die rechte, auf dem vierten Bild in die Ecke links unten. Das letzte Bild war ein leeres Viereck. Na, dachte ich, das ist ja ein Witz, so einfach ist das. Ohne es tatsächlich zu tun, malte ich meinen hochintelligenten Kreis in die Ecke rechts unten. Doch schon bei der nächsten Aufgabe, bei der jeweils zwei Kreise im Viereck positioniert worden waren, verlor ich die Übersicht. Außer der Aufgabe ganz oben hätte ich keine einzige weitere lösen können. Ab ungefähr der fünften begriff ich überhaupt nichts mehr. Nun waren nicht mehr nur Kreise unterschiedlicher Größe auf den Bildern, dem Viereck selbst fehlten unterschiedliche Linien. Mal war es oben offen mit einem großen und kleinen Kreis, mal seitlich offen mit einem winzigen Kreis. Das vierte fehlende Bild, dieser durch Kombinationskunst sichtbar zu machende Intelligenzbeweis, entzog sich vollständig meinen Möglichkeiten. Ich saß am Praxistisch meines Vaters und hätte so gerne wie ein Nachwuchs-Einstein in Unterhose alles richtig ausgefüllt, um ihm eine Freude zu machen.

Im umfangreichen Waffenarsenal meiner Brüder gab es ein schweres Geschütz, das sehr verlässlich war und über Jahre wahre Wunder wirkte: Sie nannten mich Wasserkopf oder H_2O. Bis heute bin ich das Gefühl nicht ganz losgeworden, dass da etwas dran sein könnte. Oder sie sagten – allerdings immer nur, wenn meine Eltern todsicher nichts davon mitbekamen –, dass ich gar nicht ihr Bruder, sondern ein Patient der Psychiatrie sei. Ein armseliges, behindertes Würmchen, das, abgelegt vor dem Anstaltstor, das Herz meines Vaters erweicht hatte. »Eigentlich ist dein Zuhause zwei Häuser weiter«, behaupteten sie, »Station G-Oben, wo die Wasserköpfe Mensch-ärgere-Dich-nicht spielen.« Natürlich war mir klar, dass sie mich provozieren wollten, aber es gab ein winziges Eckchen in mir, in dem diese Saat aufging und Wurzeln schlug. Hin und wieder fühlte ich mich tatsächlich unendlich fremd, und das schien doch eine naheliegende Erklärung zu sein. Sie hatten sich sogar ein Wasserkopfzeichen ausgedacht: Daumen und Zeigefinger zu einem Kreis geschlossen, wie Taucher es machen, bevor sie sich rückwärts vom Bootsrand kippen lassen – und eine kleine Melodie: eine bösartige Dreitonfanfare. Diese brauchten sie nur leise zu summen oder zu pfeifen, und schon drehte ich durch.

Auf dem Weg an die Ostsee kamen wir an einem gelb gestrichenen Öltank vorbei, ein Mordstrumm aus Beton, auf dem ein Werbespruch stand: »Ich bin zwei Öltanks.« Ich saß, eingequetscht zwischen meinen Brüdern, auf der Rückbank. Mein Vater, einer der schlechtesten Autofahrer, denen ich je begegnet bin, fuhr im dritten Gang, Roth-Händle rauchend, die friedliche Landstraße entlang. Die »Ich bin zwei Öltanks«-Stelle kam näher. Nur die Andeutung eines Blickes in Richtung des Öltanks oder das tief unten zwischen den Knien gegebene Wasserkopfzeichen reichten aus, um mich durchdrehen zu lassen.

Meine Eltern wunderten sich über diese Anfälle aus dem Nichts. Das war die Formulierung, mit der das Herausbrechen meines Zornes beschrieben wurde: aus dem Nichts.

Ich verriet meinem Vater, dass ich hin und wieder, wenn mich der Zorn übermannte, das Gefühl hätte, vor meinen Augen würde das Bild verwackeln und zur Seite springen, so als würde jemand gegen meinen Kopf schlagen. Er sah mich besorgt an, und ich musste im Hesterberg bei einem seiner Arztkollegen zum EEG. Mein mittlerer Bruder warnte mich, kurz bevor ich das Haus verließ: »Wenn du während des EEG auch nur ein Mal an deinen Schwanz denkst, bringen sie dich nach D-Oben zu den Perversen!« Es war qualvoll, denn während die Geräte piepten und mir zwei Dioden an den Schläfen klebten, konnte ich natürlich an nichts anderes denken als an meinen Schwanz. Je mehr ich versuchte, nicht an ihn zu denken, mich abzulenken, desto mehr dachte ich an ihn. Ich glaube, ich habe in meinem ganzen Leben nie wieder so ausschließlich, so konzentriert und so lange nur an ihn gedacht wie in dieser Stunde. Erstaunlicherweise war aber alles in Ordnung mit meinem Gehirn, und ich durfte wieder nach Hause.

Langsam wurde ich stärker als mein mittlerer Bruder, der Sahne trinken musste, weil er so spillerig war, und sogar zwanzig Pfennige bekam, wenn er mal einen ganzen Tag lang nicht weinte. Das wundert mich noch heute, dass ausgerechnet mein Vater, ein habilitierter Kinder- und Jugendpsychiater und erfahrener Pädagoge, seinen eigenen Sohn mit Geld fürs Nicht-Weinen bezahlte!

Nach jedem Mittagessen, wenn die Innerei des Tages aufgegessen war, sprang ich auf und brüllte: »Zimmerstürmen!« Ich rannte dann in das Zimmer eines meiner Brüder und warf mich aufs Bett. Mein Bruder kam, sah mich in seinem Bett liegen, ging hinüber in mein Zimmer und zog das Laken runter. Ich rannte rüber, sah es mir an, rannte zurück und zog seinen Bezug von der Bettdecke. So ging es immer hin und her. Wichtig war, dass man nie das zu verhindern suchte, was der andere einem antat. Still zusehen und sich etwas noch Gemeineres ausdenken, darum ging es. Anziehsachen aus dem Schrank zerren, Bücher vom Regal stoßen, Möbel umstellen oder umwerfen. Nach einer halben Stunde waren die Zimmer verwüstet. Wir lachten dabei, schubsten uns, erst noch freundlich, doch zum Schluss flossen immer Tränen. Meine Brüder brachten es in der Kunst, mich zu ärgern – mich in der Zentrifuge des Jähzorns bis zur Weißglut zu schleudern –, zu absoluter Meisterschaft. Die Gemeinheiten wurden immer subtiler, bis ich schließlich wirklich nicht mehr wusste, ob etwas mir galt oder nicht. Dann kamen die Anfälle wirklich aus dem Nichts. Mein Bruder ging an mir vorbei und sagte: »Na!«, und ich warf mich auf den Boden und schlug um mich. Überall witterte ich Verletzungen.

Ich wurde von sehr unterschiedlichen, sich wandelnden

Arten von Zornattacken heimgesucht. Eine war unmittelbar, hatte einen konkreten Auslöser und folgte der Kränkung auf dem Fuß. Doch mit der Zeit nahm die Frequenz dieser Anfälle ab. Der Zorn hatte sich tief in mich hineingefressen, war nicht mehr für alle sichtbar, aber unter der Oberfläche immer noch da. Er war nicht mehr wie ein gebrochener Finger oder ein aufgeschlagenes Knie – er hatte etwas Chronisches bekommen. Um diesem im Verborgenen gärenden Dauerzorn Paroli zu bieten, gab ich mir bei allem unendlich viel Mühe und wurde lieber und lieber, in der Schule, mit meinen Brüdern und Eltern. Doch der Zorn in mir lauerte auf jeden nichtigen Anlass, allzeit bereit, sich auf ihn zu stürzen und sich zu entladen. Diese Spannung in mir spürte ich ununterbrochen. Wenn ich dann endlich explodierte, sahen mich alle mitleidig an. Ich lernte allmählich, die Gemeinheiten meiner Brüder zu ertragen, den Ironiespielen standzuhalten, drehte aber durch, wenn mir der Schnürsenkel riss. Und dann schaffte ich die nächste Stufe: Tobsucht aus heiterem Himmel – grundlos, ansatzlos, ganz für mich allein, zusammengebraut in Herz und Hirn. Alle sitzen gemütlich vor dem Fernseher, essen belegte Brote, und ich kippe plötzlich vom Sofa, schreie wie von Sinnen, als hätte man mir die Folterwerkzeuge gezeigt. Da gerieten sogar meine Brüder in Sorge, sparten sich ihre triumphalen Gebärden und sahen Hilfe suchend zu meinem Vater.

Eine der wenigen Maßnahmen, die mich beruhigen, die mir Linderung verschaffen konnten, war das Singen von »Der Fuchs und die Gans« auf der rüttelnden Waschmaschine. Meine Mutter hob ihren mit den Dämonen des Jähzorns ringenden jüngsten Sohn vom Boden auf, trug ihn durchs Haus und setzte ihn auf die Waschmaschine. Sie stellte sie an, in Notfällen auch ohne Wäsche, und langsam kam ich wieder zu mir. Bei einem dieser Beruhigungswaschgänge hatte ich damit begonnen, vom Fuchs und der Gans zu singen. Dieses Lied hatte weder eine Melodie noch einen feststehenden Text. Es war ein leiernder, mäandernder Endlosgesang, in dem sich kaum etwas ereignete. Oft wusste ich am Zeilenanfang noch gar nicht, wie ich den Satz beenden würde.

Während unter mir die Unterhosen der Familie durcheinanderschwammen, sang ich: »Der Fuchs und die Gans wanderten durch den Wald ... und da hatten sie eine ... Idee ... da sagte der Fuchs: ... heute besuchen wir mal den ... Hirsch ... der ist doch bestimmt nicht da ... sagte die Gans ... das kann natürlich stimmen ... sagte der Fuchs ... wir könnten auch zum See gehen ... die Gans und der Fuchs packten ihre Handtücher ein ... lieber Fuchs ... hast du mein rotes Handtuch gesehen? ... schau doch mal hinterm ... Busch, sagte der Fuchs ...« und so weiter, und so weiter. Während unsere Schmutzwäsche einweichte und die Trommel stillstand, verlangsamte auch ich meinen Sprechgesang. Während der Schleudergang meinen Po durchschüttelte und mich von oben bis unten lockerte, kam es mir so vor, als würde die bebende Maschine meine Zunge auf und nieder werfen, so als würde gar nicht mehr ich die Worte formen, sondern unsere Waschmaschine durch mich hindurch ihre Geschichte erzählen.

Auch im Auto begann ich je nach Straßenbelag, vom Fuchs und der Gans zu singen – auf Kopfsteinpflaster war der Gesang vollkommen anders als auf glatter Autobahn oder geschwungener Landstraße.

Meine Brüder litten. Mehrmals musste ich vor längeren Fahrten einen Kontrakt unterschreiben, dass ich nicht vom Fuchs und der Gans singen würde. Doch meinen Eltern war ein keinen Ton treffender, aber unbeirrt vor sich hin singender Sohn lieber als das ewige Geschrei. So saßen wir denn zu fünft im Auto, mein Hasenfuß-Vater fuhr wie immer halb so schnell wie erlaubt, rauchte dabei Kette, Sprühregen auf der Windschutzscheibe und alle Fenster waren geschlossen. Meiner Mutter war der Gurt zu eng, einmal pro Minute zerrte sie daran, als ob er eine bedrohliche Schlingpflanze wäre, die sich nach und nach immer enger um sie schnüren würde. Ich saß zwischen meinen Brüdern auf der Rückbank. So weit es irgend ging, waren sie von mir abgerückt, und ihre Köpfe lagen seitlich weggeknickt konsterniert an den Scheiben. Aber ich sang – ein unbeirrbarer, blonder Barde, sang vom Fuchs und der Gans, bis wir unser Ziel erreichten.

Dreimal Gold

Meine Lieblingslektüre waren Bücher der Reihe »Alfred Hitchcock – Die drei Fragezeichen«. Es waren Krimis, bei denen man selbst versuchen sollte, dem Verbrecher auf die Schliche zu kommen – und hin und wieder bekam man von einem kleinen Hitchcock-Schattenriss einen Tipp. Auf der letzten Seite stand die Lösung. Ich war ein sehr langsamer Leser und brauchte oft wochenlang für einen einzigen Band. Davon, dass ich Bücher verschlang, konnte wirklich keine Rede sein. Mein mittlerer Bruder nutzte diese Langsamkeit gnadenlos aus. Er stahl mein Buch, las die letzte Seite und erpresste mich: »Wenn du nicht sofort mein Zimmer auf-räumst, sag' ich dir, wer der Mörder ist.« Wenn ich mich weigerte, rief er wie bei einer Oscar-Verleihung: »Der Name des Mörders ist …!« Ich rannte sofort in sein Zimmer und räumte auf. Für mich war das eine ernst zu nehmende Dro-hung. Die Vorstellung, vier Wochen lang fünfzig Seiten um-sonst gelesen zu haben, machte mich gefügig. Die einzige Chance, diesem Ausgeliefertsein zu entgehen, bestand darin, möglichst schnell an das Ende des Buches zu gelangen und mich dadurch unangreifbar zu machen. Oft habe ich dann das Drei-Fragezeichen-Buch in der durch meine Knecht-schaft äußerst knapp bemessenen Zeit in nur drei Tagen zu Ende gelesen. Das war ein befreiender Moment. Mein Bru-

der sagte: »Los, putz die Speichen von meinem Rennrad!«
Ich sagte: »Nee, mach ich nicht!« Er, wie immer: »Der Name
des Mörders ist ...!«, und ich, leicht gelangweilt: »Mr. Green
vom Segelklub!«

So haben schon diese frühen Leseerfahrungen sehr real
in mein Leben eingegriffen. In einem dieser Drei-Fragezei-
chen-Bücher gab es ein Preisausschreiben. Erster Preis: ein
Kassettenrekorder. Ich war begeistert. Die Preisfrage lautete.
Fallen dir drei Sprichwörter ein, in denen das Wort »Gold«
vorkommt? Ich überlegte lange: »Morgenstund hat Gold im
Mund« war das einzige, das ich wusste. Ich ging zu meinem
Vater. »Warte mal«, sagte er, »wie wäre es mit: Eigener Herd
ist Goldes wert und ...«, er überlegte, »ah ja: Reden ist Sil-
ber, Schweigen ist Gold.« Sorgfältig, in Druckbuchstaben,
füllte ich die Karte aus. Am Abend im Bett dachte ich über
die Sprichwörter nach. Mit keinem konnte ich etwas anfangen. »Morgenstund hat Gold im Mund« – also ich schlief
morgens gerne lang. Es gab auch wenige Dinge, die ich mir
weniger wünschte als einen eigenen Herd, und viel geredet
habe ich auch gerne. Mir war dieser schweigende Frühaufste-
her vor seinem eigenen Herd ein Graus, und doch hoffte ich
natürlich, den Kassettenrekorder zu gewinnen.

Ein paar Wochen später, als ich die Hoffnung schon
längst aufgegeben hatte, lag auf meinem Bett ein Brief, auf
der Rückseite der Schattenriss von Hitchcock. Ich öffnete
ihn vorsichtig und überflog die Zeilen. Las halbe Sätze: »Du
bist ein toller Detektiv, der ...«, oder: »... super Spürnase,
die ...«. Leider hatte ich weder den Rekorder noch den zweiten Preis, zehn Drei-Fragezeichen-Bände im Schuber, gewonnen. Nein, mein Gewinn war ein absolut niederschmettern-
der: ein Vogelhaus! Eines von insgesamt fünfzig! Da war ja
fast der eigene Herd noch besser. Meine Mutter sagte: »Das
ist doch toll. Ich schenk dir ein Vogelbuch und dann beob-

achten wir die.« Meine Brüder gaben sich nicht so viel Mühe. Der eine sagte: »Entschuldige, ich hab dich nicht genau verstanden: Hast du Kassettenrekorder gesagt oder Vogelhaus?« Der andere: »Also, wenn man mal was gewinnt, dann ist es doch toll, wenn man es gut gebrauchen kann.« Sie lachten, und ich war maßlos enttäuscht.

Als dann aber eine Woche später das Paket ankam, war ich überrascht, wie groß es war. Heraus zog ich ein eindrucksvolles Vogelhaus mit Strohdach, massiven Stützen und drei kleinen Sitzstangen. Das Vogelfutter konnte man durch eine Art Kamin einfüllen. Wir positionierten es auf einem ausrangierten, gemauerten Blumenkübel, den man vom Wohnzimmerfenster aus gut beobachten konnte. Mein Interesse erlahmte schon nach wenigen Tagen, aber mein Vater mochte das Vogelhaus. Höhepunkt blieb Winter für Winter der Buntspecht. Mein mittlerer Bruder war es, der es ein paar Jahre später, das Strohdach war schon arg zerrupft, für ein Experiment präparierte. Er hatte seine Fotophase und wollte ein paar, wie er es nannte, ›echte Vogelprofinahaufnahmen‹ schießen. Er installierte eine komplizierte Lichtschranke, die mit dem durch eine Plastiktüte geschützten Fotoapparat verbunden war. Er streute Futter, und wir alle standen hinter der Scheibe und warteten, ob es funktionieren würde. Nach einer Stunde war trotz lebhaften Meisen-Besuchs die Lichtschranke nur ein einziges Mal ausgelöst worden. Am nächsten Morgen allerdings war kein einziges Bild mehr auf dem Film. Sechsunddreißig Fotos verschossen. Wir waren alle sehr gespannt, was auf den Bildern sein würde. Was mein Bruder von der Entwicklung mitbrachte, waren eine unscharfe Meise und fünfunddreißig brillante Aufnahmen eines Eichhörnchens, das direkt in die Kamera starrte. Geschwungene Schnurrhaare und ein hellwacher Knopfaugenblick. Mit diesem Foto machte mein Bruder den ersten Platz beim Schulfotowettbewerb. Er gewann ein fantastisches Fernglas. Olivgrün. Mit dem man den Sekundenzeiger im Aufenthaltsraum von Station D-Oben durchs Küchenfenster verfolgen konnte.

Nach den Eichhörnchen-Porträts verfiel das Vogelhaus zusehends. Sein Ende fand es in einer Silvesternacht. Ich gab eine Party und Freunde von mir legten mehrere sogenannte D-Böller hinein, einen auch in den Futterkamin. Die Explosionen zerfetzten das Dach. Das Stroh brannte und zurück blieb, unter allgemeinem Gelächter, eine rauchende Vogelhausruine, die am nächsten Morgen zum Haut- und Grätenmatsch des Neujahrskarpfens in die Mülltonne wanderte.

Blutsbrüder

Ich liebte unseren Hund. Wenn ich unglücklich war, lag ich weinend an seinem Bauch und schluchzte: »Keiner versteht mich, nur du!« Ich wollte diesem Hund nahe sein. Er durfte in meinem Bett schlafen. Ich lag an die Wand gedrückt, direkt vor seinem schlafoffenen Maul, aus dem es nach abgetautem Kühlschrank roch. Der Hund war mein Verbündeter.

Die Rasse unseres Hundes war eine spezielle. Warum mein mittlerer Bruder ausgerechnet einen Landseer wollte, weiß ich nicht mehr. Jahrelang – länger als mir lieb ist – habe ich meinem Bruder geglaubt, dass diese Hunde Landseer heißen würden, weil sie mit ihren messerscharfen Augen früher in den Ausgucken von Schiffen nach Land Ausschau gehalten und, wenn sie es erspähten, losgebellt hätten. Irgendwann klärte er mich dann auf, dass sie nach einem englischen Lord benannt worden waren, einem berühmten Landschafts- und Tiermaler seiner Zeit. Die großen, schwarz-weiß gefleckten Hunde waren sein Lieblingsmotiv. Diese Hunderasse ist so selten, dass ich, wenn ich einen anderen als unseren Landseer traf – das ist in dreißig Jahren höchstens drei- oder viermal vorgekommen –, sofort dachte, es wäre unser eigener Hund. Das waren nach seinem Tod seltsame Wiedergänger-Erlebnisse.

Das Besondere an dieser Rasse, die auch schwarz-weißer Neufundländer genannt wird, ist ihre besinnungslose Liebe zum Wasser. Es gibt, soweit ich weiß, keinen anderen Hund, der so gerne schwimmt und sogar tauchen kann. In der Fachliteratur kann man nachlesen, dass Landseer keine normalen Hundepfoten, sondern zwischen den Krallen Schwimmhäute haben. Als ich dies in der Schule im Biologieunterricht erzählte, sah mich der später an einer Geschwulst im Nacken gestorbene Biolehrer mit dem mir so vertrauten Du-sollst-nicht-lügen-Gesicht an. »Hunde mit Schwimmhäuten gibt es nicht!«, stellte er fest. Um meine Ehre zu retten, bot ich an, den Hund in die Schule mitzubringen. Mein mittlerer Bruder gab seine Erlaubnis, und zur verabredeten Stunde klopfte es an der Klassenzimmertur. Großer Auftritt: Meine Mutter mit Hund. Ich lief nach vorne, umarmte beide, und der Hund durfte auf das leer geräumte Lehrerpult springen. Neugierig umringten alle den nun über unsere Köpfe hinweg hechelnden Hund. Der Lehrer kniff mit Daumen und Zeigefinger zwischen zwei Hundezehen und rief erstaunt: »Das gibt's ja nicht!« Er befahl, eine ordentliche Reihe zu bilden, und einer nach dem anderen durfte unserem an Langmut kaum zu überbietenden Landseer die Schwimmhäute drücken.

Wenn wir mit ihm an die Ostsee fuhren und auf der zum Parkplatz umfunktionierten Wiese parkten, hielt er es kaum noch auf der Rückbank aus. Sobald die Tür aufging, quetschte er sich ins Freie, rannte zum Meer und sprang hundekopfüber hinein, tauchte ab und wieder auf – von unbeholfenem Hundegepaddel keine Spur. Eher wie ein Delfin pflügte er durch die blau gekräuselte Wasseroberfläche. Kaum hatte ich meine Badehose an und die Taucherbrille übergezogen, eilte ich ihm nach. Wir schwammen gemeinsam rüber zur ersten Sandbank, und wenn ich tauchte, sah ich diesen großen Hund, dessen Schlappohren wie Flossen von seinem Kopf abstanden und der mich unter Wasser ansah und breit zu grinsen schien.

Obwohl es der Hund meines mittleren Bruder war, obwohl er derjenige gewesen war, der bei den Züchtern in der Nähe Hamburgs eine ganze Woche verbracht hatte, obwohl er es war, der dem eigentlich adeligen Hund, einem B-Wurf, den Namen Biggi von den Ziegelteichen gegeben hatte – genannt wurde er allerdings Aika – und obwohl er mit diesem Hund zu Wettkämpfen fuhr und dem phlegmatischen Tier mit lächerlichen Kommandos den Tag verleidete – der Hund musste auf den Zuruf »Bleck!« die Lefzen hochziehen –, war ich derjenige, der ihn über alles liebte und ununterbrochen um seine Nähe buhlte. Ich fütterte ihn heimlich mit Wurst, klaubte ihm mit Engelsgeduld die Kletten aus dem buschigen Schwanz, und es war mir egal, wenn ich von oben bis unten mit Hundehaaren überzogen war. Ich wollte diesem Hund nah sein – so nah wie möglich.

Und dann sah ich etwas im Fernsehen, das mich erschütterte, mich nicht mehr losließ. Ich sah, wie sich Winnetou und Old Shatterhand, auf einem weißen Felsen stehend, in den Unterarm schnitten und ihre blutenden Wunden aufeinanderbanden. Das wollte ich auch. So einen Blutsbruder wollte ich auch. Ich wollte Hundeblut in meinen Adern.

Im Schlafzimmer meiner Eltern befand sich an der Wand hinter der Zimmertür unser vollgestopfter Medizinschrank. Dieser war aus Sicherheitsgründen sehr hoch montiert worden und, als wir noch kleiner waren, immer verschlossen. Wenn ich auf einen Stuhl stieg, konnte ich ihn mittlerweile gut erreichen. Ich liebte diesen Schrank, den Arzneigeruch, und entwickelte ein immer größeres Interesse an ihm. Verbandszeug, dickflüssige Säfte, Zäpfchen, Ampullen, Fläschchen und Tabletten, Tabletten, Tabletten. Die Beipackzettel der Medikamente waren ein Lesestoff, den ich sogar aus freien Stücken las. Außerdem mochte ich, dass sie wie Geheimbotschaften klein und gekonnt zusammengefaltet waren. Von den langen Listen der Nebenwirkungen war ich angenehm erschüttert und auch die vielen Fachbegriffe, deren Bedeutungen mir unbekannt waren, beeindruckten mich, ich sprach sie gerne laut aus.

In diesem Schrank lagen auch mehrere einzeln verpackte Skalpelle. Ich nahm eines heraus und entfernte die durchsichtige Hülle. Zur Wunddesinfektion nahm ich das mir wohlbekannte Fläschchen Kutasept-Orange, eine jodfarbene Tinktur, die mein Vater gerne auch auf kleinste Wunden sprühte.

Niemand war da. Ich lockte den Hund mit einem Frolik in den Keller, zog aus einem der nie mehr wieder benutzten Laufschuhe meines Vaters den Schnürsenkel heraus, kniete mich vor den Hund und sagte: »Gib Pfötchen!« Ich wollte ihn nur ganz leicht ritzen, aber als die Klinge die Pfote berührte, zuckte er zurück, und ich schnitt erschrocken hinein, schnitt ihm mit dem Skalpell tief in den weichen Pfotenballen. Der Hund wusste gar nicht, wie ihm geschah, leckte panisch seine rosa klaffende Wunde. Nun war ich an der Reihe. Mehrmals hatte ich am Morgen eines unserer Küchenmesser probehalber über meinen Handballen gleiten lassen. Es war stumpf wie alle Messer in unserem Haushalt. Ich setzte das Skalpell an und zog es entschlossen über die Haut. Ich spürte nichts. Aber da schoss es rot aus dem Schnitt heraus. Ich zerrte den besorgt dreinschauenden Hund nah an mich heran, presste meine Wunde auf seine und versuchte, Pfoten und Handballen mit dem Turnschuhschnürsenkel zu sammenzubinden. Der Hund winselte, als ich mit den Zähnen und der freien Hand den Schnürsenkel zuzog, die stark blutenden Verletzungen einander berührten, riss sich los und rannte aufjaulend davon. Ich verfolgte ihn. Nun hatte er richtig Angst vor mir. Auf drei Beinen hoppelte er die Kellertreppe hoch. Ich hinterher. Er humpelte durch das Wohnzimmer und hinterließ eine Blutspur auf dem erst wenige Wochen alten ockerfarbenen Teppichboden.

Es gelang mir, ihn ins Badezimmer zu treiben und einzusperren. Ich verband meine Hand mit einem Küchenhandtuch. Was war zu tun? Ich musste den neuen Teppichboden retten. Mit Wasser versuchte ich, die Blutspuren herauszuwaschen, doch die Abdrücke wurden nur größer. Vorsichtig goss ich ein wenig Allzweckreiniger, Domestos, über das Blut und tatsächlich – es ging heraus. Ich arbeitete mich von Blutabdruck zu Blutabdruck. Doch als ich fertig war und mich umdrehte, war nicht nur das Blut weg, sondern auch die Farbe des Teppichs herausgeätzt. Meine Verzweiflung wuchs. Im Hintergrund jammerte der Hund. Ich rannte zum Badezimmer. Es sah aus wie nach einem Massaker. Was sollte ich zuerst machen? Die Blutorgie im Badezimmer beseitigen oder weiter an den verätzten Stellen im Teppich arbeiten?

Ich wollte gerade einen ersten Versuch mit brauner Schuhcreme unternehmen, als ich einen Schlüssel in der Haustür hörte. Das musste mein Vater sein. Ich rannte um die Ecke, wollte ihn, unter welchem Vorwand auch immer, bitten, noch mal wegzugehen. Doch als ich ihn sah, als ich sah, wie er mich ansah, brach ich zusammen. Heulend warf ich mich in seine Arme. Er trug mich in die Küche und setzte mich auf einen Stuhl. Versuchte zu verstehen, besah sich die Wunde: »Das muss genäht werden. Wie ist das denn passiert?« »Ich hab mich geschnitten«, sagte ich, »und … äh, Aika auch.« »Was soll das heißen: Aika auch?« »Wir waren im Keller und haben Blutsbrüderschaft gespielt.«

Mein Vater hörte den Hund im Badezimmer winseln. Er ging relativ gefasst weg und kam völlig fassungslos wieder. Er sah mich an, schüttelte eigenartig langsam den Kopf, und außer »Sag mal ...« sagte er nichts. Ich musste zum Hund ins Bad. »Ihr bleibt hier so lange drinnen, bis ich wieder da bin.« So saßen wir da, beide blutend, und es kam mir vor, als würde der Hund meinem Blick ausweichen. Während wir warteten, lief unser Blut, füllte Fuge für Fuge, floss seltsam geschickt um die Ecken.

Und dann wurden wir beide von meinem Vater genäht. Wir bekamen jeder zwei Spritzen, Tetanus und eine lokale Betäubung. Er nähte unsere Wunden, erst die tiefere, noch immer stark blutende Verletzung des Hundes mit vier Stichen und dann meine mit drei Stichen. Ich erinnere mich an eine den Schmerz übertrumpfende Neidattacke, da der Hund mit mehr Stichen genäht wurde als ich. »Ob du das deinen Brüdern erzählst, würde ich mir sehr genau überlegen. Das behalten wir lieber für uns.«

Aber meine Brüder wollten es natürlich unbedingt wissen. Und für eine große Runde auf dem heiligen roten Zehngangrennrad meines ältesten Bruders gab ich mein Geheimnis preis. Ich war ja auch stolz auf den Aberwitz meiner Idee. Von angenehmem Grausen geschüttelt, riefen sie: »Er hat Hundeblut in seinen Adern.« Von da an warfen sie bei den Sonntagsspaziergängen Stöcke, die ich holen sollte, bellten mich an oder drohten mir damit, mich einschläfern zu lassen. Mein ältester Bruder sagte: »Komisch, ich habe das Gefühl, seitdem ihr Blutsbrüder geworden seid, ist der Hund noch dämlicher als vorher.« Die gebleichten Teppichflecken wurden einzeln herausgeschnitten und ersetzt. Doch der Farbton stimmte nicht ganz. Es sah aus wie ein romantisch angelegter Gartenweg aus verschieden großen Steinplatten. Aber das Schlimmste war, dass der Hund, mein Verbündeter, noch Wochen später seinen Schwanz einzog, wenn er mich sah, und den Keller hat er nie wieder mit mir zusammen betreten.

Die JoMaHe

Sobald mein Vater aus der Psychiatrie nach Hause kam, ließ er sich in seinen Sessel fallen und las. Freundlich konzentriert, nur partiell anwesend. Zu den Mahlzeiten legte er das Buch zögerlich aus der Hand. Kam immer erst dann an den Tisch, wenn alle schon saßen, das Essen schon auf den Tellern dampfte. Aber er rückte seinen Stuhl nie ganz an den Tisch heran. Niemals habe ich ihn auf einem vollständig an den Tisch herangerückten Stuhl sitzen und essen gesehen. Immer war sein Stuhl leicht schräg gestellt, sodass er, ohne ihn zu verrücken, wieder aufstehen konnte. Hatte er gegessen, erhob er sich, den letzten Bissen noch kauend, und ging zurück in seinen Sessel.

Aufstehen und gehen, selbst bei Einladungen, war für meinen Vater ein Grundrecht, eine Art Menschenrecht. Wobei er so gut wie nie Einladungen annahm. Er war auf so selbstverständliche Art und Weise ungesellig, dass man, wenn man ihn so in seinem Sessel lesen sah, gar nicht auf die Idee kam, ihn irgendwohin mitzunehmen. Und wenn er wegging, dann am liebsten allein, ohne seine Familie. Einmal die Woche in den Rotary Club, immer montags. Ansonsten thronte er in seinem Sessel. Gespielt hat er nie mit uns, aber unterhalten hat er sich immer gerne, begeistert von den Dingen berichtet, die er las. Und er ging gerne spazieren. Wenn ihn ein Thema ergriff, blieb er plötzlich stehen, so als ob er ab einem bestimmten Grad der Involviertheit nicht gleichzeitig gehen und sich unterhalten könne. Das habe ich immer sehr gemocht, diese Spaziergangspausen. Da stand man da. Am Meer, im Wald, auf einem Feldweg, irgendwo, und unterhielt sich.

Ich habe nie wieder jemanden getroffen, der so wahllos hochgebildet war wie mein Vater. Er konnte sich für die Deutsche Hitparade genauso begeistern wie für die Kindertotenlieder von Gustav Mahler. Er studierte die täglichen Werbeprospekte mit derselben innigen Begeisterung wie Hölderlin-Gedichte. Nichts war ihm zu entlegen, dass es nicht wert gewesen wäre, es zu wissen. Sosehr ich ihn auch für sein Wissen bewunderte, sosehr hat mich dieses im Sessel sitzende Vaterlexikon oft zur Weißglut gebracht.

Als ich nach einer vierwöchigen Reise aus der Türkei zurückkam – da war ich schon wesentlich älter –, hatte mein Vater vier Wochen lang alles über die Türkei gelesen. Keine Stadt, in der ich war, die er nicht kannte. Keine Sehenswürdigkeit, über die er nicht viel mehr wusste als ich. Ich sagte: »Und dann waren wir in Kaisery, und stell dir vor, da gab es eine Straße, in der nur Teppichhändler waren.« »Ja, Kaisery«, sagte mein Vater, »ist ja auch ein jahrhundertealtes Zentrum der Teppichknüpfkunst. Habt ihr euch denn die weltberühmten Teppichknüpfereien angesehen? Sie befinden sich etwas außerhalb der Stadt. Dort liegen auf einer riesigen Fläche Teppiche unter freiem Himmel. Weil die Farben – die Färbereien kann man übrigens nach telefonischer Voranmeldung auch besuchen –, weil die Farben unmittelbar nach dem Färben so grell sind, dass die Teppiche erst in der prallen Sonne, unter dem Einfluss der sehr starken anatolischen Sonnenstrahlen, ihren berühmten matten Glanz erhalten.« Irgendwann hatte ich dann das Gefühl, nie in der

Türkei gewesen zu sein. Oder höchstens wie ein ungebildeter Trottel an allem auch nur annähernd Interessantem vorbeigestolpert zu sein. »Was!«, rief mein Vater entrüstet, »ihr wart in Sivas und habt euch nicht den nur zehn Kilometer entfernten weltberühmten Süßwassersee namens Eber Gölü angesehen? Zu dem pilgern Ornithologen aus der ganzen Welt, um Tausende von Flamingos zu beobachten.« Ich hatte noch nie von diesem See gehört, erinnerte mich dann aber tatsächlich, in Sivas Heerscharen von Menschen mit riesigen Teleobjektiven gesehen zu haben. Der Höhepunkt solcher feindlichen Übernahmen bestand darin, dass ich rief: »Ja, aber ich war wenigstens da!« Mein Vater legte triumphierend seine Hand auf den Stapel mit den Büchern über die Türkei und antwortete: »Ich auch!«

Er selbst war so gut wie nirgends gewesen. Weder in Italien noch in Frankreich, weder in London noch in Madrid. Mit einem Freund in Weimar, das war es. Davon zehrte er jahrelang, und ich bin mir sicher, dass Sir Hillary auf dem Gipfel des Mount Everest nicht ansatzweise so stolz aussah wie mein Vater auf dem Foto, das ihn vor Goethes Gartenhäuschen zeigt. Nur ein einziges Mal ist meine Familie gemeinsam in den Urlaub gefahren. Nach Schweden. Mein Vater fuhr in Stockholm versehentlich in die belebte Fußgängerzone. Erzürnte Schweden schlugen auf unser Autodach. Da ist er ausgestiegen und in der Menge verschwunden. Später haben wir ihn in einer Buchhandlung gefunden, und das Einzige, was er gesagt hat, war: »Guckt mal, die haben hier deutsche Zeitungen.«

Dann ergriff ihn ein völlig neues Thema mit bis dato unbekannter Macht. Es hatte mit einer kleinen Broschüre über den historischen Walfang der Nordfriesen begonnen, weitete sich aus zu historischem Schiffbau und mündete fulminant in einer wahren Flut von Romanen, Bildbänden und theoretischen Schriften zum Thema Seefahrt. Da geschah etwas Denkwürdiges. Er saß da, vertieft in ein Buch mit dem Titel »Ich kaufe ein Segelboot«. Vielleicht las er es anfänglich nur aus Neugierde, doch ich sah es ihm an: Irgendeine bahnbrechende Idee schien Besitz von ihm zu ergreifen. Sein schwerer Körper steckte massig im Sessel fest, aber in seinem die schwankenden Wipfel der Linden fixierenden Blick flackerte eine gewaltige Sehnsucht. Das Buch lag aufgeklappt auf seinen Beinen, und von maritimen Vorstellungen durchflutet, wurden seine Augen von Tag zu Tag blauer. Bei jedem Mittagessen schwärmte er vom Segeln. Hielt Vorträge über Segelmanöver. Ich verstand nicht viel. Mochte aber die Worte, die nach Abenteuer klangen: Wenden – Halsen – Schiften – Kreuzen – Beidrehen. An Sonntagen ging es nicht mehr in den Wald, immer nur in den Hafen unserer kleinen Stadt. Mein Vater sah hinaus auf das Wasser. Er hatte seinen diagnostischen Blick. Diesen durchdringenden Blick, mit dem er sich Menschen besah. Er zeigte auf die verschiedenen Boote und kannte sie alle: Flying Dutchman, Folkeboote, Katamarane, die unterschiedlichen Klassen der Jollen.

Eines Abends kam mein mittlerer Bruder aufgeregt in mein Zimmer gestürmt: »Komm, komm schnell.« Im Wohnzimmer saß mein Vater mit hochrotem Kopf in seinem Sessel, meine Mutter kniete auf dem braunen Teppichboden und hielt seine Hände. Mein ältester Bruder kam mit einem Glas Wasser, das mein Vater hastig auf einen Zug austrank. »Bist du sicher?«, fragte meine Mutter. So hatte ich meinen Vater noch nie gesehen. »Ja, ja, ich will eins.« Ich fragte ihn: »Was? Was willst du?« »Ich will eins. Ich will ein Segelboot. Ich will segeln gehen.« Jetzt musste er über sich selbst lächeln. Er genoss sein Außersichsein, spielte eine immer stärkere Erregung, aber das Zittern seiner Hände verriet ihn. »Ich will Segel setzen!«, rief er, »den Spinnaker hissen! Den Anker lichten. Ich will das Ruder halten. Ich will aus dem Hafen auslaufen. Ich will das Land nicht mehr sehen. Ich will ein Segelboot.«

»Na, dann kaufen wir halt eins.« Meine Mutter hielt immer noch die euphorisch feuchten Hände meines Vaters. Sah ihn an und wiederholte ihren Vorschlag: »Na, dann kaufen wir halt eins.« Mein Vater schwieg lange, dann sagte er todernst: »Ja, das tun wir. Wir kaufen eins. Wir kaufen uns ein Segelboot.« Er presste die Lippen aufeinander und nickte. Wir setzten uns ganz nah zu ihm. Er nickte. Kurzes endgültiges Nicken mit zusammengepresst-blassen Lippen. Er hatte Tränen in den Augen. Flüsterte: »Ja, das tun wir. Das tun wir.« Und wieder dieses eigenartige Nicken. »Wir kaufen eins. Wir kaufen uns ein Segelboot«.

Der erste Schritt auf dem Weg zum eigenen Boot wäre eigentlich derjenige gewesen, den Wunsch an der Realität zu messen. Denn mein Vater war ja in Wirklichkeit noch nie gesegelt, war nur einmal mit mir auf einem Ausflugsdampfer nach Helgoland gefahren. Doch der Weg zum Segelglück, den mein Vater einschlug und auf dem meine Mutter und letztlich wir alle ihm folgen durften und mussten, war ein vollkommen anderer.

Als Erstes trat er in den Schleswiger Schlei-Segel-Club ein. Und da sich gerade eine günstige Gelegenheit bot, einen der begehrten Liegeplätze zu ergattern, zögerte er nicht lange und mietete, noch ehe er je auf dem Wasser gewesen war, noch ehe er überhaupt ein Segelboot besaß, diesen Liegeplatz. Er kaufte sich eine weiße Hose, blaue Schuhe und einen weißen Pullover mit V-Ausschnitt und Ankeremblem. So stand er mit uns im Hafen vor seinem Liegeplatz: einer Lücke zwischen den anderen Segelbooten. Stolz zeigte er uns seinen Schleswiger Schlei-Segel-Club-Ausweis. Das ganze

Wochenende über trug er, in seinem Sessel sitzend, seine Segelmontur und übte mit einem Stück Seil Segelknoten.

Er hatte meine Mutter und sich zur Segelprüfung angemeldet, und so begann auch sie, sich mit dem Segeln zu beschäftigen. Mein Vater stellte ihr Fragen: »Wie errechnet man die Rumpfgeschwindigkeit?« »Weiß ich nicht!« »Ganz einfach: Die Wurzel aus der Wasserlinienlänge mal 4,5 ist gleich der Rumpfgeschwindigkeit in Kilometern pro Stunde.« »Glaubst du wirklich, das müssen wir wissen? Ich lern' lieber nur die Sachen für die Prüfung.«

Sie machten einen Segelkurs. Auch wenn meinem Vater beim ersten Segeltörn ein wenig schlecht geworden war, er sich auf dem Schiff nur im Sitzen einigermaßen wohlgefühlt hatte, ließ er sich seinen Schwung nicht nehmen. Doch ich bemerkte nach dieser ersten praktischen Erfahrung eine Prise Ernüchterung in seiner Stimme. Meine Mutter dagegen war begeistert vom Segelkurs: »Mein Gott!«, rief sie, »jetzt lebe ich schon so lange am Meer, und erst jetzt gehe ich zum ersten Mal segeln. Die Luft war so herrlich. Und wie schnell man das Land hinter sich lässt. Man hat ja gar keine Ahnung, wie unsere Stadt vom Wasser her aussieht.« Mein Vater blickte von seinem Doppelten Palstek auf und fragte: »Verheißt starkes Flimmern und Funkeln der Sterne gutes oder schlechtes Wetter?« »Na, wenn der Himmel so klar ist«, kombinierte meine Mutter, »kann das Wetter doch nur schön werden!« »Falsch!«, rief mein Vater: »Komplett falsch! Wenn die Sterne funkeln und flimmern, verheißt das schlechtes Wetter, stürmische See. Mein Gott, wie willst du bloß die Prüfung schaffen?«

Mehrmals verpasste mein Vater den Segelunterricht. Er kümmerte sich viel lieber um den Kauf unseres Bootes. Er hatte eine Anzeige in einem der frisch abonnierten Segelmagazine entdeckt. Eine Jolle, ein relativ günstiges Kajütboot, Stehhöhe einssiebzig, Kielboot, Außenbordmotor, wendig, einfache Handhabung. Doch ausschlaggebend waren zwei Adjektive: unkenterbar und unsinkbar. Es gab nur fünf Exemplare dieses Bootstyps mit Namen Sepia. Noch bevor mein Vater und meine Mutter ihren Segelschein gemacht hatten, kam auf einem Hänger unser Segelboot aus Köln. Der Bootsbauer brachte es höchstpersönlich nach Schleswig. Wir warteten im Hafen auf unser Boot, und als endlich der Hänger um die Ecke kam, stand mein Vater ganz aufrecht mit durchgedrückten Knien: »Da kommt es. Da kommt unser Segelboot!« Im Schleswiger Schlei-Segel-Club hatte noch nie jemand von einer Jolle Marke Sepia gehört.

Wir hatten lange über einen Namen gestritten. Mein mittlerer Bruder hielt ein flammendes Plädoyer für »Die Nautilus«, als meine Mutter plötzlich aufsprang: »Ich weiß einen Namen. Wir nehmen eure Anfangsbuchstaben: Joachim, Martin, Hermann. Jeweils die ersten beiden Buchstaben: Die JoMaHe.« Und so wurde unser mit einem Kran ins Wasser gehobenes Schiff mit einem geschleuderten Piccolo-Fläschchen, das eine erste kleine Delle in der Kunststoffwand hinterließ, auf den Namen »JoMaHe« getauft.

Zwei Monate später war der große Tag der Segelprüfung da. Mein Vater war als Erster fertig und fachsimpelte, während auf die anderen gewartet wurde, mit dem Prüfer herum. Er bestand den theoretischen Teil der Prüfung mit null Fehlerpunkten. Meine Mutter hatte vier Fehlerpunkte, aber auch sie bestand. Dann kam der praktische Teil. Der Wind war stark. Sieben Windstärken. Alle Prüflinge mussten gelbes Ölzeug anziehen, über das Ölzeug eine Schwimmweste und eine rote Pudelmütze, zur besseren Sichtung. Mein dicker Vater sah völlig absurd aus. Derart verunstaltet und mit Blick auf die unruhige See verschlechterte sich seine von der theoretischen Prüfung gehobene Stimmung prompt. Der Prüfer rief die Kommandos von einem Motorboot durch ein Megafon in den immer mehr auffrischenden Wind. Sie wurden aufgerufen: »Herr Professor, bitte besteigen Sie zusammen mit Ihrer Frau die Jolle!«

Mein Vater und meine Mutter kletterten vom Steg in das schwankende Boot. »Bitte legen Sie ab und setzen Sie das Segel!« Das ging noch, da die Mole etwas Schutz bot. »Sie sehen dort hinten einen Ponton. Kreuzen Sie bitte bis zu diesem Ponton!« Als sie das offene Wasser erreichten, fuhr der Wind ungebremst in das Segel, und das Boot legte sich schräg. Mein Vater stürzte gleich beim ersten Manöver, obwohl er die Regel »Immer eine Hand am Boot!« strikt befolgt hatte. Als der Wind das Segel erfasste, gab es einen solchen Ruck, dass er auf den nassen Planken ausrutschte. Meine Mutter versuchte durch eine Halse das Boot in den Wind zu bekommen. Als sich mein Vater wieder aufrichten wollte, bekam er den Großbaum an den Kopf und ging erneut zu Boden. Das Megafon brüllte: »Herr Professor, ist bei Ihnen alles in Ordnung?« Mein Vater hob beide Hände, wollte um Hilfe bitten, als das Boot mit voller Wucht den Ponton rammte und er zum dritten Mal auf den Schiffsboden krachte. Meine Mutter bekam die Jolle unter Kontrolle, und während mein Vater einfach mit geschlossenen Augen auf dem Bootsboden liegen blieb, selbst dann noch liegen blieb, als ihn meine Mutter mehrmals angebrüllt hatte »Mensch hilf mir doch! Hilf mir!«, segelte sie die nächsten Manöver allein. Das Megafon rief: »Haben Sie Probleme? Wo ist Ihr Mann? Wo ist der Herr Professor?« Meine Mutter zeigte nach unten und gab Entwarnung. Langsam kam mein Vater wieder zu sich. Ihm war schlecht. Er setzte sich auf und übergab sich in die Schlei. Meiner Mutter gelang es, zu wenden und das Schiff in den Wind zu bekommen. Es nahm Fahrt auf und beruhigte sich.

»Hier, nimm für einen Moment die Großfall, ich muss hinten die Tampen nachziehen.« Doch mit der nächsten Böe schoss das Seil durch die Handflächen meines Vaters, entglitt ihm das Segel und rauschte am Mast hinunter. Bis heute weiß meine Mutter nicht, was sie damals geritten hat, auf offener See bei Windstärke acht bis neun den Mast hochzuklettern und den Tampen wieder einzufädeln. »Frau Professor, bitte tun Sie das nicht! Wir sind gleich bei Ihnen! Warum hilft Ihnen denn nicht Ihr Mann?« Aber meine Mutter war schneller. Sie hisste das Segel, steuerte das Boot zurück in den Hafen und legte fachgerecht an.

Mein Vater krabbelte wie volltrunken aus der Jolle und schwankte, ohne ein Wort zu sagen, über die Wiese Richtung Bootshaus davon. Ein dicker gebrochener Mann in gelbem Ölzeug, mit Schwimmweste und roter Pudelmütze. Eine Stunde später, nachdem auch die letzten beiden Paarungen – der Wind hatte sich plötzlich gelegt – alles gut überstanden hatten, gab der Prüfer die Ergebnisse bekannt. Von neun Booten, also von achtzehn Segelscheinanwärtern, war mein Vater der Einzige, der durchgefallen war. Meine Mutter erinnerte sich noch genau an die Worte des Prüfers: »Es tut mir so leid, Herr Professor, aber ich kann Sie nicht bestehen lassen. Sie haben ja die meiste Zeit nur gelegen. Wäre Ihre Frau nicht gewesen, hätten wir Sie retten müssen!«

Am Abend ordnete mein Vater die Segelbücher ins Regal ein und gab dem Hund das Knotenseil zum Spielen. Es dauerte Wochen, bis er zum ersten Mal unter dem Kommando meiner Mutter mit uns hinausfuhr.

Am liebsten ging er zusammen mit mir segeln, wenn man kein Segel zu setzen brauchte, weil es vollkommen windstill war. Er lag am Morgen in seinem Bett und sah in die Wipfel der hohen Lindenreihe. Wenn die Blätter schlaff, bewegungslos an den Zweigen hingen, sagte er zu mir: »Heute ist

Segelwetter. Also nichts wie los.« Wir fuhren dann gemeinsam, mit knatterndem Außenbordmotor, auf dem spiegelglatten Wasser dahin, lagen in der Sonne und aßen unseren Proviant. Er erzählte mir Geschichten und hin und wieder angelten wir auch. Wenn mein Vater durch das Fernglas jemanden vom Rotary Club entdeckte, rief er »Oh Gott, die Eckmanns!«, und wir versteckten uns in einer stillen Bucht.

Zum endgültigen Erlöschen der Segelleidenschaft meines Vaters kam es auf einem dieser gemütlichen Ausflüge. Mein Vater schaltete mitten auf der großen Breite den Außenborder ab, und wir ließen uns treiben. Das Wasser glitzerte, es war warm und herrlich still. Nach gut einer Stunde wollte mein Vater den Motor wieder anlassen. Zog an der Reißleine. Der Motor gluckste kurz auf, aber sprang nicht an. Mehrere Versuche. Nichts. Selbst das Aufklappen der Motorhaube, für meinen Vater schon eine technische Meisterleistung, und das ratlose Bestaunen des Motorinneren änderte nichts. Wie für einen letzten Versuch griff er sich die Reißleine, sammelte all seine akademischen Kräfte und hielt inne. Ich war neugierig, ob es diesmal funktionieren würde, und stellte mich hinter ihn. Voll Zorn riss er an der Leine, ungeschickt, leicht schräg. Er riss an der Motorleine und traf mich voll ins Gesicht. Ich wurde zurückgeworfen, stolperte und ging über Bord. Mein Vater schrie auf, versuchte mich noch zu packen. Die Strömung war nicht stark, aber doch stark genug, mich zügig vom Boot zu trennen. Ich hatte eine Schwimmweste an und trieb auf dem Wasser. Durch die Vehemenz des Schlages war ich durcheinander, hatte Nasenbluten. Verschwommen sah ich meinen Vater auf dem Boot gestikulieren. Laut rief er um Hilfe.

Und dann sah ich ihn von der Bootskante springen, sah, wie mein übergewichtiger Vater ins Wasser plumpste, dachte

»Mein Gott, was für ein erbärmlicher Sprung«, und hinter ihm entfernte sich unser Boot, das sogar, da mein Vater ihm beim Absprung einen Schubs gegeben hatte, etwas Fahrt aufnahm. Kurz bevor er bei mir war – es hatte lange gedauert, bis er näher kam, lange hatte ich sein verzweifeltes Gesicht in Zeitlupe auf mich zukommen gesehen –, kurz bevor er mich erreichte, wurde ich beherzt von kräftigen Armen aus dem Wasser gehoben. Jemand rief meinem Vater etwas zu. Er schwamm und paddelte und kletterte schließlich mit triefnasser Kleidung über die Außenleiter ins Boot unserer Retter. Er war außer Atem. Zitterte, umarmte mich, hielt mich so fest, dass ich husten musste. Auch ich umarmte ihn, und es war nicht ganz klar, wer hier gerade wen tröstete. Das Paar, das uns herausgefischt hatte, war so freundlich, unser Boot zu suchen. Es lag im Schilf, und wir nahmen es ins Schlepptau. Als mein Vater, in eine Decke gehüllt, sah, wie sich der Mann eine Zigarette anzündete, fragte er »Darf ich auch eine?«, und er bekam eine. Vier Jahre lang hatte er nicht geraucht.

Als wir im Schlei-Segel-Club ankamen, wurden wir von einer ganzen Traube Menschen empfangen. Und von da an kursierte unter den Schleswiger Seglern die Geschichte vom Herrn Professor, der seinen Sohn über Bord geschlagen hatte, bei Windstärke null in Seenot geraten war und gerettet werden musste. Und alles ohne Segelschein! Auf dem Weg nach Hause sagte mein Vater zu mir: »Ich wäre dir sehr dankbar, wenn du das nicht gleich heute Abend erzählst. Nur für heute Abend könnte das doch unser kleines Geheimnis bleiben.« Natürlich wollten meine Brüder und meine Mutter wissen, warum ich zwei blutdurchtränkte Wattepfropfen in der Nase hatte, aber ich log, log für meinen Vater und sagte, ich wäre gegen den Mastbaum gelaufen. Ich log, und mein Vater nickte mir dankbar zu. Danach hat er seine Sepia, die JoMaHe, nie mehr betreten.

Der Meiler

Nach dieser nautischen Niederlage entzog mein Vater dem Meer seine Zuneigung und wandte sich mit aller Macht dem Land zu. Er entdeckte eine Annonce in den »Schleswiger Nachrichten«, und ohne lange zu überlegen, kauften wir eine kleine heruntergekommene Reetdachkate an der Ostsee.

Direkt gegenüber von unserem Häuschen war noch ein anderes kleineres Gebäude, der sogenannte Altenteil. Einst gebaut für die alt gewordenen Eltern, wenn die Kinder den Hof übernahmen. Beide Häuser gehörten zusammen, begrenzten den Hofplatz. Die Gärten gingen jeweils nach hinten raus. Wir hatten also nicht nur ein sehr reparaturbedürftiges Haus erworben, sondern auch in unserer unmittelbaren Nähe alteingesessene Nachbarn bekommen. Die Familie, die zu viert in diesem winzigen Schrotthaus lebte, bildete in den kommenden Jahren das knallharte Kontrastprogramm zu unserer sich nach und nach ländlich verwirklichenden Selbstversorger-Idylle.

Kurz nachdem wir dieses Häuschen zu einem Spottpreis erstanden hatten, sah ich im Fernsehen in einer Kindersendung einen Bericht über einen Meiler. Das Wort ›Meiler‹ hatte ich zuvor noch nie gehört. In dem Beitrag war jeder Arbeitsschritt zum Bau genau beschrieben und in eindrücklichen

Bildern gezeigt worden: das Aufschichten des mehrere Meter hohen Holzstoßes. Das Abdecken mit Erde und Grassoden. Das Anfeuern und die exakt gestochenen Löcher zur Sauerstoffversorgung des Meilers. Dann das mehrere Tage, ja Wochen andauernde stetige Rauchen des Erdhügels. Und schließlich das Öffnen und Löschen der zu Holzkohle gewordenen Scheite. Ich war begeistert.

Während ich an einem Sonntag mit meinem Vater im Auto aufs Land fuhr – ich durfte, obwohl ich noch zu jung war, vorne sitzen –, erzählte ich ihm detailliert von allem, was ich gesehen hatte. Mein Vater hörte interessiert zu und machte mir den überraschenden Vorschlag, einen solchen Meiler, natürlich viel kleiner, am Nachmittag zu bauen. Nach einer Stunde Fahrt erreichten wir die kleine Straße, an deren Ende das stark renovierungsbedürftige, reetgedeckte Häuschen lag.

Der eigentliche Anlass unseres Kommens war rasch erledigt. Mein Vater hatte seinen Fotoapparat dabei. Wir gingen gemeinsam um das Haus und den Stall herum, und er fotografierte. So schnell wie möglich sollte mit den ersten Baumaßnahmen begonnen werden, und wenn alles gut vorangehen würde, könnten wir, hoffte mein Vater, vielleicht schon in zwei Monaten das erste Mal dort übernachten. Von außen fotografierte er die klaffenden Risse in der Stallwand, die Löcher im bemoosten Reetdach, die abgerissenen Regenrinnen, die zersplitterten Fenster und die an mehreren Stellen sich türmenden Müllberge: Autoreifen, gestapelte Autotüren, Fahrradrahmen, Wellblech, Plastikfolien, Teerpappefetzen, morsche Stalltüren, undefinierbare Knochen und Unmengen von Federn.

»Entweder«, sagte mein Vater, »haben die hier ihre alten Kissen entsorgt oder jahrelang Gänse oder Hühner geschlachtet.« Im Inneren des Hauses machte er Fotos von den kaputten Holzfußböden – überall brach man ein –, der ekelhaften Küche – hinter den Herdplatten war die ganze Wand fettig braun – und dem stinkenden Klo – das zwar noch funktionierte, aber weder Deckel noch Klobrille hatte. Im Stall waren eine alte Werkstatt, mehrere Schweinekoben und uralte Ketten für die Kühe. Überall stapelte sich der Müll. »Keine Ahnung, wie viele Container wir brauchen werden, um diesen ganzen Schrott abzufahren. Mein Gott, wie die hier gehaust haben.«

Ich erinnere mich auch deshalb noch so genau an jede Kleinigkeit, die sich nun ereignen sollte, da es das einzige Mal war, dass mein Vater tatsächlich etwas mit mir zusammen baute. Unterhalten haben wir uns oft, spazieren gegangen sind wir andauernd, über das Psychiatriegelände, durch die Einkaufsstraße, im Wald und am Meer. Aber gemeinsam etwas gebaut haben wir nur dieses eine Mal.

Allein ihn Holz hacken zu sehen war schon eine Sensation für mich. Mein Vater fasste das Beil weit oben am Schaft, unmittelbar unter der Schneide, ich musste beiseitetreten – grotesk weit, so als würde er eine Handgranate zünden –, und er hackte ungeschickt in die Scheite. Besser ging es, als wir es mit einer Axt machten, die ich ganz am Ende hielt und der er mit einem Hammer, den er auch wieder viel zu weit oben fasste, auf die stumpfe Seite klopfte. Wir hackten kein Holz, wir hämmerten es durch. Ihm brach der Schweiß aus, und schon nach kurzer Zeit hatte er an seiner rosigen rechten Ärztehand mehrere Blasen. Aber er entwickelte einen mir unbekannten Ehrgeiz und ließ nicht locker.

Nach einer Stunde hatten wir genügend Holz. Wir stapelten die Scheite sorgfältig auf, und er fragte mich: »Ist das so gut?« Ich antwortete: »So ist es, glaube ich, besser, damit wir nachher die Glut in die Mitte schaufeln können!«, und schichtete die Scheite um. »Oh ja, klar!«, gab er bereitwillig nach. Ich war tatsächlich derjenige, der an diesem Nachmittag beim Meilerbau die Instruktionen gab. Das war herrlich.

Nun ging es daran, Grassoden auszustechen. Wir suchten uns eine abgelegene Stelle auf der großen Wiese aus und mein Vater rammte den Spaten in den Boden. Das war viel anstrengender, als wir beide gedacht hatten. Der Untergrund war schwer und es war mühsam, das Metallblatt in den Boden zu treiben. Ich konnte jedoch etwas, das mein Vater schon nach dem ersten Versuch aufgegeben hatte. Es gelang mir, mit beiden Füßen gleichzeitig auf das Spatenblatt zu springen und es so einigermaßen in die Erde zu rammen. Von allen vier Seiten schnitten wir Soden aus dem Gras und hoben sie an. Dunkle Erde! Mein Vater schwärmte von der Fruchtbarkeit unseres Bodens. Mit einer Schubkarre fuhren wir unsere Gras-Vierecke zum geschichteten Holzhaufen. Sode für Sode, Gras nach innen, bedeckten wir den Holzstoß, der zum Einfüllen der Glut oben offen blieb.

»Im Fernsehen haben sie das dann nass gemacht und geglättet.« »Na dann«, sagte mein Vater außer Atem, »machen wir das auch.« Obwohl es ganz und gar nicht warm war, zog er sich sein blaues Hemd aus. So hatte ich ihn überhaupt noch nie gesehen. Arbeitend im Unterhemd. Seine Halbschuhe waren erdig, aber das schien ihm nicht das Geringste auszumachen. Er holte eine Gießkanne, und obwohl der Wasserhahn funktionierte, sagte er: »Komm, wir gucken mal, ob die alte Pumpe noch geht!«

Wir gingen in den feuchtkalten Stall. »Man muss etwas Wasser hineingießen, damit ein Sog entsteht«, erklärte er mir. Die Pumpe war völlig verrostet und eingesponnen in einen Kokon aus staubigen Spinnweben. Ich nahm eine lange Feile von der mit Kerben übersäten Werkzeugbank und stocherte die Netze beiseite. Knarzend ließ sich der Pumpenschwengel bewegen. Mein Vater zog und drückte, und ich goss aus der Kanne langsam Wasser in die obere Öffnung. Es gluckste und blubberte. »Oh, ich glaub, sie zieht, hol schnell einen Eimer.« Er wechselte die Hände, da die Blasen an seinen Fingern aufgeplatzt waren und sich die Haut abgerubbelt hatte. Er pumpte und pumpte und lachte dabei ein so glückliches Lachen, wie ich es vielleicht noch nie von ihm gehört hatte. Sein Bauch wackelte vor Lachen. Da stürzte das Wasser spritzend aus der Pumpenöffnung. Rostrot und eiskalt. Erst nach dem dritten Eimer, den ich in meinen durchtränkten Schuhen aus dem Stall schleppte, wurde es klarer. »Es ist zwar für den Meiler völlig egal, ob das Wasser sauber oder dreckig ist, aber jetzt wissen wir wenigstens, dass die Pumpe geht. Wir haben einen eigenen Brunnen. Ist das nicht toll! Mach du mal!«

Ich pumpte und musste auch sofort lachen – irgendetwas war an diesem kraftvollen Auf und Ab, an diesem Schwall, der sich aus dem Eisenrohr ergoss, extrem beglückend. Mein Vater wusch sich die Hände und trank. »Ist das kalt, unglaublich erfrischend!« Wir wechselten noch mal, und auch ich trank. Ein leichter Eisengeschmack, fast ein bisschen wie eiskaltes Blut. Köstlich schmeckte unser eigenes Grundwasser.

Wir schleppten zwei Eimer zum Meiler. »Mach du das mal lieber, ich hab Blasen.« Ich befeuchtete meine Hände und begann, die Erde zu verschmieren. Als ich fertig war – es hatte mir große Freude gemacht, mit den Fingern im Matsch herumzuschmieren –, sah der Meiler perfekt aus. Er war größer geworden, als wir beide gedacht hatten, reichte meinem Vater bis zum Bauch. Der schwarzerdige, glatt verschmierte Hügel sah wie der gekonnte Bau eines geschickten Tieres aus.

Nun ging es ans Feuermachen. »Schaffst du das?«, fragte er mich, »ich hab so einen Hunger, ich muss mal gucken, ob überhaupt was da ist.« »Klar!« Er verschwand im Haus, und ich versuchte, neben dem Meiler ein kleines Lagerfeuer zu entfachen, doch die Zeitungen waren klamm. Vom tiefen Luftholen und langen Pusten wurde mir schwindelig. Ich hoffte so sehr auf dieses erlösende Geräusch, wenn das Holz über der Glut plötzlich Feuer fängt, aufhört zu qualmen und endlich brennt. Mein Vater kam mit einem Tablett. Er hatte nichts gefunden außer einem Brühwürfel und ein paar Nudeln. »Na, geht das mit dem Feuer nicht? Warte mal!« Er kniete sich zu mir, und gemeinsam bliesen wir auf die letzte kleine, noch rötlich glimmende Stelle. Und da machte es plötzlich »wuuummp« und das Feuer flackerte auf und brannte.

Wir setzten uns auf die Bank und aßen. Das war lecker. »Tut mir leid«, sagte mein Vater, »was Besseres hab ich nicht gefunden.« Er erzählte mir eine Geschichte von der Mutter eines Kindes, das er behandelt hatte, die nichts anderes essen konnte als Nudeln mit Tomatensauce. »Dreimal am Tag Nudeln mit Tomatensauce«, wiederholte er und ergänzte: »Sie konnte auch auf keine andere Toilette gehen außer auf ihre eigene!« »Warum das denn nicht?« »Das hab ich nicht rausbekommen. Aber für ihre Tochter war das natürlich schlimm!« »Was hatte die denn?« »Nichts Gravierendes, Probleme in der Schule.« »Da war ja die Mutter viel verrückter als die Tochter!« »Allerdings. Das ist aber meistens so. Letzte Woche waren welche in meiner Praxis, die sich beklagt haben, dass ihr Sohn einfach nicht richtig sprechen könne. Ich hab ihn untersucht, und als er sich sein T-Shirt ausgezogen hat, hab ich gedacht, ich seh nicht richtig. Überall blaue Flecke. Was ist mit dem Jungen passiert, hab ich die Eltern gefragt. Da hat der Vater ohne einen Hauch von schlechtem Gewissen zu mir gesagt: ›Wissen Sie, Herr Professor, das hilft auch nichts. Ich hab den schon so verdroschen, aber dadurch spricht der auch nicht besser!‹ Oh, ich glaub, wir haben jetzt genug Glut. Komm, mein Lieber, sag mir, wie es weitergeht mit unserem Meiler.«

Wir holten eine Schaufel, mein Vater stieß sie in den Gluthaufen und trug die rauchende Fracht durch den Garten bis zum Meiler. Bestimmt zehnmal gingen wir hin und her und schaufelten die Glut in den vorbereiteten Schacht. »Jetzt kommt das Wichtigste«, sagte ich. »Wir müssen oben und unten zwei Löcher bohren, damit der Meiler atmen kann!« »Dass er atmen kann?« »Ja genau, und die dürfen nicht zu groß oder zu klein sein, Papa. Wenn sie zu groß sind, bekommt er zu viel Luft und brennt ab, und wenn sie zu klein sind, erstickt er jämmerlich!« Mit dem Ende des Spatenstiels bohrten wir die Löcher durch die Grassoden. »So, und nun schnell zudecken!« Wir fanden im Schuppen den Metalldeckel einer Mackintosh-Bonbondose, in der Schrauben lagen. Er passte perfekt auf den Schacht des Meilers. Ich holte einen Stein und beschwerte ihn.

Mein Vater sah auf seine Armbanduhr: »Oh, wir sind spät dran. Wir müssen uns beeilen.« Während er sich die Hände wusch und seine Blasen verarztete, rannte ich in den Stall und nahm mir ein Brett, einen Pinsel und rote Farbe. Ich schrieb auf das Holz ›Nicht anfassen!‹, nagelte es auf einen Pflock und rammte ihn direkt neben dem Meiler in den Boden. Mein Vater kam in den Garten. Er hatte sein Hemd wieder an und den Autoschlüssel schon in der Hand. Wir standen vor dem Meiler. »Eigentlich müsste er rauchen!«, sagte ich enttäuscht, »wir müssen noch mehr Glut reinschaufeln!« »Das tut mir leid, mein Lieber, aber wir müssen jetzt fahren. Ich muss noch nach D-Oben!«

Ich legte meine Hand auf die dunkle Erde. »Der müsste warm werden. Im Fernsehen, da hat der Meilermann seine Hand draufgelegt, um die Wärme zu prüfen!« Entmutigt betrachtete ich den nasskalten, erloschenen Erdhaufen. »Ist doch nicht so schlimm. Wenn wir am Wochenende kommen, können wir wieder ein Feuer machen und es noch mal versuchen.« Ich roch an einem der Löcher. Ein wenig biss mich ein rauchiger Geruch in der Nase. Ich versuchte hineinzuspähen. Dunkel, aber mein Auge tränte.

»Komm.« Mein Vater strich mir über die Haare, und wir fuhren los. Auf dem kleinen Hügel wandte ich mich noch einmal um – nichts zu sehen. Auf der Heimfahrt fing es an zu regnen, und damit erstarben auch meine letzten Hoffnungen.

Die ganze Woche dachte ich ununterbrochen an den Meiler und wie schön es gewesen war, ihn gemeinsam mit meinem Vater zu bauen. Ich überlegte, was wir falsch gemacht hatten, was verbesserungswürdig war. Mehrmals wurde ich in der Schule aus tiefen Tagträumen geweckt. Und als wir am Sonntag wieder zu unserem Häuschen aufbrachen, konnte ich es gar nicht erwarten.

Wir kamen zu dem kleinen Hügel. Meine Mutter fuhr, da wir es eilig hatten, mein Vater saß auf dem Beifahrersitz. Meine Brüder waren glücklich alleine zu Hause geblieben. Sie hatten es durchgesetzt, zu unseren Wochenendausflügen nicht mehr zwangsverpflichtet zu werden, und übernachteten nun permanent bei ihren Freunden. Als wir über den Hügel kamen, sah ich etwas, das mir den Atem nahm. Ich rief: »Da! Daaa! Seht doch daaaaa!« Meine Mutter bremste so abrupt, dass meinem Vater hörbar die Zähne zusammenklappten. »Was ist denn bloß los?« »Daaaaa!« »Was ist denn da. Ich seh nichts!« »Na daaaaaaaa!«

Ich riß die hintere Tür auf und rannte los, das Hügelchen hinunter. War ich jemals so schnell gerannt? Dadurch, dass es leicht bergab ging, wurde ich immer schneller. Ich versuchte, meinen Oberkörper stabil zu halten, und ließ die Beine einfach machen. Fast wäre ich gefallen, aber ich wollte nicht bremsen und nahm allen Schwung, den ich kriegen konnte. Ich erreichte das Gartentörchen, stieß es auf und rannte zum

Meiler. Aus den beiden oberen Öffnungen zogen gleichmäßig zwei weiße Rauchsäulen empor und verwehten fächerförmig im leichten Wind. Ich sprang um den Meiler herum, außer mir vor Freude.

Das Auto fuhr an der das Grundstück begrenzenden Hecke entlang und bog knirschend auf den mit Kies bedeckten Hofplatz ein. Meine Eltern kamen in den Garten. Ich rannte zu meinem Vater und umarmte ihn stürmisch: »Schau dir das an! Es raucht! Es raucht!« Mein Vater flüsterte: »Das gibt's ja nicht. Der raucht ja wirklich!« »Na klar raucht der, und wie der raucht!« Wir gingen gemeinsam zum Meiler. Er sah vollkommen anders aus. Nicht mehr erdig schwarz, sondern trocken gebacken, ganz hell wie Lehm. Nicht mehr norddeutsch, vielmehr afrikanisch. Ich legte meine Hand auf die trockene Hülle, zuckte zurück. So heiß war sie. In der Luft hing ein angenehmer würziger Duft. Meine Mutter sagte staunend: »Wie? Dieses Ding da habt ihr gemacht? Das sieht ja fantastisch aus!« »Na klar haben wir das gemacht.«

Mein Vater nickte mir zu. Da kamen mir die Tränen. Diese beiden unverhofft sich in den grauen Himmel windenden Rauchsäulchen überwältigten mich. Ich drückte meinen Kopf an die Schulter meiner Mutter. »Was ist denn? Alles gut … Warum bist du denn so traurig?« Ich stammelte mit Salzwasser-Geschmack im Rachen: »Ich bin nicht traurig.« Ich schluckte, »Ich freu mich nur so!«, und musste noch mehr weinen. Das Eigenartige war allerdings, dass ich – genau wie bei meinen Jähzorn-Attacken – kein rechtes Maß für meine Freudentränen fand. Wenn mich etwas wütend machte und ich tobte, dann war das immer mehr als die bloße Reaktion auf den Wutauslöser. Mein Ärger wuchs über den Grund hinaus und trug mich mit sich fort. Am liebsten hätte ich mich in diesem Zustand selbst vernichtet, ausgelöscht und mich wie Rumpelstilzchen in der

Mitte durchgerissen. Und auch diese Freudentränen waren zwar durch den friedlich rauchenden Meiler ausgelöst worden, doch jetzt weinte ich hemmungslos, gleichzeitig glücklich und verzweifelt, weinte über alles und nichts, weinte einen tief sitzenden Schmerz heraus. Meine Eltern waren ganz betreten, kompensierten ihr Unverständnis über diesen Schleusenbruch mit zärtlicher Geduld und trösteten mich abwechselnd. Nach diesem Zusammenbruch wurde ich zur Rekonvaleszenz in einen mit Schwalbenkacke besprenkelten Liegestuhl direkt neben dem Meiler verfrachtet, da ich mich geweigert hatte, im versifften Haus auf dem durch braune Cordwülste in drei durchgesessene Segmente unterteilten Sofa zu liegen. Mühsam verkniff ich mir meine Tränen, denn es wäre ein Leichtes gewesen, den gut geölten Wein- und Schluchzmotor jederzeit wieder anzuwerfen.

Meine Mutter brachte mir ein Kissen, das nach Stall roch, und legte mir ihren Mantel über, der nach Shalimar, ihrem Parfum, duftete. So lag ich da, aufgebahrt unter freiem Himmel, von zwei höchst verschiedenen Gerüchen umweht, und ließ den Blick nicht von meinem rauchenden Wunderwerk.

Die Arbeitsteilung meiner Eltern war stets dieselbe. Mein Vater schmiedete Pläne und meine Mutter schuftete. Während er mit imperialem Eroberer-Blick die Ausmaße seines Hühneraußengeheges abschritt oder mit über das Land hinwegweisenden Gesten die Wiesen für die Schafe einzäunte, fuhr hinter ihm meine Mutter Schubkarre für Schubkarre Unrat zur Hausmülldeponie.

Am Abend wurde ich vom Gartenplatz ins Auto verlegt. Mein Vater stützte mich, und ich musste lachen, riss mich los und raste wie ein durchgedrehtes Stück Jungvieh, Luftsprünge vollführend, über die Koppel. Immer wenn ich lange still gesessen oder gelegen hatte, überwältigte mich plötzlich ein solcher Bewegungsdrang, dass ich loszappeln musste. Zu gerne hätte ich den Meiler geöffnet. Meine Neugierde war enorm, aber wenn ich eines aus der Kindersendung nie wieder vergessen würde, dann war es der todernste Köhler, der mit rußgeschwärztem Gesicht in die Kamera mahnte: »Das Schlimmste ist, wenn man nicht genug Geduld hat und den Meiler zu früh aufbricht. Nicht nur, dass es passieren kann, dass die Kohle Feuer fängt und dadurch die ganze Ladung vernichtet wird – nein, es kann sogar zu Explosionen und Verpuffungen kommen. Der Meiler darf erst aufgebrochen werden, wenn er vollkommen erkaltet ist.«

Von der ganzen Aufregung erschöpft stieg ich ins Auto und legte mich auf die Rückbank. Wie ich es durchhalten sollte, erst am nächsten Wochenende wieder aufs Land hinauszufahren, war mir schleierhaft. Ich schlief während der ganzen Heimfahrt und ging von der Rückbank direkt ins Bett. Ich war todmüde, hörte keinen einzigen Schrei und erwachte, leicht irritiert, erst am nächsten Morgen wieder, als mein Vater mich für die Schule weckte.

Als wir eine Woche später über den Hügel kamen, war kein Rauch mehr zu sehen, aber warm war der Meiler noch immer. Es regnete leicht und trotzdem war die Hülle hell, hart und trocken. Ihn immer noch nicht zu öffnen, wurde eine echte Herausforderung. Meine beiden Brüder waren diesmal mitgekommen, da sie unbedingt meinen rauchenden Freund kennenlernen wollten. »Wir könnten«, schlug mein mittlerer Bruder vor, »Wasser in die Löcher gießen oder alle Öffnungen verschließen, dann erstickt er.« Aber ich widersetzte mich erfolgreich. Niemand außer mir durfte ihn auch nur berühren. Mein Vater war nicht mitgefahren, da es in der Klinik zu einem Zwischenfall gekommen war. Im nagelneuen Patienten-Schwimmbecken hatte eine viel zu hohe

Chlorkonzentration mehrere Spastiker beim therapeutischen Baden verätzt.

Hinterm Stall stand inzwischen ein riesiger Container. Wir schlugen mit Ästen dagegen und es dröhnte wie in einem Schiffsbauch. Der Hund war auch mitgekommen und steckte seine städtische Nase aufgeregt in jeden Maulwurfshaufen. Mein älterer Bruder fand im Müllberg einen skelettierten Schädel, spießte ihn auf einen Stock und fuchtelte mir damit vorm Gesicht herum. Wir rätselten, was für ein Tier es gewesen sein könnte. Schwein, Schaf, vielleicht sogar Hund. Mein älterer Bruder strich sich seine viel zu langen Haare aus dem Gesicht: »Hier auf dem Land passieren die seltsamsten Sachen, es könnte sich auch um den Kopf eines deformierten Kindes handeln, eine geheim gehaltene Missgeburt, die in unserem Stall in einer Kiste gefangen gehalten worden ist.« Ich rannte zu meinem Meiler. Um die Lüftungslöcher herum hatten sich dicke Rußkrusten gebildet, die wie tief verschattete Augen aus der hellen Erde des Meilers herausgafften. Er roch so gut, nach Kirche und Kamin.

Am Mittwoch der nächsten Woche hielt ich es nicht mehr aus und überredete meinen Vater, mit mir hinauszufahren. Er tat zwar so, als wäre es unmöglich, doch ich bemerkte recht schnell, wie große Lust er dazu hatte, und brauchte nicht mehr lange, ihn zu überzeugen.

Als ich meine Hand auf den Meiler legte, war er kühl. Endlich. Endlich konnte ich ihn öffnen. Zweieinhalb Wochen war es her gewesen, dass wir ihn angefeuert hatten. Mein Vater stand neben mir in gelben Gummistiefeln, während ich mit einer kleinen Gartenharke an der Oberfläche kratzte. Ich wollte auf gar keinen Fall nur den Mackintoshdeckel abheben, nein, ich wollte durch die Hülle brechen. Ich kam mir vor wie ein Archäologe, der im Tal der Könige eine Grabkammer öffnet. Gleich würde ich herrliche Schätze in meinen Händen halten. Die Kruste war so hart gebacken, dass ich nur ein wenig Staub abschaben konnte. Mein Vater holte mir einen Hammer und einen Meißel. Ich schlug ihn hinein, und es bildete sich ein Riss. Ich hämmerte weiter und ein handtellergroßes Stück fiel ins Innere. Ich beugte mich vor. Was ich sah, war unglaublich: ein schwarzsilbernes Labyrinth aus Holzkohlescheiten, geheimnisvoll schimmernd. Ich brach ein weiteres Stück heraus. Wie die gewölbte Scherbe eines antiken Tongefäßes sah es aus. Außen hell, innen schwarz lackiert vom Ruß. Ich arbeitete sorgfältig weiter, bis die Öffnung groß genug war, um einen ersten Scheit herauszubekommen. Ich tastete mich vor. Die Oberfläche der Kohle war vollkommen glatt, fast weich. Ich griff zu und konnte nicht glauben, wie leicht das Stückchen war. Lachend gab ich es meinem Vater. Viele der Scheite erkannte ich wieder. Es war wie Zauberei. Sie hatten noch genau dieselben Astlöcher, Ausbuchtungen und Knubbel, waren aber geschrumpft und schwarz und hatten all ihre Schwere verloren. Mein Vater stapelte unsere Beute fein säuberlich in die Schubkarre und mehrere Wochen später, als der meiste Müll beseitigt war, grillten wir am Abend mit eigener Holzkohle. Noch immer kannte ich jedes Stück persönlich, und stolz, aber auch etwas wehmütig, sah ich zu, wie zischend der Bratensaft auf meine Kohlen tropfte und sie nach und nach zu Asche zerfielen.

Das Leben auf dem Land

Die Familie gegenüber im sogenannten Altenteil hieß Meisner. Der Vater trug jahreszeitenunabhängig einen verschlissenen Blaumann, ein kariertes Flanellhemd, ein blaues Käppi und Sicherheitsschuhe mit Stahlkappe. »Komm, tritt mir mal auf den Fuß!«, war eine seiner Lieblingsaufforderungen an mich. Ich traute mich nie so recht und tat es nur mit halber Kraft. Da wurde er schnell sauer: »Willst du mich verarschen? Los, tritt zu! Doller! Mensch, noch doller!« Es war, als würde man auf einem Steinschuh herumtrampeln. Mir tat der Fuß weh, und er sah mich abschätzig an, als wäre ich ein verwöhnter Schwächling. Seit seiner Jugend arbeitete er in einer Nestlé-Fabrik, die Trockenmilch herstellte. Sein Arbeitsplatz lag direkt in den Trockenkammern, wo er das Pulver in die Heißluftgebläse schaufeln musste. Seine Haut war vollkommen vertrocknet. Er sagte: »Ich hab Hornhaut im Gesicht. Was andere Leute unter den Füßen haben, habe ich im Gesicht. Fass mal an. Ich bin total verdorrt. Na los, trau dich. Fass mal an!« Wieder das gleiche Spiel. Ich traute mich nicht recht, und er ließ nicht locker: »Mensch, los jetzt, fass mal an. Doller. Das ist alles luftgetrocknet.« Ich überwand mich und berührte seine Wange mit den Fingerkuppen. Spröde, raspelraue Haut, die keinen Millimeter nachgab. Er hatte nicht nur Stahlkappen an den Füßen, sondern auch sein Gesicht war eine. Wenn er zu viel getrunken hatte, stand er auf der Wiese oder im Feld herum und sah in die Ferne. Hin und wieder pinkelte er, ohne sich vom Fleck weg-zubewegen. Einmal zeigte er mir völlig besoffen, wie man aus einem Schafsgarbenhalm eine primitive Flöte schnitzt. Er schnitt sich in den Finger und lachte. Sein Blut rann über den hellgrünen Halm, aber er kümmerte sich nicht darum. Ich sagte: »Sie bluten. Soll ich ein Pflaster holen?« Er knurrte nur »Ach was« und schnitzte Löchlein in das Rohr. Als sie fertig war, spielte er, jeden Ton einzeln, das Schleswig-Hol-stein-Lied. Dabei lief das Blut über die Flöte und tropfte rot von seinen Fingern.

Mutter Meisner, seine Frau, lernte ich erst kennen, als ich zum ersten Mal ihr Haus betrat. Sie war von einer mir bis da-hin unbekannten Ungepflegtheit. Sie stank und ging nie vor die Tür, hatte graue, verfilzte Haare, rauchte Kette und trug keinen BH. Das hat mich schwer irritiert, ihre unter den flecki-gen T-Shirts tief hängenden, frei schwingenden Brüste. Wenn man zu ihr ging, roch man danach so ekelhaft, dass man du-schen musste. Auch wenn man nur kurz den Eierkarton abgab, einmal bis zu ihrem Sessel und wieder hinausging, stank man bestialisch. Dieser Geruch kroch einem nicht in die Kleidung, dieser Gestank fiel einen aggressiv an und bohrte sich durch die Kleidung hindurch in jede Pore. Im Winter trug sie in der mit einem Ölofen völlig überheizten Wohnung eine kurze Turn-hose. Ihre Schienbeine waren von dunklen Flecken übersät, oberhalb der Socken schwarz, und ich habe mich immer ge-fragt, wie sie sich so oft stoßen kann, obwohl sie so gut wie nie aufsteht. Alles in dieser Wohnung war ekelhaft. Die Küche ein stinkendes Chaos. Und, das konnte ich gar nicht glauben, kein Toilettenpapier, gefaltete Zeitungsseiten lagen neben dem Klo auf dem Badezimmerboden.

Tochter Michaela war so alt wie ich und schwer zuckerkrank. Schon als ich sie kennenlernte, sah sie schlecht. Tagsüber ging sie in eine Sonderschule. Sie schubste mich in die Brennnesseln, bedrohte mich mit ihrer Insulinspritze und sprühte mich mit Pflanzengift an. Eine Freundschaft wurde daraus nicht.

Während bei uns jede aufgegangene Saat mit Tausenden Achs und Ohs gefeiert wurde – dicke Bohnen, grüne Bohnen, gelbe Bohnen, Stangenbohnen behutsam geerntet und in mit Tüchern ausgelegte Flechtkörbe gebettet wurden –, wucherte bei unseren Nachbarn in völlig verunkrauteten Beeten alles durcheinander. Wir drehten die Boskopäpfel einzeln von den Zweigen, und drüben fiel das überreife Obst von den Bäumen, landete zwischen Autoteilen und anderem Müll und verfaulte. Meine Mutter stand in ihrem bodenlangen Wollmantel im Hof und fragte die kettenrauchende und verwahrloste Mutter Meisner: »Und haben die Hühner diese Woche gut gelegt?« Seltsamerweise legten die Hühner, wenn wir da waren, viele und unter der Woche kaum Eier. In mehreren grob zusammengezimmerten Ställen hielten unsere Nachbarn Hasen. Die Ställe wurden nie ausgemistet und waren voller pissedurchtränktem Stroh, sodass die armen Nager bis unter die Stalldecke gequetscht wurden. Unsere Tiere hatten Namen und wurden gestreichelt, Meisners Tiere waren namenlos und landeten im Kochtopf.

Mutter Meisner humpelte immer stärker. Schließlich wurde ihr der Fuß amputiert. An den Wochenenden sah mein Vater nach ihr und verband den Stumpf. Sie rauchte weiter. Im Laufe der nächsten zwei Jahre wurde diese Frau immer kürzer. Ein Stück vom Unterschenkel, anderer Fuß, anderer Unterschenkel, ein Stück vom Oberschenkel. Einmal fand ich im Kies das Katzenauge einer ihrer Krücken. Ich brachte es ihr, und zum Dank schenkte sie mir ein Feuerzeug.

Als wir an einem nasskalten Samstag auf den Hofplatz ein-
fuhren, waren alle Vorhänge zugezogen. Mein Vater klingelte
mehrmals an der niedrigen Haustür. Der Sohn machte auf.
»Ich wollte mal nach deiner Mutter sehen«, sagte mein Vater.
Ich war gerade von der Rückbank gekrabbelt und hörte den
Sohn antworten: »Die ist nicht da.« Ich ging über den Kies
und stellte mich hinter meinen Vater, ich reichte ihm schon
knapp bis an die Schulter. »Wo ist sie denn?«, fragte mein
Vater freundlich nach. Der Sohn zögerte kurz und wiederholte: »Die ist nicht da.« »Musste sie doch wieder ins Krankenhaus?« Und dann kam die Antwort, die ich nie mehr vergessen sollte: »Nee, da ist sie auch nicht. Die ist nicht mehr
da. Die ist tot.« Mein Vater schwieg. Dann flüsterte er betroffen: »Oh, das tut mir leid.«

Der Sohn zeigte keinerlei Regung, drehte sich um und
ging ins Haus. Er war so alt wie mein mittlerer Bruder, hatte
mit sechzehn einen Schnurrbart, sah aber aus wie dreißig. Er
besuchte die Hauptschule und fuhr den ganzen Tag mit seinem frisierten Mofa herum. Er kam mit Helm aus dem Haus
und ging mit Helm hinein. Ich kannte ihn eigentlich nur
so – mit Bärtchen zwischen zusammengequetschten Backen.
Einmal allerdings habe ich ihn beim Hühnerschlachten gesehen. Er war von grausiger Ruhe dabei. Die frisch geköpften
Hühner setzte er auf den Boden und gab ihnen einen Tritt.
Sie flatterten davon.

Mein Vater las alles über Landwirtschaft. Seine Bibel wurde
John Seymours »Das Leben auf dem Land«. Er wollte ein
sogenannter »Selbstversorger« werden. Doch letztlich war es
wieder meine Mutter, die die Ställe strich, den Garten be-
stellte und die Tiere versorgte.

Wir schafften uns drei Schafe an, von denen eines schwarz
war, und nannten sie Kaspar, Melchior und Balthasar. Wir

schoren sie selbst. Und jedes Mal, wenn meine Mutter ein Schaf versehentlich in die Haut schnitt, sprühte mein Vater ein wenig Desinfektionsspray auf die Wunde. Wie immer: Kutasept Orange. Frisch geschoren standen die Schafe auf der Koppel, nackt, übersät mit orangefarbenen Tupfern. Sie sahen beleidigt aus, schienen tief in ihrer Schafswürde gekränkt, und die Bauern beobachteten uns vom Elektrozaun aus und schüttelten die Köpfe.

Meine Mutter wusch die Wolle, färbte sie, spann sie eigenhändig am Spinnrad und strickte Unmengen kratzender Kleidungsstücke für uns: Pullover, Westen, Hausschuhe, Jacken und sogar Hosen. Ich war von oben bis unten in tee- oder blattlausfarbene Strickmode gehüllt, schwitzte und roch, wenn ich in den Regen kam, nach Schaf.

Mein Vater wurde nur in medizinischen Notfällen praktisch tätig. Er schnitt den Schafen, als sie die Klauenseuche bekamen, die verfaulten Hufstellen heraus, kastrierte eigenhändig unseren Schafsbock und bescherte mir unvergessliche Eindrücke einer Schafsgeburt: mein Vater im Schein einer funzeligen Lampe, mit offenem Arztkittel im Stroh stehend, wie er dem frisch geborenen, fruchtwassernassen Lamm die Nabelschnur abbindet, ihm einen Klaps auf das wollene Hinterteil gibt und es zum ersten Mal »Mähhh« macht.

Mein Wissen über Schafskastrationen habe ich für einen Schulaufsatz genutzt. Ich wusste, dass es zwei Arten gab: Entweder stülpt man einen Gummiring über die Hoden, wodurch die Blutzufuhr unterbunden wird, die Hoden absterben und später einfach abfallen, oder man kneift die Hoden, quetscht den Samenstrang mit der sogenannten Burdizzo-Zange ab. Wieder Thema verfehlt! »Joachim, was hat Schafskastration mit Ebbe und Flut zu tun?«

Dann lag eines Nachmittags Vater Meisner tot mit Käppi im Knick. Die beiden Kinder waren nun allein, und da der Sohn schon über achtzehn war, durften sie, Bruder und Schwester, zusammen dort wohnen bleiben. Nun wurde es noch trauriger. Wir spielten Tischtennis, machten Lagerfeuer, pflanzten Büsche und weißelten den Stall, neue Böden wurden verlegt, ein herrliches Reetdach schmückte die Bauernkate, und die Küche verschönerten Hunderte selbst gemalte und gebrannte Bauernkacheln. Und keine zwanzig Meter weiter hockte dieses verwahrloste Geschwisterpaar in stumpfer Monotonie.

Schneekatastrophe

Es kam ein Winter, den wir nie mehr vergessen sollten. Ein richtig prägendes, sogenanntes kollektives Erlebnis. Um die Weihnachtszeit herum war es außergewöhnlich warm, und es nieselte auf die elektrischen Lichtlein der Tannenbäume. Doch dann, kurz vor dem Jahreswechsel, wurde es plötzlich kalt. Es fing an zu schneien! Vom ersten Moment an war dieser Schneefall ungewöhnlich: Winzige, vereinzelte Schneepünktchen huschten durch die Luft, so leicht, dass es im ersten Moment aussah, als würden sie selbst fliegen, wie klitzekleine weiße Winterinsekten überall herumschwirren. Sie ließen sich fallen und stiegen wieder auf, machten kurz auf dem Fensterbrett Pause und flogen wieder los. Der Wind nahm zu und wuchs sich innerhalb von nur einer Stunde zu einem heulenden Orkan aus.

Genauso selten, wie es bei uns im Norden richtig heiß wird, wird es richtig kalt. Wenn es schneit, sind die Flocken meist groß und schwer. Sie schweben auch nicht zu Boden, sondern lassen sich nass aus den tief hängenden Wolken fallen, stürzen senkrecht nach unten. Norddeutsche Schneeflocken sind nicht sonderlich begabt im Winterzauber verbreitenden Hinabsinken, im Überzuckern der Landschaft, dem Wattieren von Vogelhausdächern. Sie plumpsen feucht aus dem Himmel, bereit, sich, sobald sie den Boden berühren, in

Wasser zurückzuverwandeln. Die bei uns heimische Schnee-
flocke ist von deprimierender Kurzlebigkeit. Sie ist schon zufrieden, wenn sie den weiten Weg von ihrer Wolke bis hinab
auf die feuchte Erdoberfläche überhaupt schafft. Dort gibt sie
bereitwillig auf und schmilzt. Da sie aber so selten ist, wird
sie trotzdem mit unverhältnismäßiger Begeisterung empfangen. Liegen zu bleiben und nach und nach mit anderen Über-
lebenden den Boden zu bedecken, gelingt ihr so gut wie nie.

In meiner Heimatstadt rennen alle, sobald es auch nur ein
paar von diesen unbeholfenen Nassflocken geschafft haben,
sich auf der Erde zu einem mickrigen Schneehäufchen an-
einanderzuklammern, raus zum Schlittenfahren. Nach nur
einer Stunde hat sich die einzige, kümmerliche Abfahrt der
Umgebung – keine zehn Meter ist sie lang – in Matsch verwandelt. Doch die besudelten Kinder nehmen immer wieder
Anlauf, werfen sich auf ihre Schlitten – so groß ist ihre Sehnsucht nach Winter – und quälen sich Meter für Meter den
Erdhügel hinunter.

Doch dieses Mal war alles anders. Die Schneeflocken waren klein, leicht, behände und hart. Vermehrten sich rasant,
bildeten Wolken und stoben übermütig um die Häuser. Eigentlich schneite es auch diesmal nicht so, wie alle sich das
immer gewünscht hatten, auch diesmal kein »Leise rieselt der
Schnee«, nein, es staubte. Bei eisigem Wind war die Luft erfüllt von Schneestaub. Der wehte umher, blieb mal dort liegen und mal da, bildete innerhalb einer einzigen Stunde an
der Garage eine ein Meter hohe Schneeverwehung, während
die Beete noch unbedeckt blieben. Drehte sich der Wind,
sah man die Schneeverwehung eine halbe Stunde später an
der Mauer gegenüber.

Das Wort Schneewehe hatte ich vorher noch nie gehört, jetzt fiel es im Minutentakt. Schneewehen waren unberechenbar, lauerten den Autofahrern auf und warfen sich

ihnen in den Weg, blockierten die Schienen und sperrten alte Menschen in ihre Häuser ein. Auf dem Psychiatriegelände blockierten sie die Zufahrten zu den Stationen. Dieser Staubschnee war einfach nicht zu bändigen, undressierbar, und wurde immer übermütiger, aufmüpfig geradezu. Die Temperaturen blieben über zwei Wochen weit unter null. Im Radio und im Fernsehen wurden lauter Rekorde verkündet: Minusrekorde, Hochwasserrekorde, Windgeschwindigkeitsrekorde, Schneefallrekorde.

Es gab kaum Räumfahrzeuge. Wurde eine Einfahrt, eine Treppe oder eine Straße freigeschippt, war sie am nächsten Morgen wieder verschwunden. Schneestaub überall. Der Schiffsverkehr wurde eingestellt, die Halligen evakuiert. In den Häfen schob der Wind Eisschollen übereinander und drückte sie so lange gegen die Boote, bis sie zerbarsten. Ein allgemeines Fahrverbot wurde erlassen. Die Bundeswehr fuhr mit Panzern durch die Stadt und walzte den Schnee und leider auch mehrere Autos platt. Ein Mann erfror in seinem Wohnwagen, ein Stalldach brach unter den Schneemassen ein, zweihundert Schweine erstickten, konnten nur noch gefroren geborgen werden, und in den Nachrichten wurde gezeigt, wie die steinharten Tiere mit einem mir unvergesslichen Geräusch auf die Ladefläche eines Lastwagens geknallt wurden. Es klang so, als würden Steine verladen – Steine in Schweineform. Im ganzen Land waren die Straßen gesäumt von liegen gebliebenen Fahrzeugen.

Und dann bekam das Ganze einen würdigen Namen: Schneekatastrophe! In der Tagesschau wurde es verkündet: Schleswig-Holstein versinkt im Chaos. Es wird zum Katastrophengebiet erklärt. Ein Ende der Schneekatastrophe ist nicht in Sicht.

Ich war begeistert! Direkt vor meinem Fenster fand eine echte Katastrophe statt und hatte meine Scheibe schon zur

Hälfte mit ihrem katastrophalen Pulverschnee verdunkelt. Jeden Morgen eilte ich zum Fenster und sah mir die über Nacht umgeschichteten, weiterwachsenden Schneeberge in unserem Garten an. Sie waren mittlerweile so hoch, dass alle Zäune verschwunden waren und ein Trampelpfad auf unser Hausdach führte. Schwanzwedelnd erklomm unser Hund den First und kläffte die ungewohnte Aussicht an, lief den Giebel entlang und stupste mit seiner Schnauze Schnee in die Luft.

Mein Vater war in heller Aufregung, stapfte von einer Station zur nächsten. In der Großküche war der Strom ausgefallen, Medikamente fehlten, und den meisten Ärzten, Schwestern und Pflegern war es unmöglich, die Anstalt zu erreichen. Überall wurde Schnee geschippt. Sogar Patienten wurden eingeteilt, mitzuhelfen, die Katastrophe in den Griff zu bekommen. Auch zu uns kam so ein Trupp, und meine Brüder und ich sahen ihnen zu, wie sie versuchten, die Einfahrt freizuschaufeln. Das war grotesk. Eine Gruppe von Vermummten, die sich vollkommen planlos gegenseitig anschippten. Aus Bayern wurden Schneepflüge angefordert, und im Fernsehen hielt Dr. Gerhard Stoltenberg eine Ansprache. Wieder sah er mich an, nur mich. Dieser Mann war mein Verbündeter. Er verkündete, dass die Weihnachtsferien um zwei Wochen verlängert werden müssten. Meine Brüder und ich jubelten vor dem Fernseher.

Eines Morgens klingelte das Telefon. Ich war als Erster da und nahm den Hörer ab. Es war Sohn Meisner: »Kann ich mal deinen Vater sprechen?« Sie telefonierten, und der Gesichtsausdruck meines Vaters wurde ernster und ernster. Er beendete das Gespräch mit: »Mach dir keine Sorgen, es wird bald jemand kommen!« »Was ist denn los?«, fragte ich. Doch mein Vater hatte keine Zeit für Erklärungen. Er versuchte, das Krankenhaus zu erreichen, dann die Polizei. Überall besetzt oder Warteschleifen. Mein Bruder hakte nach: »Gibt's draußen Probleme?« »Die sind völlig abgeschnitten von der Außenwelt. Michaela hat kein Insulin mehr. Sie scheint verwirrt zu sein und kann nicht mehr aufstehen. Ich glaube, die schwebt in Lebensgefahr.« Er ging im Zimmer auf und ab und sprach laut mit sich, mit uns, vor sich hin: »Was kann ich machen? Was kann ich machen? Was kann man da machen?« Meine Mutter überlegte: »Mit dem Auto kommt man da unmöglich hin. Habt ihr Insulin oben?« »Ja sicher haben wir Insulin. Jede Menge. Aber wie kriegen wir das zu ihr?« »Das Einzige, was mir einfällt«, meine Mutter ahnte, dass ihr Vorschlag unrealistisch klingen würde, »ist mit dem Flugzeug!« Mein mittlerer Bruder lachte los: »Klar, Mama, super Idee! Los, Papa, hol das Flugzeug aus der Garage! Wirf das Insulin aus der Luft ab!«

»Warte mal, warte mal!« Mein Vater dachte angespannt über etwas nach. Noch war es nur ein flüchtiger Gedanke. Aber es arbeitete in ihm und, das sah ich ihm an, es wurde allmählich ein echter Plan. Er sah auf seine Armbanduhr. »In zwanzig Minuten landet ein Hubschrauber der Bundeswehr vor Haus G. Der bringt Decken und fliegt einen Patienten von D-Oben nach Kiel auf die Intensivstation. Ich könnte versuchen, dass wir auf dem Rückweg bei den beiden vorbeifliegen.« In der nächsten halben Stunde organisierte mein Vater ein perfektes Hilfsprogramm. Wir alle saßen schwer beeindruckt im Wohnzimmer und sahen ihm beim Telefonieren zu. Er war präzise und freundlich, zu keinem Zeitpunkt erweckte er den Eindruck, etwas nicht im Griff zu haben. Nach ein paar Minuten hatte er den verantwortlichen Oberst am Telefon, orderte in der Psychiatrie das Insulin, gab dem Piloten erste Informationen – »Wir werden auf einer großen Koppel landen müssen, wie die Schneeverhältnisse dort sind, versuche ich noch herauszubekommen« –, sprach mit Sohn Meisner, beruhigte ihn, gab ihm Anweisungen für seine Schwester und bat ihn, sich zur großen Wiese durchzukämpfen und die am wenigsten verschneite Stelle zu markieren. Während er telefonierte, fuhr er sich ständig durch seinen schütteren Haarkranz, strich sich über die Glatze und stand keinen Moment still. Mal streckte sich das gedrehte Telefonkabel zwischen Hörer und Apparat und machte sich ganz lang, dann schnurrte es wieder zu einem Knäuel zusammen. Diese Bewegung war wie ein Abbild der Unruhe, der Geschäftigkeit meines Vaters. Er zog sich dicke Socken und seinen Anorak an, band sich den Runden-Geburtstags-Kaschmirschal um den Hals und setzte sich seine Mütze auf.

Mein mittlerer Bruder fragte ihn, ob er mitfliegen werde. »Das weiß ich nicht. Das wird sich zeigen!« Wir alle umarmten ihn. »Sei bitte vorsichtig«, bat ihn meine Mutter. Es lag etwas erregend Dramatisches über diesem Abschied, so als würde ein Krisenteam seinen besten Mann hinaus ins Inferno entsenden, zu einem Einsatz auf Leben und Tod. Er öffnete die Haustür. Kaum hatte er die Klinke gedrückt, da schob sie der Sturm auch schon auf und wirbelte Schneeflocken in den Vorraum. Mein Vater trat leicht vorgebeugt, dem Wind trotzend, ins Freie, stülpte sich den Schal über Mund und Nase und stapfte davon. Er kam nur mühsam voran, da er jeden Fuß einzeln wieder aus dem tiefen Schnee herausziehen musste, und schon nach wenigen Metern blieb er erschöpft stehen. Er winkte uns. Es war auch eine Aufforderung, die Tür zu schließen, ihm nicht länger hinterherzuschauen, ihn mit der vor ihm liegenden Aufgabe allein zu lassen. Meine Mutter und mein älterer Bruder pressten die Tür zu. Uns allen war kalt, und der Hund leckte eine durchaus ansehnliche Miniaturschneewehe von der Flurwand, die sich binnen einer Minute in unserem Haus eingenistet hatte. Ich lief in mein Zimmer und kauerte mich auf meinen warmen Höhlenplatz hinter dem Vorhang. Im Flur hörte ich meine Brüder. Der eine sagte: »Scott hat das Basislager nie wieder erreicht. Als gebrochener Mann ist er im Schneesturm verreckt.« Der andere: »Die haben sogar ihre Ponys gefressen!«

Ich blickte in die vom Schnee verwandelte Landschaft hinaus – keinerlei Ecken und Kanten mehr, keinerlei Farben –, und ein Gedanke, den ich noch nie zuvor gedacht hatte, ereilte mich, nahm Besitz von mir. Ich stellte mir vor, wie es wohl wäre, meinen Vater niemals wiederzusehen. Wenn das wirklich geschehen sollte, dachte ich, dann muss ich mir jetzt genau merken, wie er da eben weggegangen war. Dann wäre das der letzte Eindruck, den ich ab jetzt für immer in mir tragen würde. Ich prägte, ja brannte mir dieses letzte Vaterbild ein. Nichts davon durfte verloren gehen, kein Detail dem Vergessen anheimfallen. Daran kann gar kein Zweifel bestehen, wurde mir unumstößlich klar, ich werde ihn nie, nie wiedersehen. Während meine Augen vom Hineinstarren in dieses konturlose Weiß zu brennen begannen, wuchs meine Angst. Aber mit dieser Angst wuchs auch die Deutlichkeit des durch den Schnee stapfenden Vaters. Plötzlich sah ich seine weichen Nackenhaare unter der Wollmütze hervorschauen, auf die sich die Flocken gesetzt hatten. Sah die Straßenlaterne mit ihrer kühn balancierten, dreißig Zentimeter hohen Mütze aus Schnee. Sah die bedrohlichen Löcher, die seine Stiefel hinterließen. Sah diesen Blick, da er sich noch einmal zu uns umgedreht hatte, diesen letzten Blick meines Vaters, in dem doch so viel mehr Weichheit und Angst gelegen hatte, als ich es im ersten Moment wahrgenommen hatte. Je genauer ich mich erinnerte, desto mehr Angst bekam ich, und je mehr Angst ich bekam, desto genauer konnte ich mich erinnern. Dieser Reißverschluss zog sich immer weiter zu, schnürte mich ein, und gleichzeitig kam es mir so vor, als würde ich jeden Moment von meiner Fensterbank in unseren weggeschneiten Garten kippen und der Schnee auch mich weichzeichnen, auch mich auflösen, auch mich verschlucken und begraben. Entfernt hörte ich das Motorengeräusch eines Hubschraubers im Landeanflug.

Ich sprang auf und rannte zu meiner Mutter, die sich in den Sessel meines Vaters gesetzt hatte und einen Brief schrieb. »An wen schreibst du?«, fragte ich. Sie sah auf: »Ach, nur so vor mich hin.« »Wann kommt Papa wieder?« »Weiß nicht.« »Glaubst du, dass er mitfliegen muss?« »Nein, das kann ich mir nicht vorstellen. In so einem Hubschrauber ist ja nicht viel Platz.« Ich legte mich zum Hund, der sich kurz vorher gewälzt haben musste, denn um ihn herum war der Teppichboden überzogen mit Hundehaaren. Mit den Fingern rieb ich sie zu Haarwürsten.

Ich ging zur Tür meines älteren Bruders, klopfte an. Das musste man. Von drinnen: »Wer da?« »Ich bin's!« »Was gibt es denn?« »Darf ich mal reinkommen?« »Moment.« Ich hörte ihn etwas wegräumen, die Schreibtischschublade aufziehen und zuschieben. Er öffnete seine Tür, blieb im Türrahmen stehen, hinter ihm blubberten seine riesigen Aquarien. »Was denn?« »Glaubst du, Papa fliegt mit?« »Nee, Quatsch. Der ist doch viel zu dick! Wetten, der ist gleich wieder da!« »Aber die brauchen doch einen Arzt.« »Ärzte gibt's wie Sand am Meer. Außerdem können die da doch gar nicht landen, Bruderherz.« »Aber was wird dann aus Michaela? Glaubst du, die stirbt?« Mein Bruder machte ein ratloses Gesicht und zog seine Tür zu.

Mein mittlerer Bruder saß über sein Mikroskop gebeugt. Es war ein ausrangiertes Elektronenmikroskop aus dem Anstaltslabor. Zwei Männer hatten es ächzend in sein Zimmer geschleppt. »Was siehst du dir an?«, fragte ich leise, um ihn nicht zu erschrecken. Ohne aufzusehen antwortete er: »Ich habe den Nukleus eines Zwiebelhäutchens extrahiert.« Ich wusste nicht, was er meinte, und fragte: »Darf ich mal sehen?« »Nee, grad nicht. Ich muss den jetzt einfärben.« Mit einer Pipette tropfte er eine gelbliche Essenz auf das Glasplättchen. Er schraubte am Okular herum und staunte: »Wow, das gibt's ja nicht!« »Lass mich doch mal sehen!« Er schwieg und machte sich Notizen.

Ich lief in unser sogenanntes Fernsehzimmer und sah durch das Fenster auf den Weg hinaus. Alle Abdrücke meines Vaters waren verschwunden. Ich trottete zurück ins Wohnzimmer und legte mich auf das Sofa, unter unsere Ahnengalerie. Meine Mutter sah kurz auf, lächelte mir zu und schrieb weiter ihren »Achnurso«-Brief.

Was war nur mit unserem Haus los? Alles gedämpft. So als wäre der Schnee auch hier drin. Als würde die Last auf dem Dach auch auf uns lasten. Als wären wir alle gefangen in diesem Pulverpanzer. Über mir hingen die Ahnen. Ganz oben Schattenrisse in runden Rahmen, irgendein Leibarzt von Goethe, etwas tiefer schwarz-weiße Männer in Uniformen und eingeschnürte Frauen mit durch lange Belichtungszeiten gefrorenem Blick. Direkt über mir die Großeltern väterlicherseits, genannt Ami und Api. Bestimmte Ähnlichkeiten unter den Männern waren überdeutlich. Schon die Schattenriss-Herren hatten große Nasen und wenig Haare.

Als ich fünf war, starb der Vater meines Vaters. Mit ihm und dieser Ahnenreihe verband mich ein Ereignis, an das ich mich selbst nicht erinnere, das aber gerne erzählt wurde, wenn sich ein Besuch vor die Galerie der Vorfahren stellte. Mit zwei oder drei Jahren soll es mein größtes Glück gewesen sein, mit einem Hammer auf Dinge zu schlagen, egal was, Steine, Holzklötze, Pappschachteln, Hauptsache darauf herumhämmern. Von eben diesem Großvater Api bekam ich einen Glaserhammer geschenkt. Sogar mit einem Band im Stiel, damit ich ihn mir umhängen konnte. Eines Tages, er war da um die achtzig, schlief er zur Mittagszeit genau auf dem Sofa ein, auf dem ich jetzt lag. Meine Mutter hörte das Geräusch von splitterndem Glas und rannte ins Wohnzimmer. Ich hätte, so meine Mutter, hoch oben auf der Sofakante gestanden und mit meinem Hammer ein Bild nach dem anderen zerdeppert. Auf den eben noch schlafenden, jetzt verdutzt erwachenden Großvater sei ein Scherbenregen niedergegangen. Selbst als er schrie »Was tust du da, Satanas?«, hätte ich noch weitergehämmert.

Seltsam, dachte ich, jetzt wieder auf diesem Sofa unter den Vorfahren dösend, warum hatte ich das nur gemacht? Da klingelte das Telefon in die Schneekatastrophenstille hinein. Ich sprang auf und nahm den Hörer ab. Es rauschte. Ich rief: »Papa? Papa?« »Jaaa, ich bin's. Kannst du mich hören?« »Schlecht. Wo bist du?« Meine Brüder und meine Mutter kamen dazu, und jeder von ihnen wollte den Hörer haben, hielt sich für den jetzt einzig richtigen Gesprächspartner und war sich sicher, dass es an mir lag, dass ich nicht begriff, was mein Vater sagte. Aber ich gab ihn nicht her. Aus der Muschel zischte es. Ich hörte das Wort »Hubschrauber«. Mein mittlerer Bruder riss am Telefonkabel. Ich schrie ihn an. Er versuchte, mir den Hörer aus der Hand zu drehen. Meine Mutter rief: »Hört auf! Was sagt er? Wo ist er?« Ich rief »Papa! Papa!«, doch die Verbindung wurde unterbrochen. »Du bist so ein Vollidiot!«, stöhnte mein ältester Bruder

Ich rannte in mein Zimmer und knallte die Tür zu. Aber dieser eine Knall reichte mir nicht. Ich öffnete sie wieder und warf sie ein zweites Mal mit noch mehr Schmackes ins Schloss. Und dann ein drittes, ein viertes und fünftes Mal. Unermüdlich riss ich die Tür auf und warf sie mit aller mir

zur Verfügung stehenden Kraft wieder zu. Einhändig, beidhändig, bis der Putz aus dem Türstock zu rieseln begann. Am
Flurende sah ich, wie mich acht Augen sorgenvoll beobachteten. Zwei Mutteraugen, vier Bruderaugen und zwei Hun-
deaugen. Ich wollte nie, nie wieder damit aufhören. War wie
eingespannt in eine Zorn-Apparatur aus Wucht und Knall.
Bis zu meinem Tode würde ich diese Scheiß-Kinderzimmer-
tür zufeuern.

Doch meine Erschöpfung machte auch diesem Lebens-
entwurf einen Strich durch die Rechnung. Völlig fertig brach
ich zusammen, schleppte mich in mein Bett und, keine Ahnung, warum, spuckte die Wand an. Ich rollte mich in meine
Decke ein und beobachtete, wie mein Speichel missmutig
und irgendwie gehemmt die Rupfentapete hinunterkroch.
Ich lag da und lauschte. Etwas war anders. Ich stand wieder auf und sah hinaus. Die Schneeflocken sanken wie ver-
langsamt zu Boden. Ich öffnete mein Fenster. Kein Lüftchen
regte sich mehr. Der Sturm hatte sich gelegt. Nach mehr als
zwei Wochen Sturmjaulen und -heulen, nach Staubschnee-
wirbeln und Augenzusammenkneifen war jetzt Stille einge-
kehrt.

Es dauerte noch Stunden, bis mein Vater zurückkkam – un-
versehrt, mit roter Nase und frohen Augen. Er war tatsächlich mitgeflogen. Angeschnallt, hinten im Hubschrauber.
War auf unserer Koppel gelandet und hatte Michaela das
Insulin gebracht. Doch das war noch nicht alles. Ein Fern-
sehteam war auch mitgeflogen und hatte einen Bericht über
die Schneekatastrophe gedreht. »Vielleicht«, sagte mein Vater, »bin ich ja auch drin. Gefilmt haben sie mich. Sogar in-
terviewt.«

Wir versammelten uns vor dem Fernseher. Der Zeiger
ruckte auf die Zwölf zu. Die letzten fünf Sekunden wurden

durch ein stotterndes Piepen untermalt. Dann ertönte der Acht-Uhr-Tagesschau-Gong. Die Schneekatastrophe war das erste Thema. Der Sprecher begann: »Die Situation im Norden spitzt sich weiter zu. Obwohl der Wind nachgelassen hat, sind immer noch Hunderte Menschen von der Außenwelt abgeschnitten. Zum Teil haben sich dramatische Szenen abgespielt. Nur durch die Unterstützung der Bundeswehr konnte Schlimmeres verhindert werden.« Luftaufnahmen der im Schnee erstickten Landschaft wurden gezeigt. Ganze Dörfer waren unter Tonnen von Weiß begraben, die Türme der Dorfkirchen der einzige Anhaltspunkt.

Da schwenkte die Kamera von der welligen Weite der Schneewüste plötzlich ins Innere eines Hubschraubers. Ich sprang vom Boden auf! Da saß mein Vater, hielt sich mit der Hand an einem Griff fest und sprach in die Kamera: »Ja, auch wir in der Kinder- und Jugendpsychiatrie Hesterberg haben gerade sehr mit dem Schnee zu kämpfen. Eben waren wir in Kiel. Wir haben einen unserer Patienten dort ins Krankenhaus geflogen. Jetzt sind wir unterwegs, um ein Mädchen in Lebensgefahr mit Insulin zu versorgen!« Auch meine Brüder waren aufgestanden und konnten kaum glauben, was sie da sahen und hörten. Kurz darauf wurde Sohn Meisner gezeigt, wie er in einem Schneefeld mit einem an eine Latte gebundenen roten Hemd winkte. Langsam kam der Boden näher. Unser Wochenendhäuschen und auch der Altenteil waren nichts weiter als zwei weiche, unter dem Schnee begrabene Hügel in der Landschaft. Mein Vater kletterte unbeholfen aus der Luke des Hubschraubers, arbeitete sich geduckt unter den sich verlangsamenden, Furcht einflößenden Rotorblättern zu Sohn Meisner hinüber. Sie betraten das vermüllte Haus, die Kamera folgte ihnen ins Innere. Da der Strom ausgefallen war, brannten Kerzen. Michaela lag aufgebahrt und sichtlich erschöpft auf dem Sofa. Sie rollte mit den Augen, und mir schien es kaum glaubhaft, dass es nicht gespielt war. Während man sah, wie mein Vater ihr das Insulin spritzte, ging der Bericht weiter: »Hier wurde ein Mädchen in letzter Sekunde gerettet und später zusammen mit ihrem Bruder in eine der Notunterkünfte ausgeflogen. Da der Wind nachgelassen hat, hofft man in Schleswig-Holstein in den nächsten Tagen auf eine leichte Entspannung der Lage. Von Entwarnung kann aber noch keine Rede sein, da nach wie vor sämtliche Straßen unpassierbar sind. Das Fahrverbot hat weiter Bestand.«

Ich setzte mich auf den Schoß meines Vaters. Er legte seine Arme um mich und drückte mich an sich. Meine Brüder setzten sich auf die Sessellehnen. »Hattest du nicht furchtbare Angst?«, fragte ihn mein mittlerer Bruder. Mein Vater überlegte einen kurzen Moment, und dann sagte er mit völliger, fast heiterer Offenheit – einer Offenheit, nach der ich mich später oft sehnen sollte: »Doch, sehr, aber das hat mir überhaupt nichts ausgemacht.«

Drei Tage nachdem er sich in unser aller Augen zum Insulingott und Hubschrauberhelden aufgeschwungen hatte, hörte es endlich auf zu schneien. Als Arzt hatte mein Vater eine Sondererlaubnis und durfte sein Auto benutzen. Zwischen meterhohen Schneewänden fuhren wir im Schneckentempo durch die nach und nach wieder freigeräumte Stadt. Durch einen mir bis heute rätselhaften Denkfehler war ich mir sicher, dass aus den Schneemassen eine vollkommen verwandelte Kleinstadt hervortauen würde. Dieser ganze Schnee, so malte ich mir aus, war doch wie ein kühler Kokon um uns alle herumgewoben worden. Doch was da schlüpfte, war keine zauberhafte Kleinstadt. Es war dasselbe nasse, matschige Kaff wie vor der Katastrophe. Ein paar Tage lang schien noch kalt die Sonne, und alles sah aus wie in einem Skiparadies ohne Berge.

Nachdem ich zwei Tage lang den winzigen Schlittenberg

geschätzte dreitausendmal hochgelaufen war, um ihn ganze vier Sekunden lang herunterzurasen, überlegte ich mir etwas anderes. Durch eine letzte Aktion wollte ich diesem Jahrhundertwinter huldigen. Ich nahm mir meine Gummistiefel, steckte sie in zwei Plastiktüten, die ich mit Einmachgummis am Schaft der Stiefel befestigte, und spazierte zusammen mit unserem Hund in den Wald. Dort begann die lange Gerade, auf der die Laufambitionen meines Vaters so kläglich gescheitert waren. Ich hielt die Hundeleine mit beiden Händen fest, ging in die Hocke und rief: »Los, lauf! Lauf!« Der Hund setzte sich in Bewegung und ich glitt hinter ihm her. Er wurde schneller und schneller. Durch die dunnen Sohlen der Gummistiefel spürte ich jede kleinste Bodenwelle. In vollem Galopp fegte der Hund über die Waldwegrennbahn und zog mich in rasendem Tempo hinter sich her. Bis zum Ende ging das so!

Als ich nach dieser Flachland-Schussfahrt zum Stehen kam, ließ ich mich in den Schnee fallen, und der Hund leckte mir das Gesicht. Ich klopfte ihm den Kopf, sagte: »Fein gemacht. He, du Schlittenhund, komm her!«, und herzte und küsste ihn. Tagelang, bis auch der letzte Rest Schnee geschmolzen war, zehrte ich von dieser Fahrt, hatte ich einen kleinen, goldenen Stein im Kopf, der leuchtete und mich ganz verrückt vor Glück machte.

Ich glaube, dass es mein Vater war, der dann dafür sorgte, dass der Geschwisterhaushalt der Meisners aufgelöst wurde. Der Bruder bekam eine Wohnung in der Stadt, und Michaela wurde in eine Einrichtung verfrachtet. Ihr Bruder starb, als er so alt war, wie er immer schon ausgesehen hatte, an einem Herzinfarkt beim Mofafahren. Die Schwester ist aufgrund ihres Diabetes erblindet, lebt aber noch. Ihr Haus verfiel.

Wochenende für Wochenende fuhren wir aufs Land. Mein Vater setzte sich in seinen Landhaussessel und las Landhauslektüre wie zum Beispiel »Walden« von Thoreau oder blätterte in Gartenzeitschriften, und meine Mutter schuftete. Er lief über das riesige Grundstück und suchte nach dem aus fachlicher Sicht optimalsten Aufstellplatz für den geplanten Bienenstand, zählte, wie viele Eier seine andalusischen Hennen gelegt hatten, hielt seine Hände in den Urinstrahl eines Schafes und rief: »Ah, das ist das Leben, das sprudelnde Leben!«, und meine Mutter schuftete.

Ein Leben lang, oder richtiger: sein Leben lang setzte sie das praktisch um, was er sich theoretisch ausgedacht hatte. Schon immer hatte sie meinem Vater alles Praktische abnehmen müssen. Vor Jahren hatte sie sowohl seine Doktorarbeit als auch seine Habilitation für ihn geschrieben. Er wusste alles, aber sich hinsetzen und es ordnen konnte er nicht. Rauchend ging er vierzehn Tage im Zimmer auf und ab und diktierte meiner Mutter seine komplette Habilitation. Er war ein Meister darin, Dinge zu delegieren, aber eine komplette Null darin, sie selber auszuführen. Heute denke ich, dass vielleicht auch unsere Familie für ihn immer nur eine Vorstellung war. Das Leben als Direktor einer Psychiatrie, das Leben als Kapitän auf einem Schiff, das Leben als Selbstversorger auf dem Land, das Leben als Vater und Ehemann in der Familie – auch wir waren eine Theorie, die er nur in seinem Sessel, in Bücher vertieft, oder fern von uns ertrug.

Der Seemann und die Nonne

Die Tatsache, dass ich als Jüngster auch als Erster zu Bett gehen musste, kränkte mich nicht, das sah ich durchaus ein, und neun Uhr war für mein Alter unter der Woche eine wirklich großzügige Zeit. Dass ich aber dadurch keinen einzigen Spielfilm zu Ende sehen konnte, führte immer wieder zu Dramen und Zusammenbrüchen. Die Spielfilme begannen um Viertel nach acht, direkt nach den Nachrichten, und gingen bis zehn Uhr oder auch länger. Ich war in einer ausweglosen Situation. Sollte ich mich aus Selbstschutz, wie ein minderjähriges Vernunftswunder, um Viertel nach acht aus dem Fernsehzimmer verabschieden? Sollte ich allen ein Gutenachtküsschen geben und sagen: »Ach wisst ihr, ich fang den Film lieber gar nicht erst an. Denn neun Uhr ist ja meine Bettgehzeit, wie ihr alle wisst. Das macht mich nur traurig. Also gute Nacht, liebe Familie, und viel Spaß. Ihr könnt mir ja morgen beim Frühstück erzählen, wie es war.« Stellten sich meine Eltern das so vor? Ich hatte es sogar einige Male versucht, war hinausgegangen und hatte mich zum Hund gelegt. Aber sobald ich die Vorspannmusik oder den brüllenden Metro-Goldwyn-Mayer-Löwen hörte, konnte ich nicht anders, als zurück zum Fernseher zu laufen und mich nah davorzulegen. Meine Brüder machten flehentliche Gesichter und baten: »Aber bitte, bitte kein Neun-Uhr-Drama, das ist

215

so ein hammertoller Film.« Oder leiser: »Verteilt schon mal die Ohrstöpsel.« Mein Vater saß in seinem Sessel. Er hielt ein Buch in den Händen, da er angeblich viel lieber las. Zwei Stunden lang konnte er so dahocken, gebannt von einem Film, ohne ein einziges Mal umzublättern.

Mein Hang zu Spielfilmen wäre mit Bezeichnungen wie »mögen« oder »gefallen« nur unzulänglich beschrieben. Es war die einzige Zeit des Tages, da ich zur Ruhe kam. In der Schule rieb ich mir die Cordhose blank, kippelte und trommelte, von allen unbemerkt, so schnell wie möglich in meinen Schuhen mit meinen Zehen herum. Meine zehn im Geheimen zuckenden Blitzableiter. Am Nachmittag rannte ich über das Anstaltsgelände, erstürmte die Zimmer meiner Brüder oder zappelte einfach planlos durch die Welt. Meine Hausaufgaben, ein pädagogischer Einfall meines Vaters, machte ich wie ein kleinwüchsiger Gelehrter an einem extra für mich in der Psychiatrie-Schreinerei getischlerten Stehpult. Ich hatte so oft darauf hingewiesen, dass ich es hassen würde zu sitzen, dass mein Vater gesagt hatte: »Na, dann stehst du eben!« Meine Brüder rollten mit den Augen, öffneten meine Kinderzimmertür und sprachen so, als ob sie Funker wären: »Hirni am Stehpult! Hirni am Stehpult! Bitte melden!« Ich stand wippend auf den Zehenspitzen, übte in krakeliger Schmierschrift die englischen Wochentage und begriff nichts. Buchstabe für Buchstabe kopierte ich das Wort »Wednesday« aus dem Englischbuch. Dann deckte ich es zu. Als hätte mir ein Sekundentumor das Gehirn weggefressen: alles vergessen! Es ging einfach nicht. Mein Kopf war eine unwirtliche Wüste, in der Zahlen und Schrift orientierungslos umherirrten, spurlos verschollen gingen und nie mehr gesehen wurden. In meiner Not hatte ich sogar eine Zeit lang Buchstaben nicht abgeschrieben, sondern mit Butterbrotpapier abgepaust, so kryptisch waren sie mir. Ich wäre schon froh gewesen, wenn mein

Hirn ein Sieb gewesen wäre, dann hätte sich unter Umständen immer noch der ein oder andere kompaktere Wissensbrocken darin halten können. Doch in meinem Kopf war einfach nichts: keine Haken, keine Schubladen, keine Schränke: einfach kein Stauraum für irgendeine Art von Information. Egal wie, im Sitzen, im Stehen, ich hätte auch fliegen können – weg, alles war sofort wieder weg. Zum einen Ohr rein und zum anderen gleich wieder raus, das war für mich mehr als nur ein Spruch, das traf den Nagel mit voller Wucht auf den Kopf. Meine Ohren waren Ein- und Ausgänge eines unbeleuchteten Hohlraumes, eines Tunnels mit Durchgangsverkehr. »Hirni am Stehpult! Hirni am Stehpult! Bitte melden!«

Auch bei den Mahlzeiten war ich immer in Bewegung, aß und trank in solch einem Tempo, dass mir vor lauter Hektik die Koordination durcheinandergeriet. Stach mir mit der Gabel in die Lippe, kippte, egal wie weit ich es vor mir in Sicherheit gebracht hatte, mein Glas um und tropfte mir unentrinnbar mit Tomatensoße den Pullover voll. Mein Vater legte mir die Hand auf die Schulter und sprach wie ein Tiertrainer: »Ruhig, hm, ganz ruhig, es ist alles gut.« Ich konnte aber nicht anders. Es kam mir so vor, als wäre einfach zu viel in mir drin. Ein paar Liter zu viel Blut, zu große Knochen, zu fette Organe, ein zu großes pumpendes Herz, einfach zu viel. Ich wäre so gerne ein dicker und behäbiger Mann wie mein Vater gewesen, ein Bildungs-Buddha, aber ich war ein spindeldürrer Hochdruck-Zappler.

Nur vor dem Fernseher beruhigte ich mich. Sobald ich dort lag, kam eine geradezu wohlige Gelassenheit über mich. Der brüllende Metro-Goldwyn-Mayer-Löwe war meine Entspannungsfanfare. Doch durch eine bösartige Magie verging die Dreiviertelstunde bis neun Uhr unfassbar zügig. Im ersten Moment dachte ich stets, meine Brüder wollten mich provozieren, wenn einer von ihnen sagte: »So, neun, Abflug,

Kleiner!« Ich sah zu meiner Mutter hinüber. Sie nickte. Ich krabbelte zu meinem Vater, nahm seine Hand und drehte die Armbanduhr zu mir. Tatsächlich, kurz nach neun. Was dann kam, folgte einem verlässlichen Muster. Ich legte mich wieder hin, in der Hoffnung, dass auch meine Eltern und Brüder den Film so spannend fanden, dass sie die Uhrzeit und mich einfach vergaßen. Doch egal, wie fesselnd der Film auch war, meine Brüder waren strenge Zuchtmeister und legten, wenn es um mich ging, größten Wert auf die Einhaltung der mir auferlegten Regeln. Spätestens um zehn nach neun erinnerte sich einer von ihnen an mich: »Ich glaub, da ist einer überfällig.« Jetzt stimmte auch meine Mutter zu: »Komm, mein Lieber, ich begleite dich. So spannend ist das nun auch wieder nicht.« Die nächste Phase war die Diskussionsphase, in der ich mir gerne ein absurdes Argument zu eigen machte: »Aber warum lasst ihr mich denn dann überhaupt gucken? Dann hättet ihr mich gleich um Viertel nach acht ins Bett schicken müssen.« »Ruhe, wir wollen das hier sehen! Los, geh ins Bett.« »Bis halb zehn, ja, bitte?« Es war immer gut, zuerst mit meiner Mutter zu verhandeln und dann mit meinem Vater. »Also gut. Aber um zwanzig nach gehst du dann einfach. Versprochen?« Ich nickte, legte mich zurecht, und mein mittlerer Bruder rief: »He, es ist schon zwanzig nach!« Wieder sah ich auf die Uhr meines Vaters. »Neunzehn nach!«, rief ich und legte mich wieder hin. »Papa, bitte, bitte nur noch einen Moment!« Mein Vater war oft einfach zu müde, um streng zu sein, und mit einem »Gut, fünf Minuten noch« gab er mir sonor eine letzte Schonzeit. Trotz dieses Zugeständnisses war ich zu diesem Zeitpunkt schon irreversibel auf der Raketenabschussrampe aufgebockt. Jetzt gab es kein Zurück mehr. Mein Countdown lief.

Um halb zehn musste mein mittlerer Bruder zu Bett. Wenn meine Zeit sich der seinigen näherte, wurde er böse.

Dabei wusste ich genau, dass er, wenn ich erst einmal schlief, die Spielfilme bis zum Ende sehen durfte. »Jetzt langt es mal! Der soll ins Bett! Ist gleich halb zehn. Morgen ist Schule.« Ich rief zu ihm herüber: »Lass mich doch in Ruhe. Was geht dich das überhaupt an.« Meine Mutter dazwischen: »Hört auf. Lasst euch in Frieden!« Währenddessen drehte mein ältester Bruder, wohl wissend, was uns nun allen bevorstand, den Fernseher lauter. Hiermit begann die dritte Phase: Mein mittlerer Bruder sagte irgendetwas Fieses wie: »Los, Wasserkopf, ab in die Kiste, morgen musst du fit sein, um in Mathe endlich mal 'ne Fünf zu schaffen!« Und ich startete meine erste Zornzündstufe, volle Kraft voraus, und hob vom Boden ab. Schreiend stieg ich in die Höhe, durchstieß brüllend die Atmosphäre, warf die ausgebrannten Triebwerksteile ab und trat trampelnd in meine wutentbrannte Umlaufbahn ein. Schwerelos schlug ich um mich und ließ allen irdischen Kleinmut hinter mir. Aber, und das ist ein riesiges ABER, obwohl alle glaubten, ich wäre weggetreten und nicht mehr ganz bei Sinnen, gelang es mir, während meines kosmischen Anfalls weiter das Geschehen auf dem Bildschirm zu verfolgen. Ich wälzte mich so, dass ich alles im Blick behielt. Ein Teil von mir bog und krümmte sich im Jähzorn, während der andere Teil, in Schwerelosigkeit geborgen, gelassen im Orbit kreiste und weiter den Spielfilm verfolgte. Das war mein Geheimnis, das durchschaute keiner. Das war hohe Kunst: Auszucken und gleichzeitig Fernsehen gucken!

Mein Vater beugte sich über mich, griff mir unter die Arme, stellte mich auf die Füße und führte mich ab. Sobald ich aus dem Fernsehzimmer entfernt worden war, kam das Unglück. Schluchzend stotterte ich: »Ich hätte hätte das das das so so so gerne zu zu Ende gesehen!« Er tröstete mich, leistete mir beim Zähneputzen Gesellschaft und brachte mich zu Bett. »Warte, Papa, ich will nur noch schnell Gute Nacht sagen!« Mein Vater zog wissend die Braue seines Gottfried-Benn-Auges in die Höhe: »Aber schnell, ja!« Mitleiderregend, wie ein blondgelockter, geprügelter Hund im Schlafanzug – der zuerst meinem ältesten, dann meinem mittleren Bruder gehört hatte –, betrat ich erneut das Fernsehzimmer. Nun begann die vierte Phase. Ich umarmte meine Mutter, hauchte »Gute Nacht, Mama, entschuldige!« und setzte mich auf ihren Schoß. Ich legte mein Kinn auf ihre Schulter, drehte den Kopf ein wenig und sah wieder in den Fernseher. Ich versuchte, die Lücke, die die Abendtoilette in die Handlung gerissen hatte, mit Logik zu füllen. Meine Brüder waren vertieft in den Film, aber auch sie waren Meister der geteilten Aufmerksamkeit. Ohne den Blick vom Geschehen abzuwenden, leicht gelangweilt, klärte mein mittlerer Bruder meine Mutter auf: »Weißt du, wie man das in der Pädagogik nennt, Mama? Schaukelerziehung! Ihr bringt den Hirni total durcheinander. Jetzt glotzt er schon wieder!« »Bitte, wirklich, bitte lass ihn in Ruhe, er geht ja gleich zu Bett!« »Ich hab doch gar nichts gesagt! Aber wenn der eine Dreiviertelstunde später als seine eigentliche Zeit zu Bett geht, dann darf ich auch länger aufbleiben. Ab heute geh ich nicht mehr um halb zehn ins Bett, sondern eine halbe Stunde später als der da!« Mir war das nur recht, dass sie sich unterhielten. Jede Minute war ein Gewinn. Mein Vater rief: »Wo bleibst du denn?« Meine Mutter hob mich von ihrem Schoß: »Gute Nacht, schlaf gut!« Ich ging zu meinem ältesten Bruder und sagte: »Gute Nacht!« Er sah mich liebevoll an und klopfte mir auf meine Locken: »Gute Nacht, Berserker, schlaf gut und träum was Schönes.« Auch mein anderer Bruder lächelte mir zu, lächelte mit diesen absurd großen Schneidezähnen: »Schlaf gut, Bruderherz. Hab dich lieb.«

Es war vorgekommen, dass ich zu diesem Zeitpunkt sogar noch in die fünfte Phase eintrat und vor Rührung einen Weinkrampf bekam, der dann todsicher bis zum Ende des

Filmes währte, doch meistens gab ich da auf, besuchte kurz den Hund, ging sterbensmüde in mein Bett, lauschte noch ein wenig dem Gebrüll der Patienten und schlief ein.

Bei einer meiner Medizinschrank-Inspektionen fand ich eine Durchblutungscreme. Nach genauem Studium des Beipackzettels wusste ich, dass sie ihre Wärme bis tief in die untersten Muskelregionen abgibt und dass es auf der Haut zu Rötungen kommen kann. Diese würden aber schnell wieder verschwinden und seien ungefährlich. Ich schraubte die Tube auf, drückte ein wenig hinaus und machte mir einen Salbentupfer auf den Handrücken. Die Stelle wurde angenehm warm, ja heiß, und dann tatsächlich knallrot.

Und ich machte eine andere sensationelle Entdeckung: Beim Blättern in der Fernsehzeitung konnte ich im ersten Moment kaum glauben, was ich da las: Ein Spielfilm, der am Abend zuvor gelaufen war, wurde am nächsten Morgen wiederholt. Zu einer eigenartigen Zeit: 10 Uhr 23. Ich blätterte die ganze Woche durch, und wirklich, auch noch zwei andere Filme wurden zu dieser kryptischen Morgenzeit erneut ausgestrahlt. Eine aus dem Zeitungshaufen herausgeklaubte Fernsehzeitschrift von vor über drei Wochen beseitigte meine letzten Zweifel. Es war eine Tatsache: Meine Lieblingsspielfilme mit meinen Lieblingsschauspielern, denen so oft um Punkt neun oder spätestens um halb zehn das Zubettgeh-Fallbeil mitten in die Handlung sauste, gaben mir nach nur einer Nacht eine zweite Chance.

Mehrere Tage existierten diese beiden Entdeckungen, die Durchblutungscreme und die Spielfilmwiederholungen, friedlich nebeneinanderher, ohne sich zu tangieren. Ich grübelte über einen Vorwand nach, um an einem Vormittag nicht in die Schule zu müssen. Irgendeine Krankheit oder ein Familienfest? Sollte ich eine Entschuldigung fälschen?

Und unabhängig davon machte ich ausgiebige Versuche mit der Salbe, malte mir heiße Sterne auf die Beine oder wärmende Gesichter: Punkt, Punkt, Komma, Strich – fertig ist das Mondgesicht.

Und dann kam ein Film im Fernsehen, den ich unbedingt sehen wollte, sehen musste: »Der Seemann und die Nonne«. Laut dem kleinen Bild und der Beschreibung hatte dieser Film alles, was ihn zu einem potenziellen Lieblingsfilm erhob: ferne Insel, finstere Japaner, zarte Nonne, Fliegerangriffe und in der Rolle des Seemanns einer meiner Leinwandhelden: Ich verehrte Robert Mitchum. Diesmal würde ich mich nicht ins Bett schicken lassen! Und da fusionierten die Durchblutungscreme und die Wiederholungen zu einem herrlich waghalsigen Plan. Am besagten Abend versammelte sich die Familie vorm Fernseher. Nach dem Wetterbericht, wie immer Regen und Wind, sagte ich: »Ich fühl mich irgendwie nicht gut. Ich glaub, ich geh mal besser ins Bett.« »Wie bitte?«, mein mittlerer Bruder war sofort misstrauisch, »gleich fängt der Film an. Du weißt schon, wer da mitspielt?« »Ja klar, aber mir ist schon den ganzen Tag über so komisch im Bauch.« Wenn ich mich freiwillig bei so einem Spitzenfilm ins Bett verabschiedete, musste es richtig schlimm um mich stehen. Mein Vater legte mir die Hand auf die Stirn: »Du hast aber kein Fieber, Lieber.« Ich stand etwas gebückt, blieb aber in der Darstellung meiner Symptome eher vage. »Ich leg mich wirklich besser hin. Schlaft alle gut, gute Nacht!« Meine Brüder fixierten mich prüfend. Konnte das sein? Da musste es mir wirklich verdammt schlecht gehen, wenn ich Robert Mitchum sausen ließ. Und während ich in der Türe kränklich die Hand hob, um ein letztes Mal in die Runde zu winken, dröhnte aus dem Fernseher die fantastische, orchestral wuchtige Musik von Twentieth Century Fox.

Mein mich zu Bett bringender Vater umsorgte mich im Eiltempo, da auch er Robert Mitchum liebte. »Brauchst du noch was?« »Ich hab ein wenig Bauchweh. Vielleicht wäre eine Wärmflasche nicht schlecht.« »Ja, klar, mach ich dir!« So schlief ich an diesem Abend selig ein, mit wabbeliger Hitze am Bauch, den durch die geschlossene Tür des Fernsehzimmers dringenden Todesschreien der Japaner in den Ohren und einem geschliffenen Plan vor Augen.

Am nächsten Morgen beim Frühstück tat ich so, als hätte ich eine harte Nacht gehabt, aß wenig und blickte leidend auf meinen Teller. Auch auf die noch muden, aber schon stachelligen Kommentare meiner Brüder reagierte ich nicht und ließ sie an meiner Mattigkeit abtropfen. Mein mittlerer Bruder sagte: »Vielleicht war das der beste Robert-Mitchum-Film, den ich je gesehen habe.« Mein älterer Bruder gab ihm recht: »Ja, wenn ich den verpasst hätte, würde ich durchdrehen.« Ich rührte in meinem Kamillentee, trotz meines geheimen Plans stinksauer, hätte ihn am liebsten in die Runde geschüttet, beherrschte mich aber und gähnte. »Hast du denn Kopfweh?«, fragte meine Mutter. »Nein, es geht schon«, sagte ich. Ich wurde mutiger: »Ich muss heute unbedingt in die Schule, da wir die Übungen für die Englischarbeit bekommen!« »Ja, aber wenn es dir zu schlecht geht, bleib lieber hier und leg dich ins Bett!« »Wird bestimmt gleich besser, Mama.« Ich lächelte von einem zum anderen. Ein Lächeln, so lieb, so tapfer, dass nun auch meine Brüder anfingen, sich Sorgen zu machen. »Du Armer, du bist ja ganz käsig. Hoffentlich hast du nichts Ansteckendes.« »Ich muss mal aufs Klo.« Ich stand auf, hielt mich kurz an der Tischkante fest, atmete tief ein, bis der Bauchkrampf vorüber war, und schlurfte von dannen. Sobald ich im Flur war, rannte ich zum Medizinschrank, rückte den Stuhl davor und entwendete die Durchblutungscreme, schob die große Tube in die enge Tasche meiner Jeans. Ich zog mir meinen Anorak an, setzte mir den Schulranzen auf und ging, um mich zu verabschieden, ins Wohnzimmer. Mein Vater saß in seinem Sessel und las Zeitung. »Bis dann, Papa.« »Ich mach mir etwas Sorgen um dich, mein Lieber. Bist du sicher, dass du dich nicht hinlegen möchtest?« »Ach, ich versuch es einfach mal. Wenn es nicht geht, kann ich ja wieder nach Hause kommen.« Er sagte genau das, was ich mir erhofft hatte: »Nimm dir einen Schlüssel mit und ruf mich an. Du bist ja wirklich sehr tapfer. Was du wohl hast? Mir kommt das alles etwas rätselhaft vor.« Ich gab ihm einen Kuss auf seine Hand.

Mein Vater nahm hin und wieder eine Hautfalte auf seinem Handrücken zwischen Daumen und Zeigefinger und zwirbelte sie. »Schau dir das an«, sagte er dann stets ernüchtert, »das bleibt einfach so. Das dauert ewig, bis sich die Haut wieder glatt zieht. Gib mir mal deine Hand.« Wenn er dasselbe Experiment bei mir machte, schnellte meine Haut sofort wieder zurück.

Ich verabschiedete mich von meiner Mutter und machte mich auf den Weg in die Schule. In der ersten Stunde hatte ich Erdkunde. Ich war zu erregt, um irgendetwas mitzubekommen. Immer wieder rechnete ich die Zeiten durch. Erste Stunde bis zwanzig vor neun. Zweite Stunde bis fünf vor halb zehn. Dritte Stunde würde zu knapp werden. Meine kurz vor ihrer Pensionierung stehende Englisch-Lehrerin hatte, das kann man ohne Übertreibung sagen, eine Vollmeise. Sie fror immer fürchterlich, war stets in eine bodenlange Wolldecke gewickelt und trug eine Pudelmütze im Unterricht. Dabei war sie braun gebrannt. Ihr Kinn war von Falten zerfurcht, selbst ihr Mund sah aus wie eine lippenlose Kerbe, und wenn sie sprach, sah man nie ihre Zähne. Wie sie da vor der Klasse stand, sah sie aus wie ein erleuchteter Sherpa.

Nach ungefähr zehn Minuten zog ich die arg zerbeulte Tube aus meiner Hosentasche. Wie in allen Fächern musste ich auch in Englisch zur permanenten Kontrolle in der ersten Reihe sitzen. Während die Lehrerin etwas an die Tafel schrieb, beugte ich mich nach unten, so als würde ich etwas in meinem Schulranzen suchen, und tupfte mir die Durchblutungscreme ins Gesicht. Geschafft. Jetzt hieß es geduldig zu warten. Doch nichts geschah. Ich setzte mich aufrecht hin und hielt der Lehrerin mein hoffentlich von knallroten Pusteln übersätes Gesicht hin. Sie sah mich mehrmals an, war aber so in ihren auf Englisch gehaltenen Vortrag vertieft, dass sie meinen zu diesem Zeitpunkt bereits, da war ich mir sicher, das hatten meine Experimente mit Stoppuhr ergeben, besorgniserregenden Krankheitsverlauf nicht übersehen konnte. Hatte ich ihre Verrücktheit unterschätzt? Sollte mein Plan daran scheitern, dass diese bemützte, in die Wolldecke eingewurstete Frau nur um sich selber kreiste? Ich setzte alles auf eine Karte. Ohne die geringste Ahnung zu haben, was die Frage war, meldete ich mich und zerschnipste die Luft vor gespieltem Wissensandrang. Sie sah mich überrascht an, ließ ihren Blick dann aber doch weiterschweifen, um jemand anderen zu wählen. Ich erhob mich ein wenig vom Stuhl und fuchtelte und schnipste, als wäre mein Arm eine knallende Peitsche. Es gelang mir, ihren Blick zu mir zurückzulenken. Genervt blaffte sie mich an: »What's wrong with you?« Ich sah sie an, versuchte, ein großes Gesicht zu machen. »Do you want to answer the question? Was ist denn los mit dir?« Panik befiel mich. Hatte ich aus Versehen eine falsche Creme eingepackt? Blieben die Durchblutungspusteln aus? Jetzt oder nie. Ich tat etwas vollkommen Irrationales. Ich öffnete den Mund, streckte meine Zunge weit heraus und machte Ahhhh. Und in diesem Moment sah ich in ihrem Blick endlich, dass ihr etwas an mir seltsam vorkam. Sie trat ganz nah an meinen Tisch heran: »Sag mal, wie siehst du denn eigentlich aus? Du hast ja lauter rote Punkte im Gesicht.« Mein Tischnachbar, ein völlig verschlafener Einserschüler, sah mich angewidert an und rückte an die äußerste Kante seines Stuhles.

»Steh mal auf und komm hier ans Fenster!«, befahl mir die Lehrerin und zog sich die Mütze vom Kopf. Ich stellte mich wie ein Rekrut, Hände an der Hosennaht, Füße zusammen, ins hellere Licht. Es lief gut, jetzt nur nichts überstürzen. Alles würde genau so ablaufen, wie ich es geplant hatte. »Fühlst du dich gut? So etwas hab ich ja noch nie gesehen.« Ich machte meine Augen so groß ich konnte, ein alle Schlüsselreize des Mitleids zur Schau stellendes Unschuldslamm. »Ja, mir ist ein wenig komisch. Im Bauch. Mir ist ganz schön schlecht.« Das war immer eine sichere Nummer. Sich in den Klassenraum übergebende Schüler waren eine echte Bedrohung. »So, du gehst am besten sofort nach Hause. Ist da jemand?« »Ja sicher, meine Mutter ist da und mein Vater kommt zum Mittagessen. Der ist ja Arzt.« »Gut, dann geh mal los.« Sie sah über die Klasse hinweg, die mich, die gepunktete Sensation, angaffte. »Wer will ihn begleiten?« Das war eine der begehrtesten Aufgaben, die einem erteilt werden konnten. Kranke durften nicht alleine den Heimweg antreten.

Aber niemand meldete sich. Einem Aussätzigen wollte keiner zu nahe kommen, geschweige denn ihm Geleitschutz geben. Damit hatte ich nicht gerechnet. Das war eine echte Gefährdung für meinen Plan. Wenn sich hier niemand bereit erklärt, mich zu bringen, dachte ich, dann rufen die meinen Vater an und ich bin verloren. »Niemand?« Die Lehrerin zog ihre Wolldecke enger und überlegte. Alle meine Freunde stierten auf die Tischplatten. Da meldete sich Björn, meldete sich als Einziger. Oh nein, nicht der, dachte ich. Björn, der Sitzenbleiber, Björn, der Heimlichraucher, Björn, der Ladendieb.

Zu zweit verließen wir das Schulgebäude. Die ersten Minuten schwiegen wir, und ich sagte nichts anderes als »Hier um die Ecke« oder »Jetzt geradeaus«. Wir kamen an einem Kiosk vorbei, und Björn fragte mich: »Hast du Lust auf ein Negerkussbrötchen? Ich hab Geld!« Zögerlich sagte ich »Ich weiß nicht. Mir ist nicht so gut!«, dabei liebte ich Negerkussbrötchen. Er ging in den Laden und kam mit zwei riesigen sogenannten Baguette-Brötchen zurück. »Hier, für dich! Sonderanfertigung mit zwei Negerküssen! Komm, wir setzen uns da auf die Mauer!« Ich überlegte, ob ich noch gut in der Zeit war, aber 10 Uhr 23 sollte kein Problem sein. »Na gut. Vielen Dank!« Wir saßen auf einem Mäuerchen und aßen. Er sah mir wissend ins Gesicht: »Also Windpocken sind das nicht!« »Ja, aber mir geht's echt nicht gut. Ich fühl mich total scheiße!« Er lachte, sagte: »Wetten, das ist morgen wieder besser!«, und biss beherzt in sein Brötchen.

Als wir vor unserer Haustür angekommen waren, sagte mir Björn, dass er aufs Klo müsse. Ich schloss auf, der Hund kam, schüttelte sich überrascht, und ich zeigte Björn den Weg zu unserer Toilette. Ich wollte ihn so schnell wie möglich loswerden. Er kam den Flur entlang: »Hast du nicht gesagt, deine Mutter wäre da?« »Die kommt bestimmt gleich wieder. Vielleicht ist sie kurz einkaufen!« »Ich darf dich doch nicht alleine lassen!« »Doch, doch, das geht schon. Ich leg mich jetzt mal hin. Wird bestimmt bald besser.« »Ich glaub, das ist sogar schon besser! Die roten Flecken sind alle schon wieder weg.« Ich sah zum Flurspiegel hinüber und entdeckte einen kerngesunden Jungen mit prächtiger Gesichtsfarbe, der dreinblickte wie ein dem Tode Geweihter. Ich drehte mich weg. Sah seine nagelneuen Turnschuhe auf mich zukommen, öffnete die Haustür: »Danke, dass du mich gebracht hast!«

Er griff sich in die Tasche seiner Jacke und fingerte eine Zigarette heraus. Eine einzelne Zigarette direkt aus der Jackentasche: »Klar, kein Problem. Viel Spaß, bis morgen!«

Ich schlug die Tür hinter ihm ins Schloss und wartete, bis sich seine durch das dicke Milchglas vernebelte Gestalt entfernte. Endlich allein! Ich rannte in die Küche. 10 Uhr 10. Aus meinem Kinderzimmer holte ich mir meine Bettdecke und das Kissen und brachte sie in das Fernsehzimmer, bereitete mir auf der Fernsehcouch ein gemütliches Lager. Ich zog die Vorhänge zu und schaltete den Fernseher an. Noch immer war ich mir nicht sicher, ob mein Plan aufgehen würde. So viel konnte noch geschehen. Stromausfall! Was hatte Björn gesagt? Viel Spaß? Was sollte das bedeuten? Viel Spaß wobei? Beim Gesundwerden? Warum hatten die Pusteln nur so kurz gehalten? Hatte ich vor Hektik zu wenig Salbe verwendet?

Voller Erwartung lag ich mucksmäuschenstill auf meinem Krankenlager. Eine Ansagerin, die ich noch nie gesehen hatte, begrüßte mich und wünschte mir beim nun folgenden Spielfilm viel Vergnügen. Das Twenty-Century-Fox-Orchester schmetterte los. Zu einem Schlagzeugwirbel tönten Trompeten und steigerten sich bis zu einer das Paradies auf Erden verheißenden Glücksfanfare. Die Temperatur unter meiner Bettdecke, die Position meines Kopfs auf dem Daunenkissen, die Ausrichtung zum Fernseher, das alles war von seltener Vollkommenheit. Der Spielfilm begann. In den nächsten hundert Minuten versank ich in diesem Film, wie ich es noch nie zuvor erlebt hatte.

Als meine Mutter gegen ein Uhr kam und ich schon wieder in mein Zimmer umgesiedelt war, setzte sie sich zu mir ans Bett. Am liebsten hätte ich ihr von dem Film erzählt. Ich musste meine Lippen zusammenpressen, so sehr wollten die Eindrücke von innen nach außen. Sie legte mir die Hand auf die Stirn: »Du hättest heute Morgen gleich zu Hause bleiben sollen. Ich glaub, du hast Fieber!«

Kurz darauf kamen meine Brüder aus der Schule. Sie bedauerten mich, brachten mir gemeinsam das Mittagessen ans Bett, setzten sich zu mir und heiterten mich auf. Mein mittlerer Bruder stahl sich zwei Karotten von meinem Teller, steckte sie sich wie riesige Vampirzähne in seinen Mund und rief sabbernd: »Blut ist ein ganz besonderer Saft!« Es war eine Regel unserer Familie, dass man auch am Nachmittag das Haus nicht verlassen durfte, wenn man krankheitshalber nicht in der Schule gewesen war.

Der Preis für den Fernsehmorgen würde, das war mir vollkommen klar, das war mir die Sache absolut wert, ein stinklangweiliger Nachmittag werden. Aber es kam anders: Sobald ich die Augen schloss und döste, stiegen die Bilder des Films in mir auf. Das zum ersten Mal entblößte Haar der noch nassen Nonne, die unter einem Laken direkt auf dem Boden einer Höhle liegt. Robert Mitchum, wie er bewegungslos in einer Speisekammer ausharrt, da er von Japanern überrascht wird, die die ganze Nacht ein merkwürdiges Brettspiel spielen. Es war mehr als nur ein bloßes Erinnern. Ich hatte eine Wiederholungstaste im Kopf und sah mir ganze Szenen immer wieder von vorne an.

Das Schwein soll endlich abhauen

Gemeinsam mit meinen Brüdern spielte ich in unserem sogenannten Hobbykeller Tischtennis, als wir zwischen zwei Ballwechseln verzweifeltes Schreien hörten. Sofort war uns allen dreien klar, dass das kein Patientenschrei war, sondern hier in unserem Haus jemand in äußerste Not geraten war. Wir warfen unsere Schläger auf die Platte und rannten die Kellertreppe hinauf. Noch auf den ersten Stufen war unsere Neugierde größer als unsere Sorge gewesen, doch mit jeder weiteren Stufe begriffen wir, dass es eine uns wohlvertraute, wenn nicht sogar die vertrauteste Stimme überhaupt war, die da ihren Schmerz herausschrie. Meine Brüder nahmen springend mehrere Stufen, und ich versuchte, es ihnen gleichzutun. Wir erreichten den Flur, die Wohnzimmertür war geschlossen. Mein ältester Bruder drückte die Klinke und stieß die Tür auf. Das, was ich eingekeilt zwischen meinen tief atmenden Brüdern sah, lag jenseits meines Vorstellungsvermögens. Nie hätte ich es für möglich gehalten, dass sich in diesem Zimmer, zwischen all den gediegenen Erbstücken: Bauernschrank und Biedermeier-Sekretär, Ohrensessel und Sofa, prall gefülltem Bücherregal und unter den Augen der Ahnengalerie, unserer soldatisch, akademisch, ärztlich Ehrfurcht gebietenden Erfolgsvorfahren, ein solches Drama ereignen könne. Wie konnte es sein, dass sich aus der Vertrautheit des Familienalltags ein solcher Sturm erhob? War das nicht meine Domäne: auszurasten, auszuflippen, auszuklinken? Doch gegen das, was ich jetzt sah, waren meine Zornattacken blutige Anfängernummern.

Vor meinen Augen zeigte ein wahrer Wut-Großmeister seine Kunst: Meine Mutter saß auf dem braunen Teppich boden und zerfetzte Zeitungen. Noch nie hatte ich ihre geschminkten Lippen so rot gesehen, noch nie ihre gefärbten Haare so schwarz. Um sie herum, durch die Luft, flatterten und segelten Papierstückchen. Blitzschnell, wie ein nach seiner Beute schnappendes Tier, griff sie sich immer neue Zeitungsseiten, schnellten ihre rot lackierten Fingernägel in den Stapel vor ihr, hackten hinein und krallten sich fest. Sie hielt das Papier kurz vor sich in die Höhe, zerriss es und warf die Fetzen mit aller Kraft in den Raum. Dann schlug sie nach den herabschwebenden Teilchen, prügelte auf sie ein. Mit der flachen Hand, mit dem Handrücken. Doch noch bevor alles zu Boden gesunken war, hatte sie sich bereits auf die nächste Zeitung gestürzt. Dabei brüllte sie: »Das Schwein soll endlich abhauen!« Immer wieder: »Das Schwein soll endlich abhauen!« Diese aus den Tiefen ihres Kummers herausbrechende Stimme war mir völlig unbekannt: rau und tief. Noch nie hatte ich mich vor meiner Mutter gefürchtet. Doch diese von unsichtbaren Furien gebeutelte Frau, dieses Zeitungen zerfetzende, brüllende Muttermonster jagte mir einen gehörigen Schrecken ein. Ihr vertrautes Mutter-Gesicht war kaum wiederzuerkennen. Ihre Zähne kamen mir groß vor und einzeln, und in ihren roten Schlund ging es tief hinab. Auch hatte ich sie sich noch nie so schnell bewegen gesehen. Ihre entfesselten Arme, der sich hin und her werfende Kopf, ihre ebenfalls lackierten Fußnägel, das alles konnte ich kaum mit den Augen verfolgen.

Mein Vater stand etwas abseits, vor der großen Fensterfront, und sah zu uns hinüber. Er war das genaue Gegenteil meiner Mutter. Vollkommen erstarrt stand er da. Seine wenigen Haare kamen mir ungewöhnlich glatt nach hinten gestrichen vor. Sein Blick war hoch konzentriert. Er sah zwischen seinen drei Söhnen und seiner tobenden Frau hin und her. Da entdeckte ich etwas in seinem ganzen Wesen – es war nur ein Hauch, eine winzige Dosis –, aber es überraschte mich sehr. Ich sah, dass er zwar angespannt war, aber eben nicht nur. Ich sah, dass er auch, und da gibt es kein anderes Wort, »genervt« war. Dass er seine Frau so erlebte, quälte ihn nicht, nein, es ging ihm sichtlich auf die Nerven. Diese Diskrepanz zwischen der sich mit unerhörter Pein entladenden Mutter und dem schütteren, glatthaarigen, eiskalt dreinblickenden, aber letztlich eben doch nur genervten Vater war riesig. Er kam zu uns und sagte: »Ich glaube, es ist besser, wenn ihr rausgeht, ja?« Aber es sprach nicht der Vater zu uns, auch nicht der sehr seltene strenge Vater, es sprach der Arzt, der mit Wut und Eskalation bestens vertraut war, der sich mit Verrückten auskannte. Wenn ich durchdrehte, sprach er mit mir als Vater, wenn ich die dritte Sechs in Mathe nach Hause brachte, sogar als der strenge Vater, doch jetzt klang er wie ein kompetenter Arzt, wie einer, der diese Situation durch seine jahrelange Erfahrung lösen und für Ruhe und Ordnung sorgen werde.

Wir rührten uns nicht, und mein Vater wiederholte seine Aufforderung an uns: »Ich möchte, dass ihr sofort in eure Zimmer geht!« Da meine Mutter so brüllte, musste er sehr laut sprechen. Das war eigenartig. Mein Vater sprach seinen Satz in die Verzweiflungspausen und Luftschnapper meiner Mutter hinein. Dadurch entstand ein verzahnter Mutter-Vater-Satz: »Das Schweiiiin – ich möchte, dass ihr – soo-olllll eeeeeendlich – sofort in eure – abhauuuuen – Zimmer geht.« Mein ältester Bruder sah meinen Vater an, stellte sich, was sehr selten vorkam, ganz aufrecht hin, wurde dadurch sogar größer als er, wuchs ihm in diesem Moment regelrecht über den Kopf und rief: »Nein!« So ein »Nein« hatte ich von meinem ältesten Bruder noch nie gehört. An diesem Nein war nicht zu rütteln, dieses Nein war unumstößlich, und da es mir so vorkam, als hätte mein Bruder auch für mich gesprochen, als wäre dieses Nein ein für alle drei Brüder stehender Widerstand gegen die Vater-Aufforderung, blieb auch ich stehen. So als hätte dieses Nein meinem Vater zwei schallende Ohrfeigen gegeben, eine links, eine rechts, schoss ihm das Blut in die Wangen. »Macht, dass ihr rauskommt!«, blaffte er uns an und schob seinen dicken Bauch wie einen Rammbock auf uns zu. Ehe er uns erreicht hatte, betrat mein ältester Bruder das Wohnzimmer, ging zu meiner Mutter, die sich auf den Rücken geworfen hatte, um sich trat und hin und wieder das machte, was man in meinem Sportunterricht Brücke nannte. Aber sie machte Brücke ohne Hände, direkt auf dem Kopf. Der Hund kam ins Zimmer getrottet, sah meine Mutter, fing zu bellen an und hüpfte wedelnd um sie herum. Mein mittlerer Bruder versuchte ihn zu schnappen, während ich weiterhin im Türrahmen stand. Meine Mutter warf sich zurück auf den Bauch, auf die Knie, kratzte die Papierschnitzel vom Teppichboden und warf sie wieder in die Höhe. Neben mir gab mein Vater ein Geräusch von sich – ich war ganz sicher der Einzige, der es hörte –, ein kümmerlicher Seufzer, der einen leisen, komplett enervierten Satz formte: »Oh nee … bitte nicht.« Dass meine Mutter Zeitungen zerriss, war wenigstens noch eine konkrete Handlung gewesen, dass sie sich herumwarf und zuckte, war zwar erschütternd für mich anzusehen, aber immerhin noch irgendwie vorstellbar, dass sie jetzt aber, obwohl gar keine Schnipsel mehr vor ihr lagen, immer intensiver am Teppich kratzte, kam mir sehr befremdlich vor.

Meinem mittleren Bruder war es gelungen, den Hund am Würgehalsband wegzuziehen. Mein ältester Bruder kniete sich zu meiner Mutter auf den Boden, legte ihr die Hand auf den Rücken. Mein anderer Bruder, der den keuchenden Hund zurückhielt, sah unglücklich zu mir herüber. Was macht sie da nur, dachte ich, was sucht sie denn nur? Verbissen scharrte sie weiter, bearbeitete den braunen Teppichboden, so als wolle sie sich direkt hier in unserem Wohnzimmer in den Boden hineinwühlen, sich ein Loch graben, einen Tunnel nach draußen.

Mittlerweile glühten nicht nur die Wangen meines Vaters, sondern auch seine Glatze hatte Feuer gefangen, der ganze Vaterkopf war in Brand geraten. Ob vor Scham, vor Zorn oder vor Unwillen, war mir unmöglich zu unterscheiden. Vor mir auf dem Boden sah ich meine Mutter, und wie gerne hätte ich so wie meine Brüder ein reines und tiefes Mitleid empfunden, so eine jede Zelle beglückende Empathie, aber auch ich verspürte einen Hauch von Genervtheit und dachte, »ja, jetzt ist es wirklich langsam mal genug«. Reißen, Schlagen und Schreien, na gut, aber minutenlang am Teppich kratzen kam mir überspannt vor und berührte mich peinlich. Als ihr zwei der langen, rot lackierten Nägel umbogen, rechtwinklig von den Fingerkuppen abstanden, brachte sie der Schmerz zur Besinnung. Sie ließ sich auf die Seite fallen und schluchzte und weinte. Ich sah meinen Vater an und tat etwas, das mich noch am selben Abend im Bett verwundern und noch Jahre später umtreiben sollte: Ich sah ihn an und zuckte ganz leicht mit den Schultern. Es war eine winzige, aber doch eindeutige Geste. Wie konnte ich nur? Ich schlug mich mit diesem Schulterzucken auf seine Seite und machte mich zu seinem Verbündeten. Er legte mir die Hand auf die Locken, nickte mir verständnisvoll zu, drehte meinen Kopf zur Seite und schob mich mit sanftem, aber nachhaltigem Druck hinaus in den Flur. Ich ließ es geschehen und rannte in mein Zimmer.

Später an diesem Nachmittag, meine Mutter hatte geduscht und ein von sich selbst irritiertes Lächeln lag über ihrem erschöpften Gesicht, kam sie zu mir in mein Zimmer. Sie sah glücklich aus und sehr durcheinander. So als hätte der Verzweiflungsanfall auf dem Teppichboden ihr Gesicht gelockert, Krusten abgesprengt, kam mir ihre Mimik viel frischer und vielfältiger vor als in den letzten Wochen. »Ich glaube, jetzt wird alles besser,« sagte sie mit rauer Stimme, und weiter: »Ich wollte dich nicht erschrecken.« »Geht schon, Mama!« Ich stand von meinem Bett auf: »Ich will noch ein bisschen mit dem Hund rausgehen, ja?« »Klar. Soll ich mitkommen?« »Ähh, ja, wenn du willst, aber ich geh eh nicht lange.« »Ach so, gut, also wie du willst.« »Ich bin ja gleich wieder da.« Sie legte ihre Fingerkuppen zwischen die Augen und massierte die Stelle oberhalb des Nasenrückens. Keine andere ihrer Gesten war mir so vertraut wie diese. »Ich hab dich so lieb. Deine Brüder und du sind wirklich das Wunderbarste auf der Welt für mich. Ohne euch wäre ich verloren. Meine drei Söhne.« Sie sah mich an und weinte, ohne ein trauriges Gesicht zu machen. Träne für Träne rollte aus ihren heiteren, wie befreit strahlenden Augen. Ich fühlte mich zusehends unwohl. Das Gewicht dieser von der Mutter so federleicht dahingesagten großen Worte war mir unangenehm. »So, ich mach jetzt mal Abendbrot. Wenn du vom Spaziergang wieder da bist, essen wir!« »Wo ist denn Papa?«, fragte ich. »Ich glaube, der ist noch mal hoch in die Klinik, aber so genau weiß ich das nie. Soll ich dir vielleicht Milchreis machen?« Ich nickte, und sie ging hinaus.

Sommerfest

Alljährlich fand auf dem anstaltseigenen Fußballplatz der Kinder- und Jugendpsychiatrie Hesterberg ein großes Sommerfest statt. Hierfür wurden von den betriebseigenen Tischlern unzählige Buden zusammengezimmert und von den betriebseigenen Malern bunt gestrichen und mit großen Buchstaben beschriftet. Aus der Psychiatrie-Gärtnerei kamen farbenfroh bepflanzte Kübel auf einem Gabelstapler angefahren und wurden, nach intensiv geführten Diskussionen, an ausgewählten Plätzen abgesenkt. Bänke wurden aufgestellt und mehrere geräumige Zelte aufgebaut. Das Festgelände war so groß, dass an drei zentralen Punkten Wegweiser in den Fußballrasen gerammt wurden, auf denen ausgesägte Holzpfeile die Richtungen wiesen. Dort stand zum Beispiel: »Bratwürstchen zehn Meter«, »Tanzzelt dreißig Meter« oder »Waffelbäckerei fünfundzwanzig Meter« und alljährlich auch Hinweise wie: »New York 6153 Kilometer« oder »Tromsö 1785 Kilometer«. Schon Tage vor dem Sommerfest wurde auf dem Platz gesägt und gewerkelt, und auf meinem Rückweg von der Schule sah ich mir diese regen Vorbereitungen immer gerne an.

Meinem Vater war es eine Herzensangelegenheit, auch die direkten Anwohner der Anstalt, ja alle Schleswiger auf diesem Fest willkommen zu heißen, um so die stets lauern-

236

den Ängste und Sorgen der Kleinstadtbewohner weiter abzubauen oder im besten Falle restlos zu zerstreuen. So wurden überall in der Stadt Plakate aufgehängt, die für das Sommerfest warben.

Es gab mehrere Attraktionen: einen in meiner Erinnerung mindestens fünfzig, wahrscheinlich aber doch eher höchstens zehn Meter hohen Baumstamm, den man an einem Seil gesichert erklimmen durfte und an dessen kahler Spitze ein Gong hing, den der Besteiger zum Zeichen seines Erfolges schlagen musste. Wenn dieser Gong erschallte, blickten alle Besucher des Festes zur Baumstammspitze hinauf, und der Erklimmer winkte stolz über das ganze Feld. Ich selbst habe es leider nie bis zur Spitze geschafft. Aber nicht aus Ungeschick, sondern weil mir schon nach wenigen Metern vor Angst die Knie zu schlottern begannen und ich mich zitternd ins Sicherungsseil plumpsen ließ. Der König des Kletterbaums war selbstverständlich Rudi, genannt Tarzan. Wie ein Äffchen mit schlechten Zähnen sauste er am Stamm empor und trug seine feuerrote Haarfackel ins luftige Ziel hinauf.

Eine andere Attraktion war die auf mehreren aneinandergestellten Tapeziertischen dargebotene, völlig überladene Kuchentafel. Nie wieder habe ich so viele Kuchen und Torten gesehen. Es waren bestimmt zwanzig Meter, dicht an dicht, ein Backwerk-Wall, der vom Marmorkuchen bis zur mehrstöckigen Eigenkreation alles aufzubieten hatte.

Das Besondere dieser Sommerfeste war die krude Mischung seiner Besucher. Stationäre Patienten wie Dauerinsassen, Anwohner, Ärzte, Pflegepersonal, Putzfrauen, Köchinnen, die schon erwähnten Schlosser, Gärtner und Maler mit ihren Familien, ja sogar durch die Plakate angelockte Touristen besuchten das Sommerfest. Meine Brüder und ich bekamen jedes Jahr einen Stand zugeteilt, an dem wir uns abwechseln durften. Einmal war es die Losbude, bei der man Dinge gewinnen konnte, die die Patienten in den Werkstätten hergestellt hatten. Es gab handwerklich perfekt gebaute Stühle, Nachttische und Regale, aber auch absonderliche Preise wie gestrickte Puppen, die etwas Monströses hatten, oder eigenartig planlos zusammengeschweißte Eisengebilde, die man kaum heben konnte. Der Hauptgewinn war eine aus Abertausenden Streichhölzern detailgenau nachgebildete Gorch Fock oder ein riesiger selbst geknüpfter Wandteppich mit den Sehenswürdigkeiten der Stadt. Da stand ich dann und rief: »Lose! Hier gibt's tolle Gewinne. Drei Lose eine Mark!« Und wartete auf meine Brüder, die versprochen hatten, gleich wiederzukommen, sich aber nicht blicken ließen.

Zwei Jahre hintereinander war unser Stand ein dicker Balken, in den man Nägel hineinhämmern musste. Kleine Nägel, kleiner Hammer für die Kleinen, große Nägel, großer Hammer für die Großen. Mir war das nie ganz geheuer, wenn die Patienten direkt neben mir auf die Nagelköpfe eindroschen. Meine Mutter schob Dienst hinter der Kuchentheke, wedelte die Wespen vom Zuckerguss, schenkte schwungvoll aus gut gelaunter Höhe Kaffee ein und genoss demonstrativ die Geschäftigkeit.

Mein Vater schlenderte von Stand zu Stand und unterhielt sich mit den Besuchern, Angestellten und Patienten. Er aß hier eine Bratwurst und da ein Stück Kuchen, bekam da heiße Mandeln und dort ein Matjesbrötchen. Ich sah das gern, wie er gelassen und von allgemeiner Anerkennung getragen herumwanderte. Wenn ich ihn sah, lief ich zu ihm und er legte seinen Arm um mich, und dann musste ich auch schon wieder weiter.

Manche Patienten hatten ihre eigenen Stände. Ein Junge, der Benno oder Hanno hieß, bewohnte ein Hüttchen und fertigte darin Porträts an. Es dauerte Stunden. Wer sich auf seinem Stuhl niederließ, für den war das Sommerfest gelaufen. Obwohl ich auch erlebt habe, dass die Porträtierten irgendwann genug hatten, einfach aufstanden und sich z. B. durch einen Kollegen vertreten ließen. Benno oder Hanno war das vollkommen egal. Er zeichnete weiter. Diese Misch-Porträts habe ich leider nicht mehr vor Augen, aber ich stelle sie mir gerne vor – wie da in einem einzigen Bild im Laufe des Nachmittags die verschiedensten Gesichter ineinanderwuchsen. Traurigerweise starb Hanno oder Benno jung, und nicht nur ich vermisste seinen Stand.

Auf einem dieser Sommerfeste machte ich beim Tanzzelt eine Entdeckung. Ich war hinter die Plastikplane gegangen, um mir die großen Stecker der Kabel anzusehen, mit denen die Musikanlage mit Strom versorgt wurde. Da sah ich einen enorm großen, blanken Hintern im Gebüsch. Die Pobacken zuckten zusammen und entspannten sich in rasendem Wechsel, und dabei klaffte und verschloss sich die Ritze und verbarg und entblößte einen Streifen pechschwarzer Haare. Ich hatte keine Ahnung, was ich da sah, dachte an einen epileptischen Anfall und trat näher heran. Solche Anfälle hatte ich schon zigfach miterlebt und kannte ihren Verlauf: Zuerst das unerwartete Niederstürzen eines Patienten, welches so vollkommen anders aussah als ein Umsinken oder Zusammensacken. Vielmehr war es mir stets so vorgekommen, als hätte sich plötzlich die Erdanziehung vertausendfacht, so als würde der Körper durch eine magnetische Kraft um- und heruntergerissen, machtvoll angesogen, dann der schreckliche Laut, mit dem die Luft aus der Lunge herausgequetscht wird, und schließlich das unkontrollierte Zucken, bei dem jeder Arm, jedes Bein ein katatonisches Eigenleben zu führen scheint und auf mich den Eindruck machte, als wollten die Extremitäten sich selbst herausreißen. Das hätte mich mit vier oder fünf, als ich meine ersten epileptischen Anfälle sah, nicht gewundert, wenn da plötzlich die Arme aus den Ärmeln, die Beine aus den Hosen herausgesprungen und davongezappelt wären.

Doch als ich jetzt vor dem pulsierenden Hintern stand, sah ich nicht nur zwei Beine, sondern vier, nicht nur zwei Arme, sondern vier, aber nur einen Kopf. Was für ein Anfall war das? Ohne auch nur einen Moment länger das Rätsel lösen zu wollen – auch weil mich eine unbestimmte Ahnung, woher auch immer, anwehte, dass hier keine Hilfe nötig sein würde, dass ich hier eindeutig störte –, ging ich vorsichtig rückwärts davon.

Gegen Abend wurde es in den Zelten voller und voller und die Sitzreihen und Tanzflächen füllten sich. Auffallend viele der Patienten liebten deutsche Schlager, konnten die Texte mitsingen und tanzten für ihr Leben gern. So unterschiedliche Stile sind wohl selten auf ein und derselben Tanzfläche durcheinandergewirbelt worden. Sogar meinen Vater habe ich dort sich glücklich um sich selbst drehen gesehen. Meine Brüder und ich saßen auf einer Bierbank und sahen ihm erstaunt dabei zu, wie er sich resolut die Hände in die fetten Hüften stemmte und von einem Bein aufs andere schunkelte. Wir schlugen uns, von heiterer Peinlichkeit geschüttelt, die Hände vors Gesicht oder pfiffen im Takt auf den Fingern. Jeder tanzte mit jedem. Ohne ihre Arzt- oder Schwesternkittel waren viele der Angestellten kaum wiederzuerkennen. Patientinnen tanzten mit Pflegern, die stellvertretende Direktorin mit dem Chef der Gärtnerei, der Kaufmännische Direktor mit einer bildhübschen Wäscherin und meine Mutter mit einem sehr eleganten älteren Herrn, dem längst pensionierten früheren Direktor der Psychiatrie. Zwischen rotierenden Rollstühlen tanzten dänische Touristen, Schwerbehinderte wurden in ihren Gefährten auf die Tanzfläche geschoben, klatschten, wenn sie konnten, glücklich mit den Händen oder bewegten ein wenig den Kopf zur Musik.

Um zehn ging das Sommerfest zu Ende und aus allen Buden strömten die Menschen im Tanzzelt zusammen. Der krönende Abschluss war der alljährliche Kassensturz. Alles eingenommene Geld aus zig Gläsern, Boxen und Kassen wurde in eine Wanne geschüttet und gezählt. Mein Vater erklomm das Podest und rief die Gesamtsumme durch das Mikrofon des im Hintergrund schon mit dem Abbau beschäftigten Alleinunterhalters. Die Summe klang stets astronomisch für mich – 3435 Mark und 50 Pfennige – und wurde mit einem Jubelschrei aller Anwesenden bedacht. Von dem Geld wurden Tischtennisplatten für die Sporthalle angeschafft, eine Patientenbibliothek eingerichtet und in einem besonders ertragreichen Jahr sogar ein Filmprojektor in Hamburg bestellt. Mit diesem Projektor durfte ich an einem meiner Geburtstage in der verdunkelten Turnhalle auf einer großen Leinwand zusammen mit meinen Freunden einen Film sehen, »Tarzan«. Einer meiner Mitschüler sprang während des Films plötzlich auf, rannte zu einem der an der Wand befestigten Kletterseile und schwang als schreiender Schatten durch das Bild.

Natürlich gab es auch Jahre, in denen dieses Fest im norddeutschen Regen zu ersaufen drohte und der Wind übellaunig an den Buden rüttelte. Durch eine an Aberwitz grenzende Zuversicht ließen sich die Besucher und Veranstalter den Spaß nicht verderben. Ich habe resolute Krankenschwestern im strömenden Regen sagen hören: »Da hinten wird's schon wieder heller«, obwohl der Himmel schwarzgrau war, so weit man blicken konnte. Der Rasen auf dem Fußballplatz weichte auf, es wehte so stark, dass es einem die Zuckerwatte vom Stängel blies und die Lose aus der Hand gerissen wurden. Alles egal. Wir feierten unser Sommerfest, auch wenn vor der Nordsee die Halligen evakuiert wurden und man die kletternden Patienten auf dem Stammwipfel vor lauter Regen vom Boden aus kaum erkennen konnte. Den Gong hörte man, und das war der Beweis: Es war Sommer.

Marlene

Über viele Ecken wurde meinem Vater ein Mädchen ans fachlich kompetente Herz gelegt. Etwas Schlimmes war passiert, ihre Eltern wussten nicht mehr weiter und suchten meinen Vater auf. Wer diese Eltern waren und was mit ihrer Tochter los war, durfte und wollte er nicht sagen. Er verweigerte die Nachfrage aber mit einem bedeutungsschwangeren Blick, der eindeutig andeutete – klingt komisch, aber trifft es genau: die eindeutige Andeutung war eine Spezialität meines Vaters –, dass er es nicht sagen dürfe, da es sich um ein verdammt heißes Eisen handelte. Das Mädchen konnte unter gar keinen Umständen in der Psychiatrie untergebracht werden, da sie, so hieß es, zu sensibel für eine solche Einrichtung sei. Die Einlieferung in eines der überfüllten Gebäude sei ihr nicht zuzumuten, eine ambulante Behandlung jedoch nicht ausreichend.

Meine Brüder und ich waren gespannt, was da auf uns zukommen würde. Das Gästezimmerbett wurde bezogen, und ich fuhr mit meiner Mutter zu Divi, dem großen Einkaufsmarkt, um die von den geheimnisvollen, im Hintergrund agierenden Eltern angegebenen Lebensmittel zu kaufen. Es war ein Einkaufszettel der Extravaganz. Mit jedem Artikel, den meine Mutter staunend aus dem Regal nahm, wuchs meine Neugierde auf dieses Mädchen. »Wie heißt sie eigentlich?«, fragte ich meine Mutter. »Marlene.« »Und warum kommt die zu uns?« Meine Mutter stapelte vierzig BiFi-Mini-Salamis in den Einkaufswagen. »Ich weiß es auch nicht genau. Papa darf das wirklich nicht sagen.« »Aber was ist, wenn die voll einen an der Klatsche hat?« »Ja, ich bin auch gespannt.« »Was wollen wir denn mit den ganzen BiFis?« »Steht hier auf dem Zettel. Ich hoffe, das stimmt – vierzig BiFis?« »Wie lange bleibt die denn?«, wollte ich wissen. »Erst mal für vier Wochen. Jetzt brauchen wir noch zwölf Dosen Thunfisch, Gummibärchen, Orangenmarmelade und zehn Gläser Rote Bete. Seltsam, seltsam.« »Wie alt ist sie?« »Vierzehn. Ein Jahr älter als du.«

Als ich am nächsten Tag von der Schule nach Hause kam, saß Marlene bei meiner Mutter am Küchentisch und machte nichts. Meine Mutter stellte mich vor, sie sah mich an, und nichts geschah. Sie war toll angezogen: ein rosafarbenes Kleid mit einer hellroten Strickweste darüber, Strumpfhose mit blassen Blümchen, lackierte Fingernägel, eine Halskette mit Kreuz und Perlenohrringe. Aber es sah aus, als würden sich diese herrlichen Kleidungsstücke nur kurz auf ihr ausruhen, Pause machen, um dann zur eigentlichen Besitzerin weiterzuziehen. Ich schenkte mir ein Glas Milch ein und setzte mich zu ihr. Marlene machte nichts. Sie schien auch nicht müde zu sein oder traurig. Ihre Hände lagen vor ihr auf dem Tisch wie fleischfarbene Geschenke. Es hätte mich nicht gewundert, wenn ihr die Perlenohrringe wie überreife Pflaumen von den Ohrläppchen gefallen wären, ohne dass sie das im Geringsten gekümmert hätte. Ihre Ausdruckslosigkeit irritierte mich. Zugleich war es aber unmöglich, sie zu ignorieren. So wie sie dasaß und nichts tat, war sie überpräsent und raumgreifend.

In den nächsten Tagen erfüllte Marlene unser Haus mit ihrer allumfassenden Passivität. Ihre Lethargie war hochgradig ansteckend. Es kam vor, dass wir alle plötzlich wie versteinert vor uns hin starrten oder sich meine Mutter im Flur, auf halbem Weg zum Bad, sterbensmüde an die Wand lehnte. Ihr Nichtstun spann uns ein wie eine Spinne ein betäubtes Insekt. Wenn wir mit Marlene vor dem Fernseher saßen, fielen uns allen schon um acht Uhr die Augen zu. Unserem Hund kam das sehr entgegen. Er schien in Marlene endlich den Ruhepol gefunden zu haben, der sein tagelanges Hinter-dem-Sessel-Pennen rechtfertigte. Wenn Mädchen und Hund endlich zu einem Spaziergang aufbrachen, zu dem mein Vater sie in einer filigranen Mischung aus Ermutigung und Aufforderung überredet hatte, sah es aus, als würde gleich die ganze Welt einschlafen und die Dächer von den Häusern rutschen, so langsam waren sie. Mein Vater hatte schon gelernt, nicht zu sagen: »Ihr geht jetzt mal 'ne halbe Stunde raus«, sondern: »Ihr geht einmal bis zum Waldrand«. »Halbe Stunde« hieß für die beiden bis zum Gartentörchen.

Bat man Marlene bei Tisch um die Butter, war der Toast schon kalt, wenn sie sie einem gab. Ging Marlene aufs Klo, war es für wenigstens eine Stunde verschlossen, und wir alle mussten in den Keller auf die Gästetoilette. Ich schlich mich an und legte mein Ohr an die Badezimmertür. Drinnen tropfte es stetig, gleichmäßig, mit Pausen wie von einem Stalaktiten. Mehrmals vergaß sie zu spülen oder tat es absichtlich nicht. Es roch streng, und die kleine Wasserpfütze in der Kloschüssel war blutrot. Ich erschrak und holte meine Mutter. Sie beruhigte mich und erklärte mir, das käme von all der Roten Bete, die Marlene ständig in sich hineinschaufelte.

Und trotz allem passierte etwas, das mir selbst am allerbefremdlichsten vorkam: Ich mochte sie. Sie gefiel mir. Sie gefiel mir sogar sehr. Ich suchte ihre Nähe. Während wir unser Mittagessen verspeisten, kaute Marlene an ihren BiFis herum oder aß geziert Thunfisch direkt aus der Dose. So eine verlangsamte Vornehmheit hatte ich noch nie gesehen. Ihre Bewegungen hatten etwas zelebriert Anmutiges und waren zugleich von einer bleiernen Hoffnungslosigkeit durchdrungen, als ginge jeder Regung eine zwar matt, aber unter großer Anstrengung gefällte Entscheidung voraus. So saß sie da und brauchte pro Mini-Salami eine halbe Stunde. Ich sah die Küchenuhr hinter ihr an der Wand. Marlene kaute und kaute und blinzelte so gut wie nie. Währenddessen verlangsamte sich der Sekundenzeiger mehr und mehr, kam kaum noch den Berg von der Neun zur Zehn hoch und sah schließlich so aus, als würde er seiner tickenden Tätigkeit endgültig überdrüssig und jeden Augenblick tot vom Ziffernblatt fallen. Dieses Mädchen ist mächtiger als die Zeit, dachte ich und sah erstaunt, wie jedes anfänglich mit Schwung begonnene Gespräch binnen Sekunden verebbte, zum Erliegen kam.

Meine Mutter trat schnellen Schritts auf sie zu und rief überfallartig: »So, Marlene, heute fahren wir an den Langsee baden!« Marlene sah sie an und tat nichts. »Pack mal bitte deine Badesachen ein. In zehn Minuten geht es los!« Marlene sah sie an und tat nichts. »Es ist so herrliches Wetter heute.« Da hörte ich schon, wie die Worte meiner Mutter sich verlangsamten. »Da wäre es … doch schön … mal … schwimmen zu gehen.« Doch Marlene sah sie an und tat nichts. Ihr Blick bremste alles aus, und die eigene Euphorie, die eigene Unternehmungslust kam einem plötzlich überflüssig, ja sinnlos vor. Marlenes Blick, ihre Körperspannung verwandelte alle auf sie einstürmenden Lebensgeister in kränkliche Gespenster. Meine Mutter stand vor ihr, und mit schläfriger Stimme kapitulierte sie: »Du kannst es dir ja noch mal … überlegen. Ach, eigentlich hab ich auch nicht so recht Lust.« Marlene sah sie nur an und tat nichts.

Ich konnte von ihrer merkwürdigen Art nicht genug bekommen, beobachtete sie, wann immer ich in ihrer Nähe war.

Meinem mittleren Bruder entging das nicht: »He, der Wasserkopf hat sich in die Schnarcheule verknallt.« Dabei war ich ja das genaue Gegenteil von ihr: der, der nicht still sitzen konnte, der, der in der ersten Klasse wieder nach Hause geschickt worden war, weil ich, der Zappelphilipp mit Rechtschreibschwäche, gar nicht begriff, wozu die Tische und Bänke im Klassenraum aufgestellt worden waren.

Marlene machte mich minimal ruhiger und ich sie minimal unruhiger. Während ich in der Schule war, nahm sie unter der Obhut meines Vaters an verschiedenen Sitzungen und Therapieeinheiten teil. Am Nachmittag war sie dann bei uns.

Marlene bürstete sich oft die Haare. Setzte sich vor die große Glasschiebetür in die Sonne und kämmte sich. Immer von oben nach unten. Dabei aß sie Gummibärchen. Aber sie lutschte sie, lutschte ewig an einem einzigen Bärchen herum. Ich tat so, als hätte ich im Wohnzimmer etwas zu tun, setzte mich auf das Sofa, las in der »Wüste« und beobachtete sie. Ich war neugierig, warum sie bei uns war, und schließlich fragte ich sie. »Bist du krank?« Sie war schön und abwesend, wandte den Kopf und sah mich an. Ihre Treibsand-Augen lullten mich ein. Manchmal kam es mir so vor, als würde sie mich und meine Familie restlos verachten, alles verachten, aber jetzt sah sie mich einfach nur an. Ihr von unangestrengter Neutralität erfüllter Blick verunsicherte mich, da ich ihn so gar nicht zu deuten vermochte. Dieser Blick schien nichts zu erwarten. Weder von ihrem Gegenüber noch von sich selbst.

Ich wiederholte meine Frage: »Bist du krank?« Sie bewegte ihre Nasenspitze einen Millimeter nach rechts, wieder zurück und einen Millimeter nach links. War das ein

Kopfschütteln? »Warum bist du denn bei uns?« »Selbstmord.« »Wie bitte?« »Hab versucht, mich umzubringen.« »Warum denn?« »Weiß ich eigentlich gar nicht. Deshalb bin ich ja hier. Um das rauszufinden.« »Was hast du denn gemacht?« »Tabletten gegessen.« »Was denn für Tabletten?« »Keine Ahnung. Einfach alle, die im Schrank waren.« »Und dann?« »Eingeschlafen.« »Aha … und dann?« »Im Krankenhaus wieder aufgewacht. Magen ausgepumpt.« »Warum hast du das denn gemacht?« »Hm …«, sie überlegte, »keine Ahnung. Frag mich in einer Woche noch mal. Vielleicht ist mir bis dahin was eingefallen.«

Nach und nach gerieten auch meine Brüder in den elegischen Sog Marlenes und warfen sich mächtig ins Zeug, um sie zu beeindrucken. Mein ältester Bruder führte seine Fische vor und legte Schallplatten auf. Es grenzte an Zauberei: Nie zuvor hatte die Musik so schleppend geklungen. Während jemand seinen Finger auf den Plattenteller zu drücken schien, sanken die Guppys, Skalare und Buntbarsche betäubt auf den algigen Kies. Mein mittlerer Bruder hielt Vorträge, verhedderte sich und landete unter den ausdruckslosen Blicken Marlenes im thematischen Nirwana. Wenn ich jetzt abends im Bett lag und draußen die Patienten brüllten, dachte ich an Marlene. Ihre Pullover waren aus feinster Wolle, vielleicht Angora, und die rosafarbenen Wollfasern bildeten einen haarigen Flaum. Ich stellte mir vor, ihren Rücken zu streicheln, vielleicht sogar ihre flauschigen Brüste, und, das kannte ich gar nicht, konnte nicht einschlafen.

Sie blieb acht Wochen, dann kehrte sie zu ihren Eltern zurück.

Ein paar Jahre nachdem sie bei uns gewesen war, fragte mich mein Vater in einem Freibad beim Umziehen: »Erinnerst du dich noch an Marlene? Sie hat mal bei uns gewohnt.« »Ja klar. Die war so unglaublich langsam. Was ist mit ihr?« Mein Vater griff seine Unterhose, die vor ihm im Gras lag, mit den Zehen, warf sie in die Höhe, fing sie, und das, was er sagte, passte so gar nicht zu dieser Akrobatikeinlage eines dicken Mannes: »Sie hat sich gestern umgebracht.« »Echt?« »Ja.« Er sah unglücklich zu mir herüber: »Ich geh mal schwimmen.« Wir gingen nebeneinander zu den Duschen, waren gleich groß. Ich fragte ihn: »Warum denn?« »Keine Ahnung. Das ist manchmal so. Das war ihr vierter Versuch. Sie wusste selber nicht, warum, aber sie wollte einfach sterben. Schon damals, als sie bei uns war.« Es war noch nie vorgekommen, dass er so offen mit mir über eine seiner Patientinnen sprach. »Schrecklich, oder?«, fuhr er fort, »wenn man so gar nicht am Leben hängt. Auch die Eltern waren nicht der Grund. Das sind freundliche Leute. Sechs Jahre lang hab ich Marlene behandelt. Wir haben uns gut verstanden. Ich mochte die richtig gerne. Das war ein tolles Mädchen.« Seine Stimme wurde brüchig: »Ich dachte bis zuletzt, vielleicht schaffen wir das.«

Wir erreichten die Duschen. Die Sonne stand tief. Mein Vater drückte den Knopf, und ein Wunder geschah: Das Wasser schoss golden aus seinem Kopf heraus. Sprudelnd und spritzend rauschte ein sonnendurchglühter Strahl aus seiner Glatze empor und wurde gut einen halben Meter über ihm vom metallenen Duschkopf aufgesogen. Er hatte die Augen geschlossen, die Arme hingen bewegungslos seitlich entlang des gewölbten Bauches, und mit ungeheurem Druck zischte dieser Strahl in die Höhe: gelb orange.

Ein paar Tage später kam ein Paket bei uns an mit einem Geschenk von Marlenes Eltern: eine handgeblasene Glaskugel, in der sich auf einem spitzen Pin vier rautenförmige Plättchen durch die Kraft der Sonnenstrahlen im Kreis drehten.

Viele Jahre stand diese Kugel auf der Fensterbank im Wohnzimmer, bis sie eines Nachmittags, an einem der heißesten Tage, die der Norden je erlebt hatte, mit einer wie ein Gewehrschuss durch das Haus knallenden Explosion in tausend Stücke zerbarst.

Rotary-Fasching

Der Rotary Club veranstaltete jedes Jahr ein Faschingsfest. Warum mein jede Gesellschaft meidender Vater ausgerechnet diese Veranstaltung nie ausließ, ist mir ein Rätsel. Eines dieser Feste fand ein denkwürdiges Ende. Meine Mutter trug über einem farbenprächtigen Kleid einen Poncho, hatte eine Panflöte um und ging als Indio. Was mein Vater sein sollte, war schwer zu sagen. Er hatte sich seinen Schnauzer schwarz gefärbt, trug eine leuchtend blaue Pluderhose wie ein Clown, ein gestreiftes Hemd wie ein Seemann, eine Melone wie Charly Chaplin und im Gesicht eine enorme mit einer Batterie betriebene Knollennase, die an eine schwarze Witzbrille montiert war. »Was bitte soll das für ein Kostüm sein?«, fragte ihn mein mittlerer Bruder, »kein Mensch erkennt, was du sein sollst!« Mein Vater überlegte einen Augenblick und antwortete: »Faschingssalat.« »Wie bitte?« »Ja, ich gehe als Faschingssalat.« So zogen sie los. Meine wunderschön fremdländisch aussehende Indio-Mutter mit ihrem Faschingssalat. Sie verabschiedeten sich von uns und versprachen, nicht zu spät heimzukommen.

Mitten in der Nacht wurde ich von lautem Gebell geweckt. Schlaftrunken trat ich auf den Flur hinaus. Meine Mutter stand im Nachthemd da und versuchte, den zähnefletschenden Hund zu beruhigen. Auch meine Brüder waren aus ihren Zimmern gekommen. »Was hat sie denn?«, fragte ich. Noch bevor meine Mutter mir antworten konnte, sah ich meinen Vater draußen in der Nacht vor der Glastür. Kaum wurde seine Silhouette sichtbar, flippte der Hund restlos aus. Er rannte los, rammte meinen ältesten Bruder und sprang mit den Vorderpfoten voran gegen die Scheibe. Mein Vater stand da und hob fragend die Arme. Sobald er aus dem Blickfeld des Hundes heraustrat, beruhigte sich dieser ein wenig. Meine Mutter nahm die Hundeleine von der Heizung: »Hier, bindet sie irgendwo fest. Ich lasse ihn durch die Terrassentür rein.« Mein mittlerer Bruder hakte die Leine ein und zerrte den weiter vor sich hin knurrenden Hund in den Vorflur. Meine Mutter verschwand im Zimmer meines ältesten Bruders, und wir hörten sie das Fenster öffnen und »Geh rüber zur Terassentür. Ich mach dir auf!« rufen. Mein Bruder band das Ende der Leine um den geschwungenen Holzfuß der massiven Kommode im Flur. Kaum hörte man meine Mutter die Terrassentür aufschieben, warf unser Hund sich mit aller Kraft nach vorne, rückte die Kommode durch seine gigantische Kraft quietschend von der Wand ab, zerrte sie ein Stück in den Flur und brach ihr schließlich den Fuß ab. Wie ein von einem Flugzeugträger katapultierter Düsenjet fegte der Hund um die Ecke. Meine Brüder und ich nahmen die Verfolgung auf und sahen gerade noch, wie mein Vater rücklings vor dem heranstürmenden Tier aus dem Wohnzimmer floh, hinaus auf die Terrasse stolperte und panisch die Schiebetür hinter sich zuzog. Wie ein Löwe streckte der Hund eine Pranke durch den verbleibenden Spalt und hieb damit bedrohlich in die Luft.

Zu dritt rissen wir ihn zurück, und meine Mutter schob die Tür ganz zu. »Was hat die denn bloß? Die ist ja völlig verrückt!« Meine Mutter schwieg einen Moment und sah nach draußen. »Sie erkennt euren Vater nicht, glaube ich!«, sagte sie und klang dabei durchaus begeistert. »Sie verteidigt unser Haus gegen diesen seltsamen Kerl da draußen!« Meine Brüder und ich, alle drei barfuß und in Schlafanzügen, traten an die große Scheibe. In seinem zusammengeschusterten Kostüm, er hatte immer noch diese lächerlich blinkende Nase mit Brille auf, stapfte mein Vater missmutig im Garten herum. »Warum bist du denn schon da, Mama, und er noch da draußen?«, wollte ich wissen. »Das fragst du ihn am besten selbst. Also, wie kriegen wir den Clown da ins Haus?«, gab mir meine Mutter als kryptische Antwort. Mein mittlerer Bruder klopfte gegen die Glastür und winkte meinem Vater zu. Der hatte sich zwischenzeitlich die Nase heruntergerissen und diese wutentbrannt in die Büsche gepfeffert, wo sie unbeeindruckt weiter vor sich hin blinkte. Der Hund bellte und knurrte, sabberte und lief wie ein durch viele Jahre Gefangenschaft durchgeknalltes Zootier an der großen Glasfront hin und her. »Ich lasse den Faschingssalat durch unser Schlafzimmerfenster rein«, schlug meine Mutter vor. Mein mittlerer Bruder machte einen, wie mir schien, plausiblen Gegenvorschlag: »Wir könnten doch versuchen, den Hund in den Keller zu sperren, und ihn dann einfach reinholen!« »Nein, nein, das mit dem Fenster scheint mir genau das Richtige für ihn zu sein«, lehnte meine Mutter ab und klatschte für uns alle überraschend plötzlich lachend ihre Hände zusammen. »Also los!«, rief sie.

Mein ältester Bruder nickte ihr wissend zu. Mit sechs Händen und all unserer zur Verfügung stehenden Kraft zerrten wir den Hund ein wenig von der Schiebetür weg. Meine Mutter winkte meinen Vater heran, und ängstlich kam er näher. Das Matrosenhemd war hochgerutscht, und sein Bauch hing ihm über die Pluderhose. Meine Mutter machte Zeichen und rief gegen das Glas: »Geh rüber zum Schlafzimmerfenster. Da kannst du reinklettern!« Erst verstand er nicht, und als er dann endlich verstand, reckte er fassungslos die Hände in den dunklen Nachthimmel und schlug sich dann verbittert auf die Oberschenkel. Obwohl wir unser Möglichstes taten, gelang es uns nicht, den Hund von der Schlafzimmertür abzuhalten. Er riss sich wieder los und sprang so geschickt an der Tür hoch, dass er mit der Pfote die Klinke drückte und ins Zimmer rannte. Für eine Sekunde stand er dabei aufrecht auf seinen Hinterpfoten im Türrahmen und sah aus wie ein Riese in einem schwarz-weißen Pelzmantel. Mein Vater hatte schon mühsam die Fensterbank erklommen, als sich der Hund auf ihn stürzte und er zurück in die unter seinem Gewicht splitternden Sträucher krachte. Stolz stand der Hund mit den Pfoten auf dem Fensterbrett und kläffte in die Nacht hinaus. Am liebsten wäre er hinausgesprungen. Immer wieder hüpfte er mit den Hinterläufen in die Höhe, kratzten seine Krallen über die Heizung – doch es war einfach zu hoch.

Mein Vater hatte nun sichtlich genug. Aus einem Sicherheitsabstand brüllte er: »Mensch, jetzt sperrt endlich den scheiß Hund ein!« Da er sehr selten laut wurde, ich es nur eine Handvoll Mal erlebt hatte, machte es auf meine Brüder und mich großen Eindruck. Aber meine Mutter war nach wie vor guter Dinge. Während sie meinem Vater »Wir schaffen das aber nicht!« zurief, klopfte sie dem Hund bestätigend auf den Schädel. »Ich schmeiß dir deine Sachen raus! Vielleicht geht's dann!« Sie ging zum Schlafzimmerschrank, nahm ein Hemd und eine Hose meines Vaters – diese hingen fein säuberlich auf Bügeln – und schleuderte sie mit lustvollem Schwung durchs Fenster in die Nacht. Ich hörte meinen Vater fluchen und rannte mit meinen Brüdern zurück ins Wohnzimmer. Wir löschten das Licht und beobachteten ihn dabei, wie er sich bis auf die Unterhose auszog. Ich fragte mich, ob er vielleicht betrunken sei, so ungeschickt hob er immer wieder erst das eine, dann das andere Bein, um in seine Hose zu schlüpfen. Auch wenn ich ihn im Finsteren kaum erkennen konnte, waren mir seine Bewegungen wohlbekannt, sah ich Vertrautes als Schattenspiel. Wie er sich die Hose halb heraufzog, sich leicht breitbeinig hinstellte, damit sie auf halbmast hielt, sich dann sorgfältig das Hemd um die Unterhose herum faltete, wie er, um die Hose zuzuhaken, den Bauch einzog, sich streckte, um dann wieder in sich zusammenzusacken, die Wampe über den Hosenbund absenkte, all das hatte ich im Hellen Hunderte Male gesehen.

Als er angezogen war, sammelte er die verstreuten Kostümteile von der Wiese und warf sie, ohne seine drei Söhne zu sehen, direkt vor die Schiebetür auf die Terrasse. Er verschwand in der Dunkelheit, wir rannten zurück zum Elternschlafzimmer und mein mittlerer Bruder rief meiner Mutter schon von Weitem, durch den Flur hindurch, zu: »Er kommt!« Mein Vater erschien am Ende des langen Flurs vor der gläsernen Eingangstür. Sein Schnauzer war noch schwarz, sein Haar zerzaust, und er trug keine Schuhe. Der Hund hob den Kopf, seine Nackenhaare senkten sich, und beschwingt trabte er auf die Tür zu. Meine Mutter ließ meinen Vater herein und lachte: »Herzlich willkommen zu Hause!« Mein Vater ging ohne ein Wort zu sagen an uns vorbei ins Badezimmer und drehte den Schlüssel um. »So, ihr geht jetzt mal alle wieder schlafen!«, forderte meine Mutter uns auf. Doch da hörten wir schon wieder schreckliche Laute, die klangen, als würde ein sehr saftiges Tier zerfleischt. Wieder rannten wir zur großen Wohnzimmerscheibe. Unser Hund beutelte und schüttelte die blaue Pluderhose hin und her, sprang mit den Pfoten auf sie und riss sie in Streifen. Meine Mutter, die hinter mir stand, an deren Bauch ich mich angelehnt hatte, legte die Arme um meine Brüder links und rechts von mir und sagte: »Mein Gott, da hat er aber Glück, dass er da nicht mehr drinsteckt.«

Die Betten

Das Schlafzimmer meiner Eltern ganz am Ende des Flurs machte auf mich oft einen traurigen Eindruck. Tagsüber schien es keinen Schimmer davon zu haben, wofür es da war. Sehr neutral, gut durchlüftet lag es da und wartete auf seine beiden Bewohner, von deren Nächten ich keine Ahnung hatte. Zuneigung atmete es kaum. So, wie man in manchen Museen hinter einer dicken Kordel steht und in eine akkurat rekonstruierte Bauernstube aus dem siebzehnten Jahrhundert sieht, so stand ich oft in der Tür des Elternschlafzimmers und betrachtete es.

Mein Vater ging immer früh schlafen. Eigenartig früh. An Wochenenden blieb er gerne den ganzen Tag im Bett, hatte den Aschenbecher auf dem Bettdeckenhügel seines Bauches stehen, rauchte Kette und las.

Die Betten meiner Eltern waren immer in Bewegung. Waren mein Vater und meine Mutter einander wohlgesinnt, standen ihre Ehebetten nebeneinander in der Mitte des Zimmers. Nur getrennt durch den handbreiten Spalt zwischen den Matratzen, so nah es ging. Die Nachttische standen außen.

Die nächste Bettenkonstellation barg keine große Veränderung, bedeutete aber viel, denn damit fing es an. Die

Betten wurden ein kleines Stück auseinandergezogen. Nicht viel. Sie standen immer noch in der Mitte des Raumes, waren aber durch einen Spalt getrennt. Die Nachttische außen.

Dann rückten die Betten nach und nach auseinander, immer weiter an die Wände. Da, wo früher die Betten standen, in der Mitte des Raumes, war jetzt eine freie Fläche Und da, wo früher die seitlichen Wege zu den Betten waren, standen die Nachttische. Als Nächstes wanderten die Nachttische nach innen und die Betten bündig an die Wand. Sie waren jetzt so weit auseinander, wie es ging. Auf den nach innen gewanderten Nachttischen stapelten sich Bücher und Zeitschriften zu blickdichten Mauern. Immerhin war eine gewisse Symmetrie noch gewahrt. Wenn dann aber eines der Betten über Eck an die Rückwand wanderte, den Blick endgültig abgewandt, waren alle Raumvarianten zur Distanzgewinnung ausgeschöpft. Dieser Zustand hielt nie sehr lange und schließlich zog mein Vater ins Gästezimmer in den Keller. In die »Gruft«, wie wir es nannten. Meine Mutter schlief nun alleine in den wieder in die Mitte des Raumes rückplatzierten Eheberten. Dies tat sie so lange, bis mein Vater vom Keller genug hatte und wieder ins Schlafzimmer einzog. Und dann ging alles wieder von vorne los. Brauchte ich ein untrügliches Zeichen für den Zuneigungsgrad meiner Eltern, ging ich in ihr Schlafzimmer und las aus der Bettenkonstellation wie auf einem Thermometer die Temperatur ihrer Nächte ab.

Wenn meine Mutter zu unglücklich wurde, mein Vater sie zu sehr gequält hatte, sie sich zu sehr hatte quälen lassen, verschwand sie für eine Zeit nach München, einmal sogar für drei Monate, wohnte bei meinen Großeltern und ließ sich helfen. Wir waren dann allein mit meinem Vater. Er kochte. Eingeweide konnte er nicht. Es gab immer und immer wieder Erbsen aus der Dose und Minutenkoteletts. Wenn meine Mutter dann wiederkam, war sie fast übertrieben heiter und lachte so viel, dass meine Brüder und ich uns fragende Blicke zuwarfen.

Einmal, als sie glaubte, allein zu sein, hörte ich sie sprechen. Sie saß ganz still in unserem großen Ohrensessel, die Hände auf den Knien, die Handflächen nach oben weisend, und redete. Ich stand in der halb geöffneten Tür und hörte ihr zu. Lange. Es klang wie ein Gebet: »Ich kann in der Badewanne liegen und es schön finden. Ich kann ein Mittagessen so kochen, dass es meinen Kindern schmeckt. Ich kann mich schön anziehen und unter Menschen gehen. Ich kann einen Spaziergang machen und kenne die Namen vieler Bäume und Blumen. Ich kann einen Tisch so decken, dass es schön aussieht. Ich kann ein Buch lesen und begreifen, worum es in dem Buch geht. Ich kann schön singen …«

Sie zählte bestimmt fünfzig Dinge auf, die sie konnte. Lauter selbstverständliche Dinge. Aber eben nur scheinbar selbstverständlich.

Freundinnen

Wenn wir unsere Schuhe vor die Türen unserer Kinderzimmer stellten, hieß das: »Ich will nicht gestört werden.« Abschließen durften wir nicht. »In unserer Familie werden keine Türen abgeschlossen.« Warum mein Vater abgeschlossene Türen so ablehnte, weiß ich nicht. Es gab eine Zeit, später, wo wir alle Freundinnen hatten und vor jeder Tür zwei Paar Schuhe standen. Schon an den Schuhen konnte man sehen, wie unterschiedlich wir waren. An den Schuhen und an der Musik. Obwohl nur jeweils drei Jahre zwischen uns lagen. Unterschiedlicher hätten wir nicht sein können.

Mein ältester Bruder hörte Jazz und rauchte Pfeife. Dabei war er gerade zwanzig. Er hatte allerdings noch zwei Jahre Schule vor sich, da er schon dreimal sitzen geblieben war. Schulrekord. Wir nannten ihn den Frührentner oder Trichterbrust, da er in seinen viel zu großen Sachen so gebückt ging. Er war immer müde und brauchte nach dem Zimmerstürmen absolute Ruhe für seinen Mittagsschlaf. Wenn er und seine Freundin in seinem muffigen Zimmer verschwanden, in dem mittlerweile fünf Einhundert-Liter-Aquarien vor sich hin blubberten, standen zwei Paar ausgelatschte Sandalen vor der Tür.

Mein mittlerer Bruder war das geworden, was man damals einen Popper nannte. Er ging einmal in der Woche zum Friseur

259

und trug mit siebzehn Slipper, an denen kleine Bommelchen hingen. Er las Sartre und Kant, und durch meine Wand hindurch hörte ich ihn seiner Freundin enthusiastische Vorträge halten. Die Schuhe seiner Freundin sahen genauso aus wie seine, mit Bommelchen, nur kleiner. Ihre Musik bummerte monoton vor sich hin. Einmal sah ich ihn bei einer Party in unserem Keller tanzen. Die Finger geschlossen, die Hände gestreckt, vollführte er mechanische Armbewegungen, schnitt hektisch-zuckend Winkel in die Luft. Ich dachte, er macht einen Witz, aber es war wohl ernst gemeint.

Ich hörte nur düster Getragenes und war schwarz angezogen. Mein Bruder fragte mich, ob ich wüsste, dass Schwarz die Farbe der Existenzialisten sei. Ich kannte das Wort nicht, und schon lag ich wieder auf dem Boden und wälzte mich. Ich trug sogenannte Springerstiefel, genau wie meine Freundin. Wir kannten uns noch nicht lange, und sie musste spätestens um neun zu Hause sein. Wenn die Musik ausging, die Schallplatten nicht mehr gewendet wurden, wurde meine Mutter unruhig. Die Vorstellung, dass in allen drei Kinderzimmern aneinander rumgefummelt wurde, machte sie nervös. »Jetzt kommt mal wieder alle raus!«, rief sie in den Flur. Oder: »Hat jemand Hunger? Es gibt Abendbrot.« Wenn sie es nicht länger aushielt, rannte sie durchs Haus und zog bei allen Toiletten die Spülung. Immer und immer wieder. Ich lag – schon etwas ausgezogen – mit meiner Freundin im Bett, und im Haus rauschte und blubberte es.

Mein Vater war da etwas gelassener. Er sagte: »Ihr könnt machen, was ihr wollt. Aber die Hosen bleiben zu.« Nicht genug damit, dass meiner ersten zarten Liebe und mir auf dem Nachhauseweg ein Verrückter »Naaa, wird jetzt wieder ordentlich Ficki Ficki gemacht?« zurief, nein, auch der eigene Vater ein Wahnsinniger. Er war mir peinlich. Er war mir oft peinlich vor meiner Freundin. Zum Beispiel, wenn er als Willy mit einem der Patienten Biene Maja spielte und über den Parkplatz brummte. Jahrelang wurde mein Vater jeden Morgen von einem Patienten abgeholt, der ein Autolenkrad in den Händen hielt. Er war der Chauffeur meines Vaters. Mein Vater ging ihm zu Fuß hinterher, schlenkerte zufrieden mit seinem Arztkoffer, und einen Meter vor ihm hielt dieser Junge das Lenkrad in die Luft, kurbelte mal nach links oder rechts und flatterte mit den Lippen ein feuchtes »Brrrrrrrrum«.

Ich wusste nie, was ich beim Küssen und Anfassen denken sollte. Damals mit meiner Freundin hat mich das zur Verzweiflung getrieben. Um bei der Sache zu bleiben, dachte ich mir einen Trick aus. Ich begann zu zählen. Fünfmal küssen mit geschlossenem Mund. Zehnmal Zunge kreisen lassen. Zwanzigmal den Rücken hoch- und runterfahren. Die Brustwarze fünfmal so rum und dann fünfmal andersrum lecken. So blieb ich bei der Sache. Doch dann hat mich meine Freundin plötzlich weggestoßen und mich gefragt, was ich da eigentlich die ganze Zeit machen würde. »Du zählst, oder?« »Was?«, stammelte ich, »was meinst du?« »Du bist ja verrückt. Du zählst mit. Oh Gott, was bist du denn für ein Psycho?« Ich behauptete, nicht zu verstehen, was sie meinte. »Na, du zählst. Alles, was du machst, machst du entweder fünf- oder zehnmal. Gott, wie krank ist das denn.« Von da an war unser Liebesleben nachhaltig gestört. Ich versuchte, sie nur noch ungerade zu küssen. Es war schrecklich. Wir lagen nebeneinander im Bett, und weinend flüsterte sie: »Nie fünf und nie mehr zehn – das kann doch auch kein Zufall sein.«

Wann genau ich begriff, dass mein Vater andere Frauen traf, bleibt mir ein Rätsel. Plötzlich blätterte er versonnen in Männermodekatalogen. Schnitt sich die wenigen Haare. Ich musste seine Ohren kontrollieren, ihm mit einer Pinzette die verhassten Ohrhaare ausreißen. Er nahm ein paar Kilo ab und kaufte sich neue Hemden. Je freundlicher er zu meiner Mutter war, desto größer war die Wahrscheinlichkeit, dass er sich wieder einmal verliebt hatte. Meine Mutter litt ein Leben lang unter seinen Affären.

Ich zupfte die Haare von seinem Kamm und untersuchte sie unter dem Mikroskop meines Bruders. Ich sah, wie er einer Krankenschwester einen kurzen verschlüsselten Blick zuwarf. Ich schlich mich nachts in die Garage und notierte den Kilometerstand seines Autos. Verwickelte ihn in Gespräche über seinen Tag und fand heraus, dass er, obwohl er behauptete, nur in der Stadt herumgefahren zu sein, über hundert Kilometer mehr auf dem Tacho hatte. Ich durchwühlte seine Taschen und fand das Passfoto einer Frau. Ich drückte die Wahlwiederholung unseres Telefons, und eine Stimme hauchte: »Hallo?«

Als einen weiteren offensichtlichen Beweis seiner Liebschaften nahm ich die Tatsache, dass er nur noch so tat, als ob er lesen würde. Ich kannte den Rhythmus, mit dem er die Seiten eines Buches umblätterte, genau. Ohne von meiner von ihm für mich abonnierten Zeitschrift aufzusehen – ich war von »Die Wüste« zu »Bild der Wissenschaft« gewechselt –, überwachte ich seine Umblätterfrequenz. Minutenlang starrte er auf eine einzige Seite und blätterte immer erst dann um, wenn ihn irgendein Geräusch kurz aufschrecken ließ: der Hund kam herein – umblättern – ich wechselte meine Liegeposition – umblättern – meine Mutter betrat das Zimmer – intensives Umblättern.

Als alle Indizien gegen ihn sprachen, stellte ich ihn zur Rede. Er saß in seinem Sessel und las im »Stern«. Ich kam zur Tür herein und setzte mich neben ihn: »Na.«

Mein Vater sah freundlich auf: »Na.«

Mir war ganz schlecht vor Aufregung: »Ich muss dich was fragen.«

»Ja, was denn?« Da ich nichts sagte, machte mein Vater:
»Hm.«

»Warum lügst du?«

»Was?«

Ich wiederholte leise meine Frage: »Warum lügst du?«

Mein Vater ließ den »Stern« auf seine Beine sinken: »Was
meinst du?«

»Ich …«, mein ganzer detektivischer Mut war dahin, »ich
hab auf die Wahlwiederholung gedrückt. Da war eine Frau
dran.«

Mein Vater sah mich an: »Ja und?«

»Na ja …«, ich wollte nur noch weg, »wer war denn das?«

Er sah mich nur an.

»Und ich habe auch ein Foto in deiner Tasche gefunden,
und du fährst immer viel mehr, als du sagst, und in deinem
Kamm sind fremde Haare … und du tust nur so, als ob du
liest … So…«

»Und sonst noch was?«

Ich schüttelte den Kopf. Seltsamerweise hätte ich mir gewünscht, von ihm getröstet zu werden.

Und dann sagte er: »Weißt du was?«

»Nein, was denn?«

Es dauerte ewig, bis er weitersprach. Ich hatte ihm nie zuvor so lange direkt in die Augen gesehen, diese ungleichen
Augen.

»Es gibt Dinge, die du tust, die mich nichts angehen, und
es gibt Dinge, die ich tue, die dich nichts angehen.«

Er senkte den Blick und las weiter.

Diesen Satz habe ich monatelang als schlimme Kränkung
mit mir herumgetragen, und erst später wurde mir klar, dass
auch mir dieser Vatersatz große Freiheiten gab, die es zu nut-
zen galt.

Franco

Mindestens ein Mal pro Monat klingelte unser Telefon und eine südländisch erregte Männerstimmer verlangte »Susanna, Susanna, Susanna!« zu sprechen. Schon auf dem Weg zum Hörer ging etwas mit meiner Mutter vor, das meine Brüder und mich jedes Mal aufs Neue erstaunte. Schritt für Schritt verjüngte sie sich und warf, das tat sie sonst nie, ihr Haar mit einem lässigen Schwung beiseite, um so die Muschel besser ans Ohr legen zu können. Mein Vater, der dies von seinem Sessel aus sah, auch dies gehörte zum Ritual, warf mal eher genervt, mal aber auch durchaus vorwurfsvoll sein Buch auf den Boden und verließ demonstrativ das Zimmer. Am Apparat war Franco. Meine Mutter sprach italienisch mit ihm. Fließend. Man hörte Franco überschäumend aus dem Hörer heraus, und meine Mutter schäumte zurück. Diese plötzlich das norddeutsche Haus erfüllenden Sprachkaskaden verwandelten meine Mutter. Sie fuchtelte mit der freien Hand herum, streckte ihren Busen heraus, schien längere Beine bekommen zu haben und rief ihre italienischen Sätze in den Hörer. Ihre Stimme war eine völlig andere. Alles Wattierte, Ausgleichende, ewig Harmonisierende war wie abgesprengt. Laut, klar und sich vor Lebendigkeit überschlagend sprudelte es aus ihr hervor.

Meistens rief Franco am Abend an, und nach den Telefonaten mit ihm wusste meine Mutter oft nicht, wohin mit sich. Sie sah auch wirklich nicht so aus, als könne sie sich jetzt neben meinen dicken Frühinsbettgeher-Vater legen und eine Runde Stifter lesen. Sie war viel zu erregt. Alles an ihr schien im Laufe des Telefonats dunkler geworden zu sein. Ihr Haar, ihr Teint, ihre Augen. War sie als etwas blasse, frierende, sich mit tagtäglicher Anstrengung im Norden akklimatisierende Enddreißigerin zum Telefon gestartet, war sie beim Auflegen von einer südländischen Glut durchströmt, die hier nahe der dänischen Grenze nichts verloren zu haben schien. Sie blies sich eine Strähne aus dem Gesicht und sah sich entsetzt um. Wie ein unruhiges Pferd trat sie leicht von einem Absatz auf den anderen. Neun Uhr bei uns. Mein Vater würde sich bald schlafen legen. Neun Uhr in Rom. Zweitausend Kilometer. Franco brach jetzt auf, um mit seinen Freunden zu feiern. Nach diesen Telefonaten, bei denen sie mit jeder italienischen Silbe schöner geworden war, steckte meine Mutter wie ein zu lebendiger Stachel in der vordergründigen Heilheit unserer Familie.

Hin und wieder führte meine Mutter sich auf, als hätte sie mein Vater in den Norden verschleppt, als sei er ein mit allen Wassern gewaschener Entführer, der sie im schleswig-holsteinischen Klima zermürben wollte.

Wenn sie dann die Sehnsucht nach Italien packte, gab sie eigenartige Dinge von sich und konnte regelrecht grob werden, was bei ihr äußerst selten vorkam. Natürlich war das Hauptthema immer die Wärme, die sie im Norden so schmerzlich vermisste. »Ich tue überhaupt nichts anderes hier«, erregte sie sich, »als damit beschäftigt zu sein, nicht zu erfrieren. Ich bekomme Kopfweh von dieser Eiseskälte, weil ich ununterbrochen meine Schultern hochziehe. Das letzte Mal, dass ich warme Füße hatte, war vor zehn Jahren. Was mach ich hier bloß? Mein Gesicht krampft sich immer mehr zusammen. Wie ein wettergegerbter Kerl sehe ich aus. Das Schlimmste ist: Man gewöhnt sich dran! Irgendwann glaubt man dann wirklich, dass fünfzehn Grad eine hochsommerliche Temperatur sind. Da glaubt man dann wirklich, dass es keinen einzigen Menschen auf diesem Planeten geben kann, der abends auf der Terrasse sitzt und Rotwein trinkt. Und von dieser Kälte werde ich müde – todmüde macht mich diese Eiseskälte. In Italien, da war ich immer hellwach, da konnte ich bis drei, vier Uhr in der Früh unterwegs sein, ohne ein einziges Mal zu gähnen. Aber hier in diesem Schleswig, da gähne ich schon nach dem Aufstehen. Da gähne ich mich durch den Tag, und um neun will ich durchgefroren nur noch ins Bett. Zähneklappern und Gähnen, das ist mein Leben hier! Und dein Vater, dein fürsorglicher Vater, schenkt mir eine elektrische Decke. So als ob ich eine gichtkranke Oma wäre. Das ist doch wirklich eine Unverschämtheit. Eine elektrische Decke. Die Dinger sind lebensgefährlich. Und das weiß er auch ganz genau. So stellt sich das dein Vater vor. Er sitzt ungestört in seinem Sessel und liest, und ich liege Mitte August mucksmäuschenstill unter meiner elektrischen Decke. Ich halt das hier nicht mehr aus. Ich erfriere. Ich will zurück nach Italien.«

Sie konnte aber auch schwärmen, das klang für mich wie im Märchen:

»Franco und ich, wir fuhren frühmorgens mit der Vespa zum Strand und gingen schwimmen. Und von dort aus direkt in eine kleine, auf einem Berg gelegene Dorfkirche in die Messe. Als wir oben ankamen, waren meine Haare schon wieder trocken. Unsere nassen Badesachen hatten wir anbehalten. Nach der Kirche hatten Franco und ich einen nassen Fleck am Po. Wir drückten uns lachend an der Kirchen-

266

mauer entlang bis zur Vespa. Lauter verhutzelte Omas ganz in Schwarz sahen uns mürrisch an. Wir fuhren Esskastanien sammeln, und dort in dem Wald, da stand plötzlich ein Jäger, der hatte geschossene Singvögel an seinem Gürtel hängen. Wir rauchten Zigaretten, während wir auf der Vespa um die Serpentinen kurvten. Franco konnte freihändig fahren, und die Streichhölzer, die er hatte, waren viel kleiner als unsere hier, und er strich sie während der Fahrt an den warmen Mauern an und gab mir Feuer.«

Die Italiensehnsucht meiner Mutter paarte sich mit noch einer anderen, nicht minder vehementen Sehnsucht, der danach, künstlerisch tätig zu sein. Es begann mit dem Binden sogenannter Trockensträuße. Tannenzapfen bekamen lange Stiele aus Draht und wurden golden angesprüht, Blumen kopfüber aufgehängt, bis die Blüten zeitlos erstarrten, und exotische Samenkapseln im Geschäft für Bastlerbedarf gekauft. Die Sträuße, die daraus entstanden, waren staubig morbide Gebinde, die – und das rühmte meine Mutter an ihnen – vielfältig verwendet werden konnten. »Diesen Strauß, den kann ich jetzt auf die Fensterbank legen, an die Türklinke hängen oder in eine Vase ohne Wasser stellen.« Mein Vater holte tief Luft, verkniff sich jeden Kommentar und las weiter.

Nach den Trockensträußen kam die Kunst des Töpferns an die Reihe, und ich war beeindruckt, was meine Mutter zustande brachte. Selbstverständlich machte sie keine Teller, Schalen oder Aschenbecher. In ihrem blauen Arbeitskittel knetete und formte sie halbe Meter große Frauenfiguren. Die erste Riege dieser gesichtslosen Skulpturen explodierte im Brennofen, da der Ton entweder noch nicht ganz trocken, vorher nicht genügend durchgearbeitet oder die Figuren schlichtweg schlecht aufgebaut waren. Der zweite

Durchgang verlief wesentlich besser. Glücklich präsentierte sie uns die rot gebackene, teilweise glasierte Figurengruppe. »Das Besondere daran ist, dass man sie ganz unterschiedlich aufstellen kann. Da entstehen immer neue Konstellationen.« Mein Vater saß in seinem Sessel, holte tief Luft, verkniff sich jeden Kommentar und las weiter.

Doch Trockensträuße und Tonskulpturen waren nur die Vorboten der eigentlichen Berufung. Meine Mutter kaufte sich eine Staffelei, Ölfarben und belegte einen Kurs an der Volkshochschule. Sie malte ein Bild pro Tag, da sie viel zu ungeduldig war, das Abtrocknen einer Farbschicht abzuwarten. Ihr Hauptproblem war von Anfang an und blieb immer das perspektivische Malen. Auf vielen ihrer Bilder schimmern durch die dünn aufgetragenen Farben die dick mit Bleistift gezogenen Linien, die Hilfe suchend auf einen Fluchtpunkt zustreben – diese Striche waren Leitplanken, die den Pinsel vorm wirren Abgrund retten sollten. Es half alles nichts. Unser Hund im Vordergrund sah aus, als wäre er so groß wie ein Elefant, und die Reetdachkate im Hintergrund schien zehn Kilometer entfernt zu sein. Um sich zu verbessern, fuhr sie für mehrere Wochen zu einem Kurs in die Toskana und kam braun gebrannt mit einem ganzen Arm voll Leinwänden zurück. Pinien, Hügel, Steinhäuser. Doch sobald eine Treppe zu einem Eingang hinaufführte, krachte alle Statik zusammen. Selbst das ehrwürdige Alter der Behausung konnte für eine so windschiefe Treppe nicht herhalten. Keinem Menschen wäre es möglich gewesen, unbeschadet diese Stufen zu ersteigen. Doch sie blieb bei ihren mediterranen Motiven. Stundenlang malte sie selbstversunken an diesen hell erdfarbenen, blauhimmeligen Landschaften herum. Draußen heulte der norddeutsche Wind, und der Regen peitschte so heftig gegen die Fensterfront, als wohnten wir mitten in der Brandung des Nordmeeres. Sie malte und malte: südliche Wärme, Terrakotta – Terrassen mit blühenden Oleandern in bauchigen Töpfen, Menschen ohne Gesichter an gedeckten Tafeln unter Olivenbäumen. Stets im Hintergrund ein paar dunkelgrüne, spitz-schmale Zypressen. Sauber aufgereiht. Man sah, wie gerne sie sie malte, wie dankbar sie der toskanischen Landschaft für diesen Ordnung ins Bild bringenden Baum war. Vorne größer, im Bildhintergrund kleiner, ganz hinten auf der Hügelkette winzig: Das brachte Tiefe und Weite. Und mein Vater? Mein Vater holte tief Luft, verkniff sich jeglichen Kommentar und las weiter.

Aus dem Nichts

Ein Schulfreund von mir feierte seinen siebzehnten Geburtstag. Sein Vater war General und somit ranghöchster Militär in der wunderschön, direkt am Wasser gelegenen Kaserne mit dem sicher für viele Bundeswehrsoldaten höhnisch klingenden Namen: »Kaserne auf der Freiheit«. Sie war zur selben Zeit entstanden wie die Psychiatrie. Dieselben Backsteingebäude, dieselbe lange, das riesige Areal umschließende rote Backsteinmauer. »Auf der Freiheit« hatte ein Offizierskasino, und hier durfte mein Freund seinen siebzehnten Geburtstag feiern. Genau genommen war das Fest am Vorabend, denn es sollte in seinen Geburtstag hineingefeiert werden.

Dieser Geburtstag sollte für mich ein unvergesslicher Abend werden. Zusammen mit einem anderen Freund hatte ich auf dem zu dieser Zeit in Schleswig gastierenden Jahrmarkt an der Scheibe des kleinen Kartenhäuschens des Autoskooters ein Schild gesehen: »Abbauhilfen gesucht!«.

Wir hatten die Dame hinter der Glasscheibe gefragt, wie lange der Abbau denn dauern würde, und sie schickte uns mit ihrem vom Rauchen gelben Zeigefinger zu einem Wohnwagen. Wir klopften an und eine raue Männerstimme rief: »Herein.« Der Wohnwagen war überraschend geräumig, ja luxuriös. Auf dem Bett lag, nur mit einer Jeans und einer Goldkette bekleidet, ein übergewichtiger Mann. Um ihn he-

270

rum lagen mehrere ebenfalls übergewichtige Katzen. Er fütterte sie aus einer Dose heraus mit Fleischstückchen. Wir fragten ihn nach unserem Stundenlohn und bis wann es dauern würde. »Ihr seid doch jung! Na, drei, allerhöchstens vier Stunden. Stunde zwanzig Mark.« Mein Freund und ich sahen uns kurz an. Zwanzig Mark die Stunde war viel. Um zehn war die letzte Fahrt. Dann sollte es sofort losgehen. Wir wären allerspätestens um zwei Uhr fertig. An dem Abend des Abbaus war auch das Fest in der Kaserne. Wir berieten uns kurz. Wir würden erst den Autoskooter abbauen und dann mit unserem Geld auf die Party gehen. Wir sprachen es nicht aus, aber die Vorstellung von diesem späten Auftritt auf dem Fest gefiel uns. »Wo kommt ihr denn her?« »Von der Arbeit.« »Von welcher Arbeit?« »Wir haben noch schnell achtzig Mark verdient. Autoskooter abgebaut.« Und dann an der Offizierskasinobar ein kaltes Bier trinken, umweht von der herben Aura körperlicher Arbeit im Kontrast zum leichten Leben feiernder Gymnasiasten. Ja, das stellten wir uns schön vor.

Wir sagten zu und der fette Mann, der seine Zigarette in die leere Katzenfutterdose abaschte, sah uns an, grinste: »Aber lasst mich nicht hängen. Versprochen?« »Na klar. Versprochen!«, jetzt lachte er: »Ich reiß euch den Arsch auf, wenn ihr wegbleibt!« »Nee, nee!«, sagte ich, und mein Freund: »Wir sind da. Samstag um zehn!« Draußen vor dem Wohnwagen beschlossen wir, noch einen Blick auf den Autoskooter zu werfen. Er war groß, verdammt groß. Aber wir machten uns Mut: »Wer weiß, wie viele da noch mithelfen!«

Der Generalssohn verteilte in der Woche vor seinem Kasernenfest Einlass-Scheine, die jeder Gast zusammen mit seinem Ausweis an der Kaserneneinfahrt dem Wache schiebenden Soldaten vorzulegen hatte. Es sollte eine große Party werden. In jeder Pause wurde über dieses Fest gesprochen. Die Einlass-Scheine hatten etwas Magisches, versprachen den Zutritt zu etwas Unvergesslichem. Wer sie hatte, gehörte dazu, wer nicht, war in diesen Tagen ein Niemand.

Ich bereute mittlerweile den Plan, erst später auf die Jahrhundert-Party zu gehen, zutiefst. Es war völliger Wahnsinn, auch nur eine Stunde zu verpassen.

Mein Freund und ich waren am großen Abend schon um neun Uhr auf dem Jahrmarkt, in der Hoffnung, dass es vielleicht ein bisschen früher mit dem Abbau losgehen würde. Es war einer dieser seltenen warmen Abende und brechend voll zwischen den sich drehenden, schleudernden, wild schwenkenden Karussells. Da die letzten Tage regnerisch gewesen waren, kamen die Schleswiger zu Hunderten.

Mein Freund und ich schlenderten, nichts Gutes ahnend, über den Jahrmarkt. Um Punkt zehn Uhr klopften wir an die Tür des Wohnwagens. Der fette Mann mit den Katzen lag noch genauso in seiner Bettnische wie vor einer Woche, fütterte die Katzen mit Fleischhappen aus der Dose. Doch diesmal sah ich, dass ihm an der fütternden Hand drei Finger fehlten und er die Fleischstückchen mit dem Daumen und dem kleinen Finger aus der Dose fummelte. Er hatte blendende Laune: »Ihr habt noch Zeit, Jungs. Wir machen erst um elf Schluss.« »Warum das denn?« »Warum das denn?« Er streckte sich, dass die Katzen sich missmutig maunzend erheben mussten. »Na, warum wohl. Geht raus und seht es euch an: Da draußen ist die Hölle los.«

Wir hatten noch mehr als eine ganze Stunde Zeit. Hinter dem Wohnwagen, es roch ekelhaft nach Urin, überlegten wir, was wir tun sollten. Warum nicht einfach abhauen und auf die Party gehen. Doch mein Freund gestand mir, dass er nicht gehen könne, da er das Geld schon fest verplant habe. Er hatte sich Geld geliehen und einen Tennisschläger gekauft, gebraucht, mit echtem Schafsdarm bespannt.

Um kurz nach elf machte die Frau endlich das Türchen ihres Kartenhäuschens zu. Aber es dauerte noch mal eine halbe Stunde, bis das letzte durchgeschüttelte Pärchen aus seinem Auto stieg. Die Musik ging aus und überall auf dem Jahrmarkt wurde mit dem Abbau begonnen. Es war überraschend, wie schnell sich dieser eben noch vor Lebendigkeit und Lärm überschäumende Ort in eine triste Baustelle verwandelte.

Der siebenfingrige Autoskooter-Besitzer hatte sich angezogen, Westernhemd, und winkte uns zu sich. »Na, dann mal los! Fangt mit den Gerüstteilen an. Hier ist Werkzeug.«

Außer uns war nur noch ein einziger anderer Mann da. Ein schmächtiges gebücktes Kerlchen mit einem Vollbart in kurzer Hose und Unterhemd. Der Autoskooter war durch das kalte Neonlicht noch größer geworden. Und während wir um zwölf erst einen Bruchteil der Gerüstkonstruktion abgeschraubt hatten, feierte mein anderer Freund in seinen Geburtstag hinein. Der Besitzer stand auf der Ladefläche eines geräumigen Lasters. Und die Sorgfalt, mit der er jedes Teil, das wir ihm reichten, weit hinten im Dunkeln verstaute, ließ nichts Gutes ahnen. Es würde Stunden dauern, diesen Laster zu füllen. Wir arbeiteten, so schnell wir konnten, und kamen gut voran. Er lobte uns: »Wusste ich's doch, dass ihr fleißige Bienchen seid!«

Der bärtige Mann arbeitete konzentriert, aber provozierend langsam. Immer im gleichen Tempo. Er sang dabei ein Lied: »Junger Mann im Frühling, möcht nicht gern allein sein. Ja was macht er dann? Ja was macht er dann? Er lacht sich eine an!« Er sang diese paar Zeilen die ganze, ewig lange Nacht. Um zwei Uhr hatten wir die Gerüste, Hunderte von Lämpchen und das elektrische Metallnetz verladen. Jetzt waren sicher alle längst da, es wurde bestimmt schon getanzt und viel getrunken. Und wir waren

273

noch immer hier. »Macht doch mal Pause, Jungs, ihr arbeitet ja, als wäre der Teufel hinter euch her.« Wir waren völlig durchgeschwitzt. Meine Hand zitterte, als ich gierig aus der Wasserflasche trank. Ich flüsterte meinem Freund zu: »Wir müssen hier weg! Scheiß auf das Geld. Los, wir sagen ihm jetzt, dass wir gehen!«

Mit freundlicher Stimme rief ich in den Laster: »Es tut uns leid, aber wir würden jetzt gerne Schluss machen. Wir haben noch was Wichtiges vor!« Er kam an die Rampe: »Was bitte?« Stellte sich auf die Hebebühne und fuhr seinen fetten Körper hinunter. Jetzt stand er direkt vor uns: »Wiederhol das noch mal. Ich glaub, ich hab mich verhört!« »Wir würden gerne gehen.« Mehr brachte ich nicht mehr heraus. Und dann hielt er mir seine verkrüppelte Hand vors Gesicht. Bohrte seinen Phantomzeigefinger in die Luft: »Ihr geht nicht eher, bis dieser Scheißlaster voll ist. Verstanden. Ich reiß euch so was von den Arsch auf, wenn ihr mir mit so einer Scheiße kommt. Alles klar?« Ich hatte schon so eine Angst, dass ich nur noch nickte, aber mein Freund versuchte es ein letztes Mal: »Bitte, geben Sie uns unser Geld und lassen Sie uns gehen!« »Geld gibt's zum Schluss.« Und dann schlug er meinem Freund seine zweifingrige Hand dreimal an die Stirn: »An die Arbeit! An die Arbeit! An die Arbeit!«

Als Nächstes kamen die Bodenplatten dran. »Vorsicht mit den Eisenplatten, Jungs!«, rief er und hielt seine Hand hoch. Jede dieser Platten wog schätzungsweise vierzig bis fünfzig Kilo. Die erste halbe Stunde trugen wir sie einzeln. Jeder eine Platte. Doch dann wurden sie so schwer, dass wir sie nur noch zu zweit hochbekamen. Meine Muskeln zitterten, mein Rücken tat mir weh, und vom Losschrauben der Platten hatte ich Blasen an den Handflächen bekommen, und jedes Mal, wenn ich eine Platte festhielt, verkrampften sich meine Hände. Der Bärtige in kurzen Hosen sang immer noch sein »Junger Mann im Frühling«-Lied und trug dabei stoisch die Platten allein zum Laster. Eine nach der anderen. Mein Freund sah schlecht aus, tiefe Ringe unter den Augen und totenblass. Wir schwankten unter dem Gewicht der Eisenplatten, stolperten, sie krachten auf den Boden, und dann bekamen wir sie kaum noch hoch. Wir stöhnten bei jeder Anstrengung. »Ist o. k., Jungs! Lasst mal die Platten und bringt mir die Tritte. Wir haben es gleich geschafft.«

Die Tritte waren leichte Aluminiumstufen. Doch wir trugen sie, als wären es Findlinge in einer sibirischen Strafkolonie. In Zeitlupe, gebückt, am ganzen Körper zitternd, schleppten wir wie in Trance federleichte Aluminiumblenden zum Laster. Und dann konnten wir einfach nicht mehr. Ich sackte zuerst zusammen, drei Aluminiumblenden später mein Freund. »Habt ihr gut gemacht, Jungs!«

Er gab jedem von uns einen Hundertmarkschein. »Den Rest schaffen wir auch ohne euch. Ihr fleißigen Bienchen.« Eine Gruppe von Männern, die schon längere Zeit untätig herumgestanden hatte und uns belustigt beim Taumeln zugesehen hatte, begann die letzten Kleinteile zusammenzupacken.

Wir schleppten uns zu unseren Fahrrädern. Von Krämpfen geschüttelt, brauchte ich endlos lange, um die Zahlenkombination meines Fahrradschlosses einzustellen. Wir fuhren los. Es war Viertel nach vier. Eigentlich hatten wir geplant, noch kurz bei meinem Freund vorbeizufahren, zu duschen und uns umzuziehen. Ich hatte dort meine Anziehsachen für die Party deponiert: eine neue, hautenge schwarze Jeans und ein sorgfältig durchlöchertes T-Shirt. Mein Freund aber kam nicht mehr mit, ohne ein Wort zu sagen, bog er plötzlich ab und glitt bereits wie im Tiefschlaf davon. Doch ich musste zu dieser Party! Dreckig und stinkend rollte ich im Morgengrauen im ersten Gang, obwohl es sogar leicht bergab ging, durch die sonntäglich schlafende Kleinstadt in Richtung Freiheit. Der wachhabende Soldat sah mir fragend ins ausgezehrte Gesicht. Zitternd gab ich ihm meinen Einlass-Schein und durfte in die Kaserne.

Im Offizierskasino wurde immerhin noch getanzt. Aber nicht mehr wild. Weiche, sogenannte Engtanzmusik erfüllte den verrauchten Raum. Es roch nach Bier, nach verbrauchter Luft. Im Dämmerlicht lagen überall Paare in den Nischen. Die Tanzenden hatten die Augen geschlossen, waren zum Teil barfuß, eng umschlungen, die Köpfe aneinandergelehnt. Ich stand in der Tür. Und das, was ich sah, war ein einziges stimmungsvolles Mahnmal des Verpassens. Ganz leise spürte ich den Zorn in mir aufsteigen.

Ich ging wieder hinunter und setzte mich auf die Kante eines gefällten Baumes. Der Geruch, der aus seinem hohlen, von Nässe zersetzten Stamm aufstieg, war unangenehm. Ein Schwarm mit den Flügeln dem Morgen applaudierender Tauben kam näher und ließ sich nicht weit von mir auf dem Gehweg nieder. Der Anblick der Vögel tat mir gut, der wohlkoordinierte Landeanflug, ihre schillernden Federn, das beruhigende Gurren. Sie pickten etwas vom Boden, tippelten aufgeregt umeinander herum. Ein zweiter Taubenschwarm flog zielstrebig heran, landete, drängelte sich zwischen die Zuvorgekommenen. Ich stand vom morschen Holzstamm auf und ging auf die Tauben zu. Sie waren so mit Drängeln und Picken und Stehlen und Schlucken beschäftigt, dass ich nah an sie herantreten konnte, ohne dass sie aufflogen. Jetzt waren sie direkt vor meinen Füßen. Da schleuderte sie der Schreck in die Höhe. Ich sah ihnen nach, fünfzig waren es bestimmt. Flatternde Taubenwolke im Gegenlicht. Ich sah hinunter auf den Gehweg. Eine große Pfütze Kotze. Nudelreste und Bröckchen in gallegelber Sauce. Meinem Ekel folgte echoschnell der Zorn. Wutentbrannt konnte ich den Blick nicht von der widerlichen Pfütze wenden.

Ich war der Einzige, der nüchtern war, und das wollte ich jetzt so schnell wie möglich ändern. Ich mixte mir einen Cocktail, einen B 52 – damals unser Lieblingscocktail. Ich zündete ihn an, löschte ihn, trank ihn auf einen Zug aus und mixte mir gleich noch einen. Hier und dort wurde sich verabschiedet. Die Fenster waren offen und die Vögel sangen. Ich hörte jemanden sagen: »Das war keine Party, das war eine Messe!« Durch eines der Fenster sah ich die Schlei, die Möweninsel. In der Stille des Morgens saßen einige am Ufer. Ein Mädchen ließ sich zwischen militärischen Schnellbooten auf dem Wasser treiben, nackt, spielte toter Mann.

Und dann passierte es: aus dem Nichts. Ich nahm eine der leeren Bierflaschen und warf sie gegen die Wand. Dann die nächste und immer so weiter. Mit aller Kraft! Wo genau diese Kraft noch herkam, weiß ich nicht. Ein berstender Furor ergriff mich. Mitschüler brachten sich wegduckend in Sicherheit, ich verschanzte mich hinter der Theke und schleuderte nun auch volle Flaschen durch das Offizierskasino – gegen die Wände, in die Scheiben und wohl auch nach den Flüchtenden. Irgendetwas brüllte ich auch, aber was, weiß ich nicht mehr. Dann knallte ich meinen Kopf zweimal auf die Theke, brach zusammen und schlug immer weiter um mich und schrie. Drei Soldaten kamen und hielten mich mit aller Kraft fest. Ich hatte Todesangst vor ihnen. Zappelte in einer klebrigen Alkoholpfütze um mein Leben. Schreien, besinnungsloses Schreien und Schlagen. Ich verlor das Bewusstsein.

Plötzlich lag ich auf einer Bahre und wurde in einen Krankenwagen geschoben. Als er hielt, auf dem kurzen Weg aus dem Krankenwagen in das Gebäude, erkannte ich, wo ich war. Haus E. Ambulante Behandlung. Ich wurde in ein Zimmer gebracht, erster Stock, E-Mitte, vergitterte Fenster und innen keine Klinke. Ein Arzt kam, und ich drehte mich weg. Ich wollte nicht erkannt werden. Er stellte mir Fragen: Ob ich irgendwelche Drogen genommen hätte. Was ich alles getrunken hätte. Ob ich dringend bestimmte Medikamente benötigen würde. Ich schwieg. Er fragte mich nach meinem Namen. Ich presste mir die Hände vors Gesicht und stellte mich tot. »Wir müssen dich untersuchen. Nichts Schlimmes. Du hast dir deinen Kopf angeschlagen. Das würde ich mir gerne mal ansehen.« Ich lag einfach da. Zusammengekauert, ratlos und verängstigt. »Ich würde mir das gerne mal ansehen.« Er rief zwei Pfleger. Sie drehten mich auf den Rücken und zogen mir mit aller Gewalt die Hände vom Gesicht. Der Arzt sah mich an. Ich schämte mich so sehr. Er sah mich an, war überrascht. Und dann strich er mir mit der Hand über den Arm: »Alles gut. Kein Problem.« Er verließ den Raum, und nur kurze Zeit später stand mein Vater im Zimmer. Sein Hemd hing ihm aus der Hose, er war außer Atem, sah verschlafen aus. Er setzte sich zu mir auf die Bettkante. Ich fing an zu heulen. »Was ist denn passiert, Josse? Was ist denn nur passiert?« »Ich weiß nicht. Es ist einfach so passiert. Aus dem Nichts.«

Ich lag mit meinem Kopf auf seinem Schoß. Mein Vater wollte mich gleich mitnehmen, doch der Arzt winkte ihn beiseite, und vor der halb geöffneten Tür redeten sie leise miteinander. Ich hörte meinen Vater mehrmals sagen »Das kommt überhaupt nicht infrage!« und den Arzt »… frei flottierend …«. Die Tür wurde geschlossen. Er kam zurück und erklärte mir, dass ich doch noch ein bisschen dableiben müsse, um mich auszuschlafen. Er küsste mich auf den Kopf und ging. Er war vollkommen durcheinander. Ich schlief lange. Bis zum Abend. Als ich aufwachte, hatte ich schrecklichen Muskelkater, war heiser. Über einem Stuhl hingen meine Anziehsachen. Ohne dass ich es gemerkt hatte, hatte man mir ein weißes, seitlich gebundenes Hemdchen angezogen.

Es ging mir gut. Ich sah von meinem Bett aus den blauen Himmel und ging zum vergitterten Fenster. Was ich da sah, überraschte mich. Durch die hohen Linden hindurch sah ich unser Haus. Die Wäschespinne im Garten. Ich blieb lange am Fenster stehen. Sah unseren Hund durch den Garten trotten und kurz einen Schatten, der ihm die Glastür öffnete. Am Abend holte mich mein Vater ab. Brachte mir frische Anziehsachen und wir gingen nach Hause. Keine drei Minuten dauerte das.

Meine Mutter versuchte, nicht zu weinen, und mein mittlerer Bruder umarmte mich lange, war freundlich. Ich durfte eine Woche zu Hause bleiben, doch dann musste ich zurück in die Schule. Mein Wunsch, für einige Zeit weit wegzugehen, Schleswig zu verlassen, wurde immer größer. Ich wollte ins Ausland. Am liebsten nach Amerika. Und das hab ich dann auch gemacht.

Komm, wir reiten nach Laramie

Für ein Jahr ging ich in die USA. Ich wäre gerne nach Kalifornien gegangen oder in eine große Stadt, nach New York oder Chicago. Aber ich landete in Laramie in Wyoming, wo nachts die Wölfe heulten. Das allerdings mochte ich an Laramie, dieses Wolfsgeheul. Es erinnerte mich an das Heulen und Schreien der Patienten. Fünfhunderttausend Menschen leben in Wyoming auf einer Fläche, die so groß wie Deutschland ist. Nur in Alaska leben noch weniger. Meine Highschool hatte eine eigene Landebahn, da einige Schüler jeden Morgen mit dem Flugzeug angeflogen kamen. Meine Gastfamilie lebte nicht einmal in der Stadt selbst. Ich war außerhalb von außerhalb. Eine grüne Oase inmitten einer staubigen Prärie. Von morgens bis abends krochen ferngesteuerte Wassersprenger durch den Garten.

Ich hatte mir oft in Schleswig ausgemalt, dass meine Gastfamilie vielleicht eine schöne Tochter haben würde. Doch in meiner neuen Familie gab es nur drei Brüder und einen Hund, genau wie in meiner alten Familie. Eher aus einer Laune heraus hatte ich bei dem Auswahlverfahren für meinen Austausch auf einem Fragebogen bei »nicht gläubig, gläubig oder strenggläubig« strenggläubig angekreuzt. Nun musste ich dreimal die Woche in die Kirche. Nicht nur zum Gottesdienst. Ich musste die Kirche fegen und den Altar polieren. Dreimal die Woche! Das war schrecklich.

Meine Gasteltern mochte ich. Stan und Hazel. Sie waren geduldig und freundlich zu mir. Nur Don, der Jüngste der drei Gastbrüder – er war so alt wie ich –, mochte mich nicht. Er korrigierte mich penibel und verzog sein Gesicht, wenn er mein Englisch hörte. Wenn seine Eltern nicht in der Nähe waren, nannte er mich: The German Robot. Ich lebte mich ein. In der Highschool wählte ich ausschließlich Fächer, die mir gefielen. Bergsteigen – Rockclimbing. Um sechs Uhr morgens wurde ich von einem Schulbus abgeholt und in die Rocky Mountains gefahren. Während wir darauf warteten, dass die Felsen in der Sonne trockneten, gab es Frühstück. Deutsch – ich das erste Mal in meinem Leben Klassenbester. Woodworking, wir bauten rustikale Vogelhäuser von Furcht einflößender Größe.

So vergingen die ersten Wochen, bis ich eines Nachmittags zu ungewohnter Zeit einen Anruf von zu Hause bekam. Ich lag auf meinem Wasserbett und hörte Musik. Das Telefon klingelte nebenan im Wohnzimmer. Es klopfte. Hazel kam herein: »It's for you.«

Es war mein Vater. Er sagte mir, dass mein mittlerer Bruder verunglückt sei, mit dem Auto – tot. Ich legte auf und ging zurück in mein Zimmer. Es klopfte wieder, und Hazel öffnete die Tür. »What happened?« Ich wollte ihr antworten, aber mir fiel kein einziges englisches Wort mehr ein. Ein furchtbares Gestammel. Ich suchte nach den Begriffen, sagte auf Deutsch: »… mein Bruder … äh … mein …«, aber mir fiel nichts ein. Ich stand auf, ging zum Tisch und nahm mir mein Wörterbuch. Mit zitternden Fingern suchte ich mir den Satz zusammen: »My«, blättern, »brother«, blättern, »is dead.« Sie wollte etwas sagen, aber ich unterband es mit einer

Stille gebietenden, ausgestreckten Hand und blätterte weiter. Ich fand »Autounfall« – »Car accident«.

»Your brother got killed in a car accident?« Ich nickte und sagte: »Ja« – wieder auf Deutsch.

Als ich diese Todesnachricht bekam, standen wir kurz davor, zu einer Reise in den Yellowstone Park aufzubrechen. Da es bis zu meinem kompliziert gebuchten Rückflug noch vier Tage dauern würde, brachen wir trotzdem auf. Endlose Autofahrten, endloses Hineinstarren in diese grandiose Landschaft. Büffelherden und Geysire. Nie ist mir Landschaft trostloser vorgekommen.

Ich flog zurück nach Schleswig zur Beerdigung. Nach vierunddreißig Stunden und viermal umsteigen war ich wieder in Frankfurt. Mein mittlerer Bruder hatte mich nach Frankfurt zum Flughafen gebracht. Hier hatte ich ihn zum letzten Mal gesehen. Nun war ich wieder da und wartete auf meinen Anschlussflug nach Hamburg. Dort holten mich meine Eltern und mein übrig gebliebener Bruder ab. Bevor sie mich sahen, sah ich sie durch eine große Scheibe hindurch auf einer Bank sitzen. Um sie herum wurde gerannt, Heimkehrer wurden begrüßt und geküsst, doch sie bewegten sich nicht, starrten wie traurige Steine auf den Ausgang. Ich hatte mir diese Heimkehr so anders vorgestellt: als Basketball-Star, durchtrainiert, mit fließendem Englisch und glitzerndem Selbstbewusstsein. Als sie mich sahen, freuten sie sich sehr. Wir umarmten uns alle, standen inmitten der rennenden Menschen und hielten uns aneinander fest.

Obwohl ich wusste, wie schwer es für meine Eltern ohne mich sein würde, entschloss ich mich, nach Wyoming zurückzufliegen. Nie versuchten sie, mich davon abzuhalten, nur ein einziges Mal fragte mich mein Vater weinend über einen Sessel gebeugt: »Willst du vielleicht nicht doch lieber hier bei uns bleiben?« Aber ich wollte zurück. Unbedingt!

Nur vierzehn Tage später war ich wieder in Laramie bei meiner kompletten Gastfamilie. In der Highschool wusste niemand von dem Unfall. Außer meiner Gastfamilie hatte niemand Mitleid mit mir. Das tat mir gut. Ich lebte einfach so weiter wie vor dem Unfall. An meinen Bruder dachte ich selten. Eigentlich immer nur nach den Sonntagstelefonaten mit meinen Eltern. Ich weigerte mich einfach zu trauern. In den folgenden Monaten tat ich all das, was man halt so in Laramie tat: Ich spielte Basketball, lernte, wie man einen Fooball wirft und wie man einen Riesen-Truthahn tranchiert. Ich schaufelte Unmengen von Schnee, lernte auf einer Whirlpool-Party ein Mädchen kennen und unternahm stundenlange Ausritte in die Prärie. Ich besuchte ein Gefängnis, fand dort einen Brieffreund und machte lange Reisen mit meinen Gasteltern. Als ich die USA verließ und nach Schleswig zurückkehrte, wog ich fünfundneunzig Kilo, schaffte hundert Liegestütze und sprach fließend Englisch.

Bei dem Autounfall war nicht nur mein Bruder ums Leben gekommen. Auch seine Freundin, mit der er auf der Rückbank saß, starb noch an der Unfallstelle. Ein Lastwagen hatte hinter einer Hügelkuppe gehalten, um mitten in der Nacht zwei Anhalterinnen aussteigen zu lassen. Er hatte sogar das Licht ausgeschaltet. Der Wagen schleuderte unter den Laster. Der Fahrer war der beste Freund meines Bruders. Er blieb unverletzt.

Meine Mutter und mein Vater waren durch den Unfalltod meines mittleren Bruders zu anderen Menschen geworden. Obwohl beide wieder arbeiteten, obwohl beide in ihrem Kummer füreinander da waren, obwohl wir zusammen aßen,

zu dritt vor dem Fernseher saßen und Spaziergänge machten – es war die Simulation einer vergangenen Zeit. Für
mich sah es so aus, als versuchten sie sich daran zu erinnern,
wer sie waren und wie das Leben ausgesehen hatte, das sie
einst führten. Die Hoffnung war wohl die, dass in das mühsam aufrechterhaltene Gerüst der alltäglichen Handlungen
nach und nach das tatsächliche Leben wieder hineinwach-
sen würde. So lebte ich, da mein ältester Bruder in München
studierte, als letztes verbliebenes Kind mit meinen Eltern in
unserem Haus inmitten der Psychiatrie.

Auferstehung

Eine erste Unternehmung, zu der ich nach meiner Rückkehr aufbrach, war ein Rundgang über das Anstaltsgelände. Ich hatte mich darauf gefreut und war gespannt, ob sich etwas während meiner einjährigen Abwesenheit verändert hatte. Während ich auf den altbekannten Wegen, an den vertrauten Gebäuden und eingezäunten Gärten, in denen wie eh und je die Patienten herumlagen, entlang- und vorbeiwanderte, wurde mir immer eigenartiger zumute. Ohne zu verstehen, was mich irritierte, wurde ich mir zunehmend sicherer: Etwas an diesem Ort hatte sich grundlegend gewandelt. Mir kam es so vor, als würde etwas fehlen, als hätte jemand etwas gestohlen. Aber was?

Auf der langen Geraden, die zum Haupttor führte, kam mir der sogenannte Trupp entgegen, und schon von Weitem erkannte ich einige der Patienten an Gang und Körperhaltung wieder. Sie kamen auf mich zu, ich trat zur Seite, sie passierten mich, einige grüßten und schritten vorbei. Ich sah ihnen nach.

Ich ging um Haus L herum und sah Ferdinand, den Prinzen auf der Erbse, auf einer Bank sitzen. Unter sich ein rotes Kissen, da er es gerne weich hatte. Neben ihm saß ein Junge, den ich nicht kannte. Er hatte einen enormen Kopf, keine

Haare, aber seine Augen, der Mund und die Nase lagen in der Mitte des fleischigen Gesichts ganz eng beieinander, hätten auch auf einem Bierdeckel Platz gehabt. Ich freute mich und rief: »Ferdinand!« Er sah zu mir herüber und öffnete seinen Mund, langsam klappte sein Kiefer hinunter, während sich seine Augen weiteten.

Ich war fast bei der Bank angekommen und sah Ferdinand in sein vom Schreck verzerrtes Gesicht. Er war älter geworden, ein gut aussehender junger Mann. In seinem Hemd und dem Pullunder sah er ein wenig aus wie ein englischer Internatszögling. Mein Anblick schien ihn zu peinigen.

»He, Ferdinand, schön dich zu sehen!« Die winzigen Pupillen in den Äuglein des Jungen neben ihm flogen in ihren Höhlen unabhängig voneinander hin und her. So ein seltsames Gesicht hatte ich selten gesehen. Die Augenwinkel berührten sich fast, und es hätte mich nicht gewundert, wenn plötzlich die eine Pupille ins andere Auge hinübergeflutscht wäre. Sein Mündchen war nicht größer als eine saftige Kirsche und auch das Näschen klitzeklein wie bei einem edlen Hündchen. Alles ganz winzig, eng beieinander in diesem rosigen Riesenschädel.

Ferdinand war blass geworden. Sogar seine Hände waren weiß. Jetzt war ich nur noch einen Schritt von ihm entfernt: »Was ist denn los, Ferdinand?« Sein Anblick fing an, mich zu beunruhigen. Würde er gleich ohnmächtig umkippen, sich auf mich stürzen oder die Flucht ergreifen? Langsam erhob er sich und sah mich fassungslos an. In seinem weit offen stehenden Mund bewegte sich seine Zunge, tippte tonlos an den Gaumen. »Was sagst du? Mensch, Ferdinand!« Er versuchte es erneut, formte Buchstaben, ohne einen Laut von sich zu geben. »Ferdinand, ich kann dich nicht verstehen. Was willst du sagen?« Unter größter Anstrengung, seine Angst niederringend, machte er einen weiteren Versuch.

Leise, wie von ferne, eher geschnalzt als gesprochen, vernahm ich zwei Worte: »Du lebst?« »Was meinst du, Ferdinand?« Eine Spur deutlicher: »Du lebst?« »Na klar lebe ich. Ich steh doch hier vor dir.« Und jetzt, schon mit Spucke und Anfang und Ende: »Du lebst!«

»Ferdinand, jetzt hör mal auf. Was ist los?« Seine belegte Stimme fand zurück in den Klang, seine Stimmbänder schienen wieder zu schwingen, und klar und deutlich wiederholte er: »Du lebst!« Ich nickte und lachte und sagte: »Das freut mich auch. Weißt du was, Ferdinand: Du lebst auch! Hallo! Schön dich zu sehen.«

Er umarmte mich. Schrie immer wieder: »Du lebst! Du lebst!« Er hüpfte um mich herum und feierte meine Auferstehung. Er stammelte: »Nicht dein Bruder! Du bist nicht dein Bruder! Du lebst! Du bist nicht dein Bruder!« Wieder und wieder umarmte er mich. Aus dem winzigen Kirschmündchen des anderen Patienten rief es, ohne dass er die geringste Ahnung hatte, worum es ging: »Hurra! Der Kommissar geht um. Hurra!«

Erst da begriff ich, dass Ferdinand mich und meinen verunglückten Bruder verwechselt hatte. Denn weg waren wir ja beide gewesen. Und so erstand ich an diesem Tag durch Ferdinand von den Toten auf.

Blutsbrüder

Der Anblick meiner todtraurigen Eltern war für mich wesentlich schlimmer als mein eigener Zustand. Ich wusste gar nicht so recht, wie es mir ging. Ich weinte wenig, weinte eigentlich nur, wenn meine Eltern weinten. Sie machten zunehmend den Eindruck zweier willkürlich einander zugeteilter Verzweifelter, die sich aneinanderklammerten, ohne sich näher zu kennen. Schon immer war meine Mutter ein übertrieben schreckhafter Mensch und mein Vater ein schwerer Mann mit Hang zur Lethargie gewesen. Der Verlust ihres Sohnes potenzierte diese Eigenschaften ins Überdeutliche. Wie ein scharfes Messer schälte sie der Schmerz heraus aus ihrer vielleicht jahrelang nur vorgetäuschten Ausgeglichenheit. Bei jedem noch so nichtigen Anlass zuckte meine Mutter zusammen oder schrie auf. Knallte im Haus eine offen gelassene Tür im Wind, fuhr sie vom Sofa auf, als hätte sie Feuer gefangen – und dann brach sie weinend zusammen. Selbst ein plötzliches Niesen oder ein heruntergefallener Löffel rissen ihr die Arme in die Höhe, als müsste sie unsichtbare Mächte abwehren, und trieben ihr erneut die Tränen in die völlig übermüdeten Augen.

Mein Vater dagegen schien in seinem Sessel so schwer vor Kummer geworden zu sein wie noch nie zuvor. So, als hätte sich sein Fleisch in ein massives Metall verwandelt, saß er bewegungslos, nicht ansprechbar, stundenlang da. Kein Kran der Welt hätte diesen gebrochenen Bronze-Mann aus dem Sessel hieven können.

Und dann wurde auch noch unser Hund krank. Zwischen seinen Hinterbeinen entdeckte meine Mutter ein großes, unter der Bauchdecke hängendes Geschwür. Mein Vater tastete es behutsam ab, und wir wunderten uns, dass wir es nicht früher bemerkt hatten. Wie konnte diese Geschwulst so groß geworden sein, ohne dass wir sie entdeckt hatten?

An seinem Lieblingsplatz, hinter dem Ohrensessel meines Vaters, wo der alt gewordene Hund seine Tage und Nächte verbrachte, musste in den letzten Wochen dieser ekelhafte Sack aus ihm herausgewuchert sein. Die Tierärztin, die wir noch am selben Tag aufsuchten, sah meine Mutter und mich fragend an: »Wie, und das haben Sie erst jetzt bemerkt?« Sie wiegte den Tumoreuter in der Hand. »Wir könnten versuchen zu operieren. Aber er ist schon recht groß.« Wir verabredeten einen Operationstermin und luden den Hund wieder in das Auto. Er saß auf der Rückbank und sah aus dem heruntergekurbelten Fenster. Dieser Anblick hatte mich stets erheitert, da seine Schlappohren durch den Fahrtwind um ihn herumflogen, ihm an den Kopf und vor die Augen schlugen.

In den Tagen bis zur Operation umsorgten wir den Hund wie lange nicht mehr. Unser schlechtes Gewissen, ihn vernachlässigt zu haben, bescherte ihm liebevolle Ansprachen, ungeteilte Aufmerksamkeit und besondere Köstlichkeiten für seinen Napf. Er sah uns verwundert an und wedelte mit dem Schwanz. Oft bekam er einfach das gleiche Mittagessen wie wir, ein Stück vom Hackbraten oder eine Roulade. Ich legte mich, so wie ich das als Kind getan hatte, zu ihm. Ich war mir nicht ganz sicher, ob mit meinem Älterwerden mein Geruchssinn empfindlicher geworden war oder ob der Hund stärker stank als früher. Ich umarmte ihn und griff in sein Fell. So gehaart wie in den letzten Wochen hatte er noch nie. Über den Fliesenboden wehten Hundehaarbüschel, und die Sofakante, die der Hund auf seinem Weg hinter den Sessel streifte, war genauso mit Haaren überzogen wie der braune Teppichboden.

Ich dachte daran, wie eine Zeit lang mein mittlerer Bruder die Hundehaare von der Hundebürste gezupft und in einer Plastiktüte gesammelt hatte. Er plante, die Haare auf dem Spinnrad unserer Mutter zu einem Faden zu zwirbeln und sich einen Pullover zu stricken. Das würde, so mein Bruder, der Hingucker schlechthin – ein selbst gestrickter Landseer-Hundehaarpullover. Die Hundewolle reichte aber nur für eine kleine Tischdecke, vor der sich alle ekelten. Jahrelang lag sie bei meinem Bruder auf einem Hocker. Hin und wieder roch unser Hund beunruhigt an diesem Deckchen und knurrte. Seine Abneigung verstand ich gut. Man stößt ja eher selten auf etwas, das aus einem selbst gemacht wurde.

Als wir zum Termin in die Tierarztpraxis kamen, war das Wartezimmer leer. Meine Mutter und ich saßen auf den Plastikstühlen, und der Hund schnüffelte ausgiebig in die sicherlich von einem hochinteressanten Kleintiergeruch-Gemisch erfüllte Luft. Die Ärztin kam. Der Hund hechelte und konnte auf dem glatten Boden kaum aufstehen. Mehrmals rutschte er mit den Hinterbeinen aus. Ich griff ihm unter den Bauch und stellte ihn auf alle viere. Dabei schwang der Gebärmutterkrebs, den ich in diesem Moment vergessen hatte, gegen meine Hände. Die Ärztin sah diesem gestützten Aufrappeln und Hinstellen besorgt zu.

Wir gingen ins Operationszimmer. Der Hund hechelte

schnell, stockend und leckte sich sein Geschwür. Die Ärztin setzte sich auf einen Hocker, nahm den Hundekopf zwischen ihre Hände, sah ihm in die stets in den Winkeln verschleimten Landseer-Augen: »Na? Sollen wir das wirklich machen? Hm?« Unser Hund kannte die Ärztin. Vertrauensvoll hoben sich seine Ohren ein wenig. Während sie ihn weiter hielt und streichelte, sich sein Atem beruhigte und die erfahrenen Arzthände gleichzeitig kraulten und die Lymphknoten hinter den Ohren ertasteten, sah sie meine Mutter an und fragte: »Hechelt sie immer so?« »Nein, eigentlich nicht. Heute ist es besonders schlimm.« »Wissen Sie, ich bin mir nicht ganz sicher, ob wir das mit der Operation wirklich riskieren sollten. Sie ist nicht gut beieinander. Ist ja auch schon alt. Vielleicht tun wir ihr keinen Gefallen damit.«

Wir schwiegen. Das einzige Geräusch im sterilen Zimmer war das angestrengte Ein- und Ausatmen des Hundes. »Sollen wir sie wieder mitnehmen?«, fragte meine Mutter. Ich sah mir unseren Hund an. Er hatte den Kopf gesenkt und seine rosa Zunge, auf der ein paar schwarze Flecken waren, hing ihm aus dem Maul. »Nein, ehrlich gesagt, das würde ich nicht machen«, widersprach die Ärztin. »Aber das müssen natürlich Sie entscheiden.« Sie klang sehr überzeugend, ohne dabei bevormundend zu sein, hatte eine warme Stimme, gut geeignet, einem große Entscheidungen ans Herz zu schmiegen. Mir war diese unantastbar kompetente Stimme ein wenig unheimlich, da ich fühlte, wie sie mich willenlos machte, mich vielleicht zu etwas verführen könnte, das ich absolut nicht wollte.

Auch meine Mutter war unschlüssig, brauchte noch einen kleinen Umweg, obwohl sie das Ziel des Vorschlages schon klar vor Augen hatte. »Wir könnten noch ein wenig warten. Vielleicht bessert sich ihr Zustand wieder. Aber so schwer Luft bekommen hat sie noch nie, oder?« Meine Mutter sah mich an. Ich hätte ihr gerne widersprochen, aber es stimmte, was sie sagte. Der Hund hechelte, ja röchelte ununterbrochen. Selbst im Schlaf klang es so, als wäre seine Gurgel zugeschwollen. Wenn er sich zum Kacken hinhockte, zitterten seine Beine, und die Zunge hing ihm luftschaufelnd aus dem Maul. Das alles war schleichend gekommen, und wir hatten den Verfall verpasst.

Meine Mutter und ich mussten uns nun rückwirkend, in nur ein paar Minuten, über dieses Versäumnis klar werden und eine schwere Entscheidung fällen. Ein mich kalt bestärkender Pragmatismus nahm Besitz von mir. Ich dachte: »Los, wir nehmen sie einfach wieder mit nach Hause. Sie hat ja keine Schmerzen. Hauptsache noch ein paar Tage«, hörte mich aber sagen: »Es geht ihr schon seit Wochen schlecht, Mama. Sie kommt fast nicht mehr alleine hoch. Ich glaube schon, dass sie sich quält.« Meine Mutter sah mich traurig, aber verständnisvoll an: »Ja, findest du?« Wieder sprach die Ärztin mit ihrer betäubenden Wattestimme, übersprang mehrere Bedenken-Phasen und beschloss: »Glauben Sie mir, es ist das Beste.« Das war schon eigenartig, wie sich da aus Halbsätzen und Andeutungen ein der Milde geschuldetes Todesurteil manifestierte.

»Wollen Sie noch eine Runde mit ihm spazieren gehen?« Ganz glücklich über diesen Aufschub, sagte meine Mutter schnell: »Ja, das machen wir!« Wir leinten den Hund an und traten vor das Haus. Kein Regen, keine Sonne, kein Wind, nicht kalt, nicht warm, einfach nur norddeutsches Brei-Wetter. Ein Wetter, das man wachschütteln, nach dem man treten möchte. Dem Hund war das egal. Wir liefen mit ihm ein Stück auf dem Bürgersteig entlang. Er ignorierte seinen Zustand, kurzatmig schnüffelte er herum, hinkte unternehmungslustig, und das Geschwür pendelte hin und her.

»Wie konnten wir das nur so lange nicht bemerken? Schau dir das Ding mal an, Mama. Das ist riesig.« »Was sollen wir denn jetzt machen? Ich finde, das geht alles ein bisschen schnell.« »Ich glaube, die Ärztin hat recht.« »Aber es ist doch Martins Hund.«

Diesen Satz sagte meine Mutter oft. In dem Hund meines verunglückten Bruders hatte etwas aus einer früheren Zeit überlebt. Dieser hinkende, große, hechelnde Hund verband auch mich mit meinen Brüdern, meinen Eltern, mit einer Zeit, als ich noch fest daran glaubte, wir wären eine unzerstörbare Familie. Wir, die wir alle um den Tisch herum saßen und Fragen beantworten mussten. Wir, die Superfamilie. Ohne den Hund wären wir tatsächlich nur noch zu dritt im Haus: Vater, Mutter, erwachsenes Kind. Dieser todkranke Hund, das wurde meiner Mutter und mir auf dem Gehweg klar, hielt mit seinen gehechelten Speichelfäden die Reste unserer Familie zusammen.

»Entweder wir lassen sie jetzt gleich operieren«, sagte ich auf den Boden sehend, »oder sie muss hierbleiben, Mama. Sie noch mal mitzunehmen, das ist …« Meine Mutter nahm meine Hand, wir schlenderten ein Stückchen nebeneinander her und warteten auf den Hund, der in einigem Abstand hinter uns hertrottete. »Weißt du noch, früher?«, fragte meine Mutter und war dadurch sofort heiterer gestimmt. »Da hat sie so gezogen, dass ich sie gar nicht halten konnte. Wenn ich einen anderen Hund auf uns zukommen sah, musste ich sie an einen Baum oder Zaun binden. Dann haben wir doch dieses scheußliche Würgehalsband bekommen. Mein Gott, was die für eine Kraft hatte. Und immer dieser Wahnsinn an der Ostsee.« In uns beiden war sofort das Bild des Hun des hellwach, wie er jedes Mal vor Glück durchdrehte, wenn er das Meer sah. Wie ihn seine Wasser-Besessenheit, sobald er Wellen und Gischt roch, schier um den Verstand brachte.

Diese Erinnerungen machten aber den miserablen Zustand des sich erschöpft vor meine Füße setzenden Hundes noch augenfälliger. Er war am Ende seiner Kräfte. »Ja, es ist wohl wirklich das Beste. Machen wir es gleich, o. k.?« Ich nickte meiner Mutter zu. Ein paar Schritte weiter war ein Kiosk, ich sah die Eistafeln vor dem Eingang stehen. »Warte kurz, Mama, ich bin gleich wieder da.« Ich kaufte ein Bounty und kniete mich vor den Hund: »Hier, Blutsbruder, das ist für dich!« Der Hund liebte Bounty, bekam, wenn er Glück hatte, ein winziges Eckchen, aber diesmal hielt ich ihm beide Stücke hin. Ungläubig leckte er am ersten herum. »Na komm, los, nimm schon. Ist für dich.« Er war sehr unschlüssig. Würde ich es ihm wirklich geben? Sabber tropfte ihm aus der Schnauze. Ich schob die Schokolade in sein Maul, und er kaute und schmatzte beherzt drauflos. Das zweite Stück schnappte er mir aus der Hand und schlang es einfach hinab.

Wir machten uns auf den Rückweg zur Praxis. Die Tierärztin saß hinter ihrem klotzigen Schreibtisch. Die klein gewachsene, flinke Frau mit den raspelkurzen grauen Haaren sah uns erwartungsvoll an. »Und, wie haben Sie sich entschieden?« Meine Mutter dachte kurz, ich würde antworten, aber mir war plötzlich ganz mulmig geworden. War etwa ich die treibende Kraft hinter diesem Entschluss gewesen? Hätte ich es verhindern oder wenigstens hinauszögern können? Hatte das Leben meines Blutsbruders in meinen Händen gelegen? Warum war ich mir so sicher, dass es das Beste für den Hund war? Wollte ich der Ärztin imponieren? Oder mir?

»Ja, die Operation ist wohl wirklich zu schwer. Wir …«, meine Mutter stockte, ihre Augen füllten sich mit Tränen, »… es ist wohl besser.« »Wollen Sie dabei sein?« Damit hatte ich nicht gerechnet, und trotzdem sagte ich blitzschnell: »Ja sicher!« Meine Mutter sah mich überrascht an.

»Gut.« Die Ärztin erhob sich. Sie war wirklich winzig. Kaum ein Unterschied, ob sie saß oder stand. »Ich verspreche Ihnen, für den Hund ist das vollkommen schmerzfrei. Ich erkläre Ihnen kurz, was wir machen.« Wir? Weshalb denn wir? Ich mache hier überhaupt nichts, dachte ich. »Zuerst bekommt sie ein Narkosemittel gespritzt. Dann warten wir ein paar Minuten, bis sie eingeschlafen ist, und dann spritze ich dasselbe Mittel noch einmal, aber in einer tödlichen Dosis. Wann hat sie denn zuletzt was gefressen?« Wir überlegten. »Heute Mittag einen Napf Pansen. Den hat sie aber stehen gelassen!« »Gut. Das geht!« Schon hielt sie die aufgezogene Spritze in der Hand. »Können Sie sie hinlegen?« »Ja, sicher«, sagte ich, hob die Hand und rief: »Down!« Das war schon immer ein großes Getue gewesen. Unser Hund, der Hund meines verunglückten Bruders, machte nicht »Platz«, sondern »Down«. Aber jetzt rührte er sich nicht. Ich wiederholte mein Kommando. Wahrscheinlich hatte das seit Jahren niemand mehr von ihm verlangt, da er nur noch herumlag. Kein Mensch wollte mehr, dass er »Down« machte, unsere Befehle hatten sich ins genaue Gegenteil verkehrt: »Los, hoch, du alte Töle, du musst doch ein Mal am Tag raus. Komm jetzt, hoch!«

Meine Mutter legte ihre Hand auf den Rücken des Hundes und drückte ihn sachte nach unten. Er stand da, röchelte und sah nicht die geringste Veranlassung, sich in dieser Praxis auf den Boden zu legen. Die Ärztin sah mich geduldig, aber irgendwie auch fordernd an. Und dann tat ich etwas, das mir bis heute unerklärlich ist. Dieser uralte Hund, mein hechelnder Blutsbruder, machte mich zornig. Warum gehorchte er mir nicht? Warum legte er sich nicht hin, wie er es zuvor hunderttausendmal auf dieses bescheuerte »Down!« hin gemacht hatte. Warum war er ausgerechnet jetzt, vor dieser Ärztin, renitent? Ich war mir sicher, in ihrem Blick etwas Überhebliches wahrgenommen zu haben, etwas, das mir vorwarf: »Erst übersiehst du wochenlang diesen riesigen Krebs, der so groß wie ein Fußball ist, und dann gehorcht dir dein eigener Hund nicht mal! Leute wie du sollten überhaupt keine Hunde haben dürfen!«

Ich schob meinen Fuß gegen seine eine Hinterpfote und zog ihm die Hinterläufe weg. Ich warf ihn um. Der Hund stürzte und landete unsanft auf dem Boden. »Was machst du denn?«, rief meine Mutter erschrocken. Die Ärztin kam mir ganz nah, ihr grauer Mauskopf war auf Höhe meiner Brust: »Also bitte, was soll das denn? Vorsicht!«

Der Hund strampelte auf den glatten Fliesen herum. Die Tierärztin hockte sich vor ihn hin, machte »schschschsch…«, klopfte ihn und stach ihm die Spritze in den Bauch. Mir war heiß vor Zorn und Scham. Beide Frauen knieten über dem Hund, hielten ihn, und nach etwa zwanzig Sekunden wurde er schon ruhiger. Erst stand die Ärztin auf, dann meine Mutter. Ich sah zu Boden, aber ich spürte ihre Blicke auf mir. Vor mir lag der Hund. Groß und schlafend. Die Tierärztin stieß eine wesentlich größere Spritze in ein Fläschchen und zog sie auf. Das war sie also: die tödliche Dosis.

»Wir warten jetzt kurz, bis sie ganz tief schläft.« Meine Mutter ließ sich auf einen Stuhl nieder, ganz vorne auf der Kante. Stand kurz darauf wieder auf und setzte sich einfach auf den Boden, nah beim Hund. Ich hätte mich auch gerne zu ihm gesetzt, aber es war, als hätte ich durch meine Grobheit mein Anrecht auf diese Nähe verspielt. Die Ärztin kam zu mir und legte mir ihre winzige Hand auf den Arm: »Bestimmt gut, wenn du dich auch noch einen Moment dazusetzt.«

Dankbar für ihre Nachsicht trat ich einen Schritt auf ihn zu und ging in die Knie, da krümmte sich der Hund und fing an zu würgen. Mehrmals zog sich seine Bauchdecke ruckartig nach innen, und dann erbrach er einen bräunlichen Brei auf den Boden. Sofort roch es ekelhaft nach Kokos und Kotze. Meine Mutter hatte etwas auf die Hose bekommen, ging zum Waschbecken und rieb energisch mit ihrer mit einem Mondstein beringten Hand auf dem Hosenbein herum. In den Augen der Papiertücher auf den Fleck werfenden Ärztin sah ich, dass wir uns nun endgültig als Tierquäler entlarvt hatten. Alle ihre Versuche, diese Einschläferung würdevoll über die Bühne zu bringen, machten unsere Lügen, unser Dilettantismus zunichte. Davon, hier weiterhin Andacht und eine dem Tod angemessene Stimmung zu zelebrieren, hatte sie nun eindeutig genug. Sie rammte dem Hund die tödliche Spritze in den Bauch, und mit einem gleichmäßigen Daumendruck presste sie ihm das Gift in den Körper.

Keine zehn Sekunden später hörte unser Hund auf zu atmen. Seine Zunge glitt zwischen den Lefzen aus dem Maul und lag nass und riesig vor seiner schwarzen Schnauze. Kein Zittern war durch seine Glieder geströmt, kein Pfotenballen hatte sich auch nur einen Millimeter bewegt. Dass sich das Leben so klammheimlich davonmachen würde, hätte ich nicht für möglich gehalten.

Die Ärztin hatte ihre Milde schon wiedergefunden, strich dem toten Tier über den Rücken und drückte ihm dann in schneller Folge mehrere mit Luft gefüllte Spritzen in eine Ader am Vorderlauf. »Sollen wir uns hier um sie kümmern oder wollen Sie sie mitnehmen? Eigentlich ist sie zu groß, um sie im Garten zu begraben. Aber ich würde eine Ausnahme machen.« Meine Mutter weinte, sah flehentlich zu mir hinüber. »Wir nehmen sie natürlich mit«, sagte ich, ohne die geringste Ahnung zu haben, was das bedeuten würde.

Zu dritt trugen wir den Hundeleichnahm zum Auto. Das war gar nicht so einfach. Mehrmals drohte er uns zu entgleiten, so schwer und eigenartig gelenkig war der Kadaver. Weil wir es möglichst schnell von der Praxis bis zum Auto schaffen wollten, stellten wir uns noch ungeschickter an. Ich kam mir wie ein Verbrecher vor, wie ein Mörder, der, tief verstrickt in sein Unglück, gemeinsam mit zwei wesentlich älteren Frauen eine Leiche entsorgt. Die einzig praktikable Transportlösung war eine grauenhafte. Ich als Kräftigster des Killerkommandos hielt mit je einer Hand die Hinterläufe, meine Mutter das rechte Vorderbein, die Tierärztin das linke Vorderbein. Die weichen Pfotenballen des Hundes, zwischen denen, da er so selten herumlief, lange Haare gewachsen waren, zeigten nach oben, und obwohl ich ein Teil dieses Trios war, konnte ich mir genau vorstellen, wie das, was wir da gerade taten, aussehen musste. Wie ein Schlachtvieh trugen wir unseren Hund über den Gehweg. Kurz sah ich das irritierte Gesicht der Kioskverkäuferin, bei der ich vor einer Viertelstunde das Bounty gekauft und direkt vor deren Laden an den fidelen Hund verfüttert hatte. Vor mir wabbelte der Gebärmutterkrebs herum. Da es uns nicht gelang, den Hund hoch genug zu tragen, schleiften wir seinen tief herabhängenden Kopf, die Schnauze, die Ohren über den Asphalt. Je höher ich ihn hinten zog, desto schwerer wurde es für meine Mutter und die Tierärztin. Mit einem letzten Schwung, der Kopf schlug dumpf gegen das Nummernschild, wuchteten wir den Hund, unseren über alles geliebten Hund, den Hund meines Bruders, meinen Blutsbruder, in den Kofferraum des Autos. Die Ärztin sah sich wie ertappt um, warf uns einen verschwörerischen Blick zu und rannte auf ihren flinken Beinen davon. Einfach davon. Diese Frau, dachte ich, wird auch noch mit neunzig so rennen können und jeden Bus bekommen.

Ich setzte mich hinters Steuer und meine Mutter sich auf den Beifahrersitz. Sie klappte die Sonnenblende herab und betrachtete sich in dem kleinen Spiegelchen. Meine Mutter sah sich einfach nur an. Malte nicht ihre Lippen nach, nahm keinen Kamm aus dem Handschuhfach, zog nicht ihre Stirn glatt. Sie sah sich selbst beim Sprechen zu: »So, und was machen wir jetzt?« Ich überlegte. Es gab nur eine Lösung: »Wir fahren sie raus aufs Land und beerdigen sie da im Garten. Hier bei uns geht's nicht. Sie ist wirklich zu groß!« Meine Mutter sah auf die grün leuchtende Digitaluhr über den Armaturen: »Das müssen wir morgen machen. Wie lange hast du Schule? Ich hab gleich noch zwei Behandlungen.« »Spinnst du? Der Hund kann doch nicht über Nacht im Kofferraum bleiben.« »Das stimmt. Wir könnten ihn mit reinnehmen und dann morgen …« »Das ist doch Quatsch, Mama. Wir können den doch nicht immer hin und her schleppen. Kannst du da nicht absagen?« Sie schüttelte den Kopf. Konnte oder wollte sie nicht? »Dann mach ich es eben allein. Wo musst du hin?« Ich brachte sie durch die Stadt zu ihrem Patienten. Bevor sie in der Haustür verschwand, hatte sie den Kofferraum einen Spalt geöffnet, die Hand hineingesteckt und kurz die Augen geschlossen. Ich fuhr los, ließ die Kleinstadt hinter mir und machte mich auf den Weg zu unserem Ferienhaus an der Ostsee.

Es gibt Strecken, die ist man so oft gefahren, dass sie beginnen, ein Eigenleben zu führen. Mal dauern sie ewig, und man kommt kaum voran, quält sich wie durch einen tausendfach gesehenen Film, mal aber vergehen sie wie im Flug, und man gerät in eine Art Schwebezustand zwischen Vertrautheit und Trance und kann es dann kaum glauben, das Ziel schon erreicht zu haben.

Als ich an diesem Tag mit dem toten Hund im Kofferraum hinaus auf das Land fuhr, verschätzte ich mich bei fast jeder Kurve und ärgerte mich über die ungünstige Straßenführung. Der Himmel über mir sah nicht so aus, als ob er sein stumpfes Grau jemals wieder würde abschütteln wollen. Zwanzig Minuten zuckelte ich hinter einem Lastwagen her, versuchte ihn zu überholen, schwankte zwischen Risikobereitschaft und Unsicherheit. Ich kam einfach nicht vorbei. In den Kurven versuchte ich es, auf den Geraden verließ mich der Mut. Mein eingeschläferter Blutsbruder lag im Kofferraum und brachte den Wagen aus dem Gleichgewicht.

Als ich endlich in die kleine Straße einbog, hatte das Himmelsgrau sich wie ein Filter über die Landschaft gelegt, alle Farben herausgesogen. Die Wiesen grau, die Bäume grau, und um die graue Wasseroberfläche des kleinen Sees standen wie ausgestopft ergraute Kühe. Richtiges Totengräber-Wetter, dachte ich, und holte mir einen Spaten aus dem Schuppen. Ich suchte eine Stelle aus und begann zu graben. Nach der unangenehmen Autofahrt tat mir die körperliche Betätigung ungemein gut. Es war eine Wohltat, meine Muskeln zu spüren, und mit aller Kraft schippte ich, Schaufel für Schaufel, schwarze Erde aus dem Loch hinaus. Ich kam in einen guten Rhythmus und arbeitete wie ein Berserker. Erst als ich bis zum Bauch im Grab stand und zwei große Schritte machen konnte, gab ich mich zufrieden.

Ich kletterte hinaus, ging zum Auto und öffnete den Kofferraum. Die Zunge des Hundes sah befremdlich aus. Ich berührte sie mit dem Finger. Sie war rau und trocken. Diese alles besabbernde und abschleckende rosa Riesenzunge war in nur zwei Stunden zu einer spröden Schuhsohle geworden. Ich versuchte, den Hund aus dem Kofferraum zu heben, schlang einen Arm um seinen Kopf, den anderen um den Bauch. Mit einem Ruck testete ich meinen Griff und war überrascht, dass ich ihn gut heben konnte. Wie ein Schäfer sein verletztes Lieblingsschaf trug ich ihn zum Grab und legte ihn in das graue Gras.

Ich ließ mich in die Grube hinab und zog ihn zu mir. War er leichter geworden? Mühelos konnte ich ihn auf den Erdboden absenken. Das Grab war viel zu groß geworden. Ich hatte die Hundemaße völlig falsch eingeschätzt. Kein Hund der Welt hätte so ein gigantisches Loch gebraucht. Ich legte den Hundekörper in die Mitte. Um ihn herum war auf allen Seiten mindestens ein halber Meter Platz. Auch war es viel zu tief geraten. Der Hund war nicht nur leichter geworden, er schien auch geschrumpft zu sein, so zerbrechlich lag er auf der dunklen Erde. Das Weiß seines Fells hatte einst so gestrahlt, doch jetzt war es ergraut und stumpf.

Sollte ich ihn in eine bestimmte Position legen? Die Läufe gekreuzt, wie im Sprung gestreckt, oder abgeknickt unter den Bauch gezogen? Warum hatte ich nur so eine tiefe Grube gebuddelt? Ohne Probleme hätte ich mich dazulegen können. Als die erste Schaufel Erde, die dunklen Brocken den Hund trafen, zuckten seine Vorderläufe nach vorne. Ich hielt inne, sah erschrocken ins Loch. Daran, dass der Hund tot war, zweifelte ich nicht, aber auch die nächste Schaufel Erde gab dem Leichnam einen Stoß, dass seine Gliedmaßen reflexartig ausschlugen. Nach und nach verschwanden sein Rücken und der Bauch und endlich auch die Geschwulst, die rosig im Erdreich dagelegen hatte.

Ich schaufelte weiter, fing an zu schwitzen. Diese Erde, dieser fruchtbare schwarze Mutterboden, da konnte es keinen Zweifel geben, würde unseren Hund in kürzester Zeit aufweichen, durchdringen und auflösen. Gegen diese Erde war alles Organische, waren Haut und Knochen machtlos. Ich dachte: Dieser Erde kann man nicht widerstehen. Ihre Kühle und Feuchte und Fruchtbarkeit wird alles verschlingen und verschwinden lassen, was sich zu lange in ihr aufhält. Schaufel für Schaufel schippte und schob ich das Loch zu. Erde von oben auf den Kopf zu werfen war mir unmöglich. Ich kletterte wieder hinein und begrub den Hundekopf mit den Händen. Griff in den Mutterboden, diesen Boden, den mein Vater immer als den fruchtbarsten der ganzen Gegend gepriesen hatte, zerkrümelte die Klumpen und streute sie über den Hundekopf. Schwarze Erde, schwarze Ohren.

Erst als ich diesen so geliebten Kopf vergraben hatte, ihn nicht mehr sehen musste, ging es mir besser, und in der nächsten halben Stunde füllte ich das Riesenloch wieder auf und bedeckte es mit den Grassoden, trat sie fest. Ich hatte einen Grabhügel erwartet, aber keinerlei Erhebung war zu sehen. Einfach Wiese, fest und eben wie zuvor. Wie konnte das sein? Der Hund war einfach verschwunden. Ich warf die Schaufel durch die Stalltür in den Schuppen und fuhr, ohne mir die Hände zu waschen, los.

Ich zwang mich dazu, auf die Straße zu achten, aber im unteren Teil meines Blickfeldes krallten sich zwei erdige Monsterpranken am Lenkrad fest, die nicht mir zu gehören schienen und trotzdem jede Kurve kannten und mich sicher nach Hause manövrierten.

The Final Countdown

Auf meinem Schulweg fühlte ich mich zunehmend unwohl. Das von mir einst so geliebte Spektakel der Patienten stieß mich mehr und mehr ab. Der Grund dafür ist mir bis heute rätselhaft. Nie hatte ich mich vor deformierten Gesichtern, Hasenscharten oder Blutschwämmen sonderlich gegraust, im Gegenteil, mich hatte das alles immer begeistert und in seinem alltäglichen Wahnwitz geborgen umfangen. Doch jetzt entwickelte ich eine Ablehnung, ja manchmal einen regelrechten Ekel, der mich sehr überraschte. Früher hatte ich auf meinen Wegen über das Psychiatriegelände stets nach den Patienten Ausschau gehalten, jetzt wandte ich immer öfter erschrocken den Blick ab. Kaum ertrug ich die im Gras vor sich hin vegetierenden Behinderten, die mir zu nahe kommenden Gestalten, die Geruchsmischung aus Großküchenessen, gewienertem Linoleum, Putzmitteln und menschlichen Ausdünstungen, die schon immer die Anstaltsluft erfüllt hatte. Sturen Blicks durchquerte ich auf direktem Weg das Gelände und atmete erst auf, wenn ich eines der Anstaltstore durchschritten hatte. Zu Hause war ich so selten es ging.

Mir war von Anfang an klar gewesen, dass es anders sein würde als eine Silvesterparty in der Stadt, bei einem meiner Freunde. Verschiedene Einladungen hatte ich ausgeschlagen.

Mehrmals hatte ich auf die Frage »Du willst da echt hin?« geantwortet: »Ja klar. Warum denn nicht? Ist doch mal was anderes.«

Erst vor sechs Wochen hatte ich meinen Führerschein gemacht, und seit einer Woche durfte ich mit dem Auto meines Vaters alleine unterwegs sein. Das Freiheitsgefühl dieser ersten Ausflüge ans Meer, mit eigener Musik und nur einer Hand am Steuer, hatte mich glücklich gemacht. Ich war ein vorsichtiger, fast schon ängstlicher Fahrer. Die schnurgeraden Straßen aber, die durch das platte Land zur Nordsee führten, hatten mir Selbstvertrauen gegeben. Meine Eltern fanden die Idee trotzdem nicht gut, ausgerechnet in der Silvesternacht zu einer Party ins zwanzig Kilometer entfernte Eggebek zu fahren. »Was willst du denn in diesem Dorf?«, hatte mich mein Vater gefragt, »da kennst du doch niemanden. Und trinken darfst du auch nichts. Das musst du mir versprechen!«

Ich kannte wirklich niemanden, nur das Mädchen, das mich eingeladen hatte. Sie hieß Friederike, und ich hatte sie bei einem Volleyballturnier kennengelernt. Ich war selbst kein Volleyballer, hatte aber den zwischen verschiedenen Schulen ausgetragenen Spielen in unserer Turnhalle zugesehen. Friederike kam von der Realschule, auf die wir vom Gymnasium stets etwas herabsahen. Mir war dieser Dünkel allerdings völlig abhandengekommen, da meine schulischen Leistungen so miserabel waren, dass Friederikes Schule schon sehr bald auch meine Schule sein könnte.

Die Mannschaft, in der sie spielte, war sehr viel besser als unsere, und wir verloren glatt in null zu drei Sätzen. Friederike, das gefiel mir sofort, nahm die Sache nicht besonders ernst. Ihre Mitspielerinnen klatschten sich nach jedem Gewinnpunkt gegenseitig ab und gaben sich kleine aufmunternde Klapse auf die sehr eng sitzenden Frotteehosen. Friederike aber grinste, selbst wenn sie einen hundertprozentigen Schmetterball ins Seitenaus drosch. Sie machte die spektakulärsten Punkte und die haarsträubendsten Fehler. Sie war mit Abstand die Beste und die Schlechteste auf dem Feld.

Zwischen zwei Spielen ging ich zu ihr. Sie saß alleine auf einer langen Turnhallenbank, hörte Walkman und schüttelte ihre Waden aus. Als ich vor ihr stand, war ich überrascht, wie laut und hart die Musik aus dem Kopfhörer direkt in ihr Ohr hammerte. Ich sagte »Hallo!«, nicht besonders laut, da ich wusste, sie würde mich nicht hören können, aber in der Gewissheit, dass sie mich ja sah und auch sah, dass ich etwas gesagt hatte. Sie schaute auf – mit demselben belustigten Blick, mit dem sie ihre Angaben ins Netz drosch. Sah mich an und ließ den Kopfhörer auf. Ich rief etwas lauter: »Noch zwei Spiele, dann seid ihr Schulmeister!« Sie schüttelte ihre Waden und nickte im Trommelfeuertakt der Musik. Nickte sie mir zu oder war das alles Rhythmus? Ich stand vor ihr und wusste nicht, was ich tun sollte. Hatte keine Lust, den stummen Statisten in ihrem ganz privaten Heavy-Metal-Film zu geben. Ich wollte mich gerade umdrehen und gehen, da rief sie absurd laut: »Wer bist du denn? Ich kenn dich nicht!«

Mehrere Schüler sahen zu uns hinüber. Ihr Trainer kam, tippte ihr auf die Schulter, zog ihr den Kopfhörer von den hellblonden Locken: »Alles klar? Los, warm machen. Du baggerst heute wirklich unterirdisch!« Sie stand auf und lief, ohne mich noch einmal anzusehen, auf das Feld zu ihren Mitspielerinnen. Ich sah mir auch noch die nächsten Spiele an. Im Finale rang Friederikes Team in einem packenden Kampf über fünf Sätze die haushoch favorisierte Mannschaft des nahe unserer Kleinstadt gelegenen Edelinternats Louisenlund nieder. Mehrmals hatte sie ihr Team durch riskante Aktionen an den Rand einer Niederlage und dann durch unglaubliche Hechtbagger wieder zurück ins Spiel gebracht.

Nach der Siegerehrung versuchte ich mein Glück zum zweiten Mal. »Herzlichen Glückwunsch. Ihr habt wirklich toll gespielt. Das war ja richtig spannend!« Friederikes Wangen waren rot vor Anstrengung und Freude. Ich fragte sie: »Wo hast du denn deine Medaille?« »Hier drunter.« Sie zeigte auf ihr durchgeschwitztes T-Shirt. »Mit so einer Medaille rumlaufen ist doch voll peinlich!« »Ich würd die schon gerne mal sehen!«, sagte ich. Sie zog sie am Band heraus und hielt sie mir verschwörerisch hin. Ich machte einen Schritt auf sie zu, um etwas erkennen zu können, und war ihr plötzlich ganz nah. Ich nahm die Medaille in die Hand und war überrascht, wie warm, ja heiß sie war. Außer »Schön schwer!« fiel mir nichts ein. Berührten sich unsere Locken? Ich empfing verwirrende Signale von den Spitzen meiner Haare. Die Wärme des Metalls strömte in meine Handfläche.

»Könntest du jetzt mal so langsam die Medaille wieder loslassen?«, sagte sie, »ich komm mir bisschen blöd vor. Wie ein Hund an der Leine.« Wir lachten. »Ich geh jetzt mal duschen.« »Klar. Bis dann!«

Am nächsten Tag kam es so, wie ich es mir erhofft hatte. Ich fand im Sportteil unserer Zeitung ein Foto der Siegermannschaft und die Namen der Spielerinnen. Friederike Jöns aus Eggebek. Ich rief die Auskunft an. Drei Nummern für den Namen Jöns. Gleich bei der ersten hatte ich Glück. Ich wollte schon wieder auflegen, als sich jemand mit einem schlimmen Hustenanfall meldete, der ihn auf halber Strecke seines doch recht kurzen Namens, bei Jö, ereilte. »Ich würde gerne mal Friederike sprechen!« »Die is …«, wieder Husten, der aber auch ein wenig gefährlich klang, nach krankem Raubtier, »die is bei Volki!« »Wann kommt die denn wieder?«

»Keine Ahnung!« Ich hörte ein Geräusch. Ein Feuerzeug und dann ein tiefes Ein- und Ausatmen. »Dann versuche ich es später noch mal.« Keine Antwort. Ich legte auf.

Am Abend erreichte ich sie, und schon am nächsten Tag trafen wir uns nach der Schule in einer Bäckerei. Ich nahm einen Bienenstich und sie eine große Tüte Waffelbruch. Ich fragte sie, ob ich mal probieren dürfe. Sie schüttelte den Kopf und rannte ein Stückchen weg. »Oh Gott, nein!«, rief sie, »auf gar keinen Fall. Ich hasse teilen!« Ich dachte, sie macht einen Witz, und versuchte mitzuspielen: »Bitte, bitte, nur einen klitzekleinen Bissen!« Sie rannte weiter weg, fraß vom Waffelbruch so schnell sie konnte und gab mir nichts ab.

Meine Freunde in der Schule wollten alles ganz genau wissen. Ob ich mit ihr zusammen wäre, ob mir das nicht komisch vorkäme, mich mit einer von der Realschule zu verabreden, ob ich sie schon geküsst hätte. Dreimal ein klares Nein. Ganz so eindeutig, wie ich mit diesen Neins geantwortet hatte, war es dann aber doch nicht. Bei unserem letzten Abschied hatte ich sie umarmt und ihr einen verunglückten Kuss über die Backe gewischt. Ich mochte sie sehr. Aber es gab auch Dinge, die mich irritierten. Sie redete norddeutscher als ich. Gebrauchte Ausdrücke, die mir fremd waren, und sagte andauernd »Alter«. »Alter, das schmeckt vielleicht lecker.« Oder »Ich hab voll Muskelkater, Alter«. Mir war schon klar, dass sie nicht mich damit meinte, nicht mich so ansprach, ich fand es aber trotzdem befremdlich und prollig.

Bei einem unserer Treffen trug sie eine Weste mit Fransen. Wir waren in einem Imbiss, und es gelang mir einfach nicht, mein Unwohlsein zu unterdrücken. Jedes Mal, wenn jemand zur Tür hereinkam, drehte ich mich um. Und jedes Mal war ich erleichtert, niemanden zu sehen, den ich kannte. Als aber die Einladung zur Silvesterparty kam, sagte ich sofort zu.

Am letzten Tag des Jahres aß ich zusammen mit meinen Eltern Fondue, sah mir im Fernsehen »Dinner for one« an und brach auf. »Kommst du denn noch heute Nacht wieder oder erst morgen?«, fragte meine Mutter. »Ich weiß noch nicht genau. Mal sehen.« Ich wusste es wirklich nicht und hätte gerne geantwortet, dass ich über Nacht fortbleiben würde. Mein Vater bat: »Sei bitte spätestens um elf am Vormittag wieder da. Wir wollen zum Friedhof fahren!« »Da will ich eh mit!«, antwortete ich und verabschiedete mich.

Bei der Fahrt durch die Dunkelheit war mir nicht ganz wohl. Sobald ich aus der Stadt herausfuhr und es keine Laternen mehr gab, war es stockdunkel. Ich hatte Probleme mit dem Fernlicht. Bekam es nicht schnell genug aus, wenn mir ein Auto entgegenkam. Zweimal blendete jemand mehrmals auf und ab, um mir meinen Fehler klarzumachen. Aber runter auf die Armaturen zu sehen traute ich mich nicht. Gut, dass ich die Strecke kannte, da wir hinter Eggebek für ein paar Jahre mal einen Angelteich gepachtet hatten. Nachdem ich den kurvigen Wald geschafft hatte, ging es besser.

Um zehn Uhr fuhr ich am gelb aufleuchtenden Ortsschild vorbei ins Dorf ein. Immer die Hauptstraße runter, hatte Friederike gesagt, und dann hinter dem großen blauen Siloturm rechts rein bis zum Ende.

In einer ungeheizten Scheune standen auf dem rauen Betonboden mehrere mit Tüchern bedeckte Sofas. Matratzen lagen auf dem Boden. Auf einem Tapeziertisch standen Schüsseln mit Salaten, keiner davon grün, alle mayonnaiseweiß oder gelblich. In jede Schüssel war mittig ein Löffel gerammt, steckte aufrecht im kalten Salat wie ein Spaten im nassen Acker. Tief in den Sofas hockten schon einige Gäste. Alle in Jacken, Mützen, Bierflasche in der Hand, manche sogar

Bierflasche in der Handschuhhand. Der Rauch der Zigaretten mischte sich mit der dampfenden Atemluft. Zwischen den Balken hingen mehrere Lichterketten. Das Rot der selbst übermalten Glühbirnen vermischte sich mit dem Licht der hoch oben unter der Decke hängenden und von Spinnweben überzogenen Neonrohren zu einem fahlen Halbdunkel. Die Scheune war groß. Hinter den Sofas und Matratzen an den Rand gerückte Möbel. Eine Küchenanrichte, mächtige Schränke, mir unbekannte Maschinen, Haufen von Brettern, alte Türen und Fenster.

Die Musikanlage schien das Einzige zu sein, auf das wirklich Wert gelegt worden war. Die Scheune war erfüllt von schrecklichem Lärm. So ein in den Tiefen direkt in die Magengrube tretendes Gebummer und in den Höhen kreischendes Panikgejaule hatte ich noch nie gehört. Dem Impuls, sich die Ohren zuzuhalten, war nur schwer zu widerstehen. Mehrere Plattenspieler, Mischpulte, Verstärker auf zwei zusammengestellten Küchentischen. Riesige Boxen.

Ich hielt nach Friederike Ausschau. Ich fror. Hatte nur meine Jeansjacke an, da ich nicht mit einer tiefgekühlten Scheunenparty gerechnet hatte. Drei Mädchen in Lederjacken und rosa Ohrenwärmern beobachteten mich aus einem der Sofas heraus. Ich ging zu ihnen, hockte mich vor sie und rief: »Habt ihr Friederike gesehen?« Die Mädchen sahen sich an und schüttelten die Köpfe. Eine von ihnen schielte ganz fürchterlich und hatte eine rote Brille auf. Sie rief: »Ich glaub, die ist noch gar nicht da!« Ich war mir nicht ganz sicher, ob sie sich über mich lustig machte. War das eine Silvesterverkleidung? Schielende Sekretärin? Und was meinte sie mit: noch nicht da? Die Gastgeberin noch nicht da – was sollte das?

Ich lief über die leere Beton-Tanzfläche zu den Bierkästen. Nicht nur für die klirrende Kälte war meine Jacke zu leicht, auch gegen die Blicke schützte sie wenig. Wenigstens war das

Bier herrlich kühl. Floß eiskalt an meinen eiskalten Lippen vorbei. »Ey Alter, wie wär's mit bezahlen?« Ein vermummter Typ zeigte mit seinem Finger auf eine an einen Balken genagelte Milchkanne. Bier eine Mark, stand auf dem zerbeulten Metall. »Ich hab mein Geld im Auto. Hol ich gleich!«, log ich, hoffte aber, in der Ablage etwas zu finden.

Auf dem Weg nach draußen begegnete ich im Scheunentor Friederike und einem Mann, deutlich älter als ich, Mitte zwanzig. »Ah, da bist du ja!« Ich war froh sie zu sehen. »Hab dich schon gesucht!« Sie sah mich an, der Kerl neben ihr sah sie an. Friederike rief: »Ich hab gar nicht geglaubt, dass du kommst! Wahnsinn, Alter, bist du schon lange da?« »Nee, zwanzig Minuten!« Der Typ neben ihr starrte mich an, sagte: »Ich hol mir mal ein Bier!«, aber es klang wie »Wer bist du denn, Arschloch?«. Er ging an mir vorbei und rempelte mich gekonnt mit der Schulter an. Friederike und ich sahen uns an. Sie deutete mit dem Kopf zur Seite, und ich folgte ihr ein paar Schritte neben die Scheune. Hier war es viel ruhiger – sternenklar und noch kälter. »Ist das eigentlich deine Party?« »Nee, Quatsch. Wie kommst du denn dadrauf?« »Klang irgendwie so.« »Frierst du nicht?« Sie sah mich besorgt an. »Nee, geht schon.« Sie nahm meine Hände. »Alter ey, die sind ja eiskalt.« Jemand rief ihren Namen. »Ich bin hier!« Der Schulterrempler kam, nahm sie am Handgelenk und sagte zu mir: »Abfahrt!« Friederike riss mit einer ruckartigen Bewegung ihre Hand los: »Sag mal, spinnst du?« Er stellte sich direkt vor mich und drückte seine Stirn gegen meine: »Abfahrt, Alter!« Friederike versuchte, ihn wegzuziehen: »Alter, tickst du noch ganz richtig?« Seine warme Nasenspitze berührte meine gefrorene, und er blies mir lauwarmen Bieratem in den Mund. Er schob mich mit seiner Stirn vor sich her. Und zum dritten Mal die Ansage: »Jetzt is Schluss hier. Jetzt is Abfahrt, Alter!«

Zwei Typen hakten ihn unter und zogen ihn weg. Bis er um die Ecke in der Scheune war, ließ er mich, weiße Wölkchen schnaubend, nicht aus den Augen. Ich zitterte. Vor Kälte, vor Angst. Zitternde Knie und klappernde Zähne. »Der spinnt echt!«, Friederike lachte. Ich mochte dieses Lachen. Es klang so nach: Alles ist möglich, und zwar jetzt. »Wir sind eigentlich nicht mehr zusammen! Aber Alter, der Macker schnallt das einfach nicht!«

Ein Mädchen kam: »Freddy, komm jetzt mal, Volki macht Stress.« Wir gingen in die Scheune. Volki hockte auf einer Matratze und pöbelte unverständlich gegen die Musik an. Das schielende Mädchen mit den Ohrenschützern tanzte als Einzige. Für einen kurzen Moment setzte ich mich auf die Lehne eines der Sofas. Genau zwischen meinen Oberschenkeln war ein Loch im Stoff. Ich tastete die Ränder ab und steckte meinen Zeigefinger ein wenig hinein. Unter dem Bezug eine dünne Schicht faseriges Füllmaterial. Ich konnte meinen ganzen Finger ins Sofa schieben. War das ein Mäuseloch? Ich zog meine Hand zurück. Sah sie vor mir, die Mäuse im Sofainneren. In ihrem Nest. Wie auch sie unter der Musik litten und glaubten, ihre Mäusewelt würde im Lärm versinken. Friederike war zu Volki gegangen und beruhigte ihn.

Eine schnulzige Rockballade erfüllte die Scheune mit verzerrtem E-Gitarren-Gejammer. Viele kannten das Lied, rafften sich auf und tanzten. Auch Friederike und Volker, eng umschlungen, sie sehr aufrecht ihn stützend. Er sah ganz lieb aus. Hatte den Kopf auf ihren Kopf gelegt und grinste belämmert vor sich hin.

Ich ging hinaus und setzte mich ins Auto. Mir war so kalt, dass ich den Schlüssel lange nicht ins Zündschloss bekam. Ich wollte gerade losfahren, als jemand an mein Fenster klopfte. »Alter, du hast dein Bier nicht bezahlt. Einfach abhauen is nicht!« »Oh ja, stimmt. Tut mir leid.« Ich durchstöberte die Ablagen, das Handschuhfach. Irgendwelche Typen standen ums Auto herum und wippten mit den Stiefeln auf der Stoßstange. Ich fand ein Markstück und reichte es heraus, startete den Wagen und wollte losfahren. Jemand schlug aufs Autodach, andere versperrten mir den Weg. Friederike stand in der Toreinfahrt und rief etwas. Sie gingen zur Seite, und ich fuhr vom Hofplatz.

Sobald ich die Haupstraße erreicht hatte, bog ich in eine Bushaltestelle ein und versuchte mich zu beruhigen. »Was für Arschlöcher sind das denn?«, rief ich. Und noch mal, dabei verzweifeltes Halten und Zerren am Lenkrad: »Arschlöcher! Mann, was für Idioten!« Ich hielt meine Tiefkühlhände über die Lüftungsschlitze. Die Luft wurde nur langsam wärmer. Erst jetzt sah ich, wie spät es war: 23 Uhr 28. Wenn ich mich beeilte, wäre ich noch vor zwölf bei einer der Partys in der Stadt. Doch am liebsten wollte ich einfach nach Hause. Mit meinen Eltern ein Glas Sekt trinken und in mein warmes Bett.

Ich fuhr los. In Eggebek standen schon überall Menschen auf der Straße, schossen Raketen in die Luft. Zum Abschied wurden mir noch ein paar explodierende Böller auf das Autodach geworfen. Sobald ich aus dem Dorf war, wurde es still. Meine Ohren fiepten von der lauten Musik. Kein Mensch unterwegs. Ich fuhr langsam und überlegte, ob die paar Schlucke Bier bei einer Kontrolle irgendein Problem sein würden. Ich dachte an Friederike. War die wirklich mit diesem fertigen Idioten zusammen? Was hatte ich mir da nur vorgestellt? Doch nicht etwa, dass wir in dieser Nacht ein Paar werden würden? Dass sie mich in ländlicher Stille unter voluminöser Bauerndecke ganz nackt an sich drücken würde? Doch, genau! Solche Sachen hatte ich mir erträumt.

Da gab es einen dumpfen Stoß. Ich erschrak und machte eine Vollbremsung. Ich sah in den Rückspiegel. Da lag etwas auf der Straße. Ich stand in einer lang gestreckten Kurve. Was sollte ich tun? Einfach weiterfahren? Ich stellte die Warnblinkanlage ein und stieg aus. Der Mond war fast voll und strahlte hell. Etwa fünfzehn Meter hinter dem Auto bewegte sich etwas auf der Fahrbahn. Ich ging vorsichtig näher. Eine Katze. Sie lag auf der Seite, den Kopf gehoben, und leckte sich den Bauch. Ich sah, dass sie blutüberströmt war. Ihr Unterleib war aufgeplatzt, blutiger Matsch. Sie schleckte ganz geschäftig ihren offenen Bauch ab, schlabberte ihr Blut auf. Als ich näher kam, sah sie mich an. Ihre Augen reflektierten die roten Rücklichter des Wagens. Sie fauchte, verschluckte sich, hustelte gurgelnd und dann leckte sie sich wieder. Als ich noch näher kam, versuchte sie aufzustehen, zog ihren blutenden Unterleib ein Stückchen mit den Vorderpfoten Richtung Straßengraben. Ich sah etwas, das ihr aus dem Bauch hing, dunkel gewellte Haut. Was sollte ich nur tun?

23 Uhr 47. Ich setzte mich in den Wagen und schaltete das Radio an. Aufgeregtes Stimmengewirr, seltsam simulierte Neujahrsfreude. Ich drehte es lauter. Stieg wieder aus, fand im Kofferraum ein Küchenhandtuch und ging zur Katze. Sie hatte den Kopf seitlich auf dem Asphalt liegen und gab fiepende, hechelnde Laute von sich. Als ich direkt vor ihr stand und ihr das Tuch überlegte, sah ich einen Rippenknochen, der aus dem rötlichen Fell stach. Mir wurde flau. Vom Auto hallte Schunkelmusik herüber. Die Beine der Katze zuckten das Handtuch beiseite, und Schauer liefen ihr bis in die Schwanzspitze. Da hörte ich, wie im Radio laut gezählt wurde: Zehn, neun, acht ... Bei null großer Jubel und das Lied »The Final Countdown«. In einiger Entfernung Böllerschüsse und vereinzelte Raketen, die unter der Weite des Firmaments bemitleidenswert mickrig, ein wenig rot und blau in die Nacht spuckten.

Um Viertel nach zwölf fuhr ein Wagen in der lang gezogenen

Kurve auf mich zu. Ich winkte ihm schon von Weitem, und er hielt. Alter Mercedes. »Was gibt's denn?« Ein Mann in einer verdreckten Latzhose, kariertem Hemd und blauer Schiebermütze. »Ich hab eine Katze angefahren. Die liegt da vorne. Ich weiß nicht, was ich machen soll.« Der Mann stieg aus. Schwere Gummistiefel. Schlappte zur Katze. Vor ihrem Maul eine Pfütze mit hellrotem schaumigen Blut. »Was soll denn das Handtuch?« Ich wusste es auch nicht. »Na«, sagte er, »das wird nix mehr.« Und ehe ich mich abwenden konnte, trat er der Katze mit dem Gummistiefel auf den Kopf. Ein splitterndes Geräusch. Mit der Schuhspitze schleuderte er sie in den Straßengraben. Er wischte sich am winterblassen, mondbeschienenen Seitenstreifengras das Blut vom Schuh und stieg wieder ein. Er kurbelte die Scheibe runter: »Ach ja, frohes Neues noch!« »Wie bitte?« »Na, frohes neues Jahr!« »Ach so, ja danke! Ihnen auch. Frohes neues Jahr.«

Wer allein ist, ist auch im Geheimnis

Und dann begann das, was mein Vater mit keinem Buch bändigen konnte, wogegen alles theoretische Wissen der Welt nichts helfen sollte. Er wurde krank. Ich wohnte schon mehrere Jahre nicht mehr zu Hause. Diese niederschmetternde Diagnose beschleunigte die Zeit, und die Ereignisse überschlugen sich.

Vierundzwanzig Stunden nachdem er Blut gepinkelt hatte, wurde meinem Vater bereits die befallene Niere entfernt. Sechs Jahre, sagte er zu mir am Telefon, würde es dauern, bis das Risiko einer Wiedererkrankung signifikant gesunken sei. Nach sechs Jahren hätte er dieselbe Chance, ein hohes Alter zu erreichen, wie vor der Erkrankung.

Mein Vater und meine Mutter hielten es nur noch schwer miteinander aus. Kein Kind mehr zu Hause, kein Hund. Die Sorgen meines Vaters, die Ängste meiner Mutter. Und dann passierte es. Mein Vater hatte wieder einmal eine Frau kennengelernt – und zog zu ihr. Sie hatte zwei kleine Kinder und lebte in Lübeck.

Meine Mutter blieb noch eine Zeit lang in unserem Haus, doch dann ging sie nach Italien, fand eine schöne Arbeit in einem Krankenhaus am Lago Maggiore und versuchte, ein neues Leben zu beginnen.

Was all die Jahre, aus welchen Gründen auch immer, unmöglich schien, war nun doch noch wahr geworden: Meine Eltern hatten sich getrennt. Wenn ich meinen Vater in Lübeck anrief, hörte ich Kinder im Hintergrund. Wenn ich meine Mutter anrief, saß sie auf dem Balkon, hoch über dem See, und genoss den warmen Abend. Unser Haus inmitten der Psychiatrie stand leer. Es gab erste Pläne, es zu einer Station zu machen. Betreutes Wohnen.

Doch dann wurde mein Vater wieder krank. Es begann mit Schmerzen im Bein. Die erste Operation war nur ein Jahr her. Doch die Untersuchung ließ keinen Zweifel. Meine Mutter rief mich an: »Weißt du, was mit ihm ist?« Ich fragte sofort, da ich die Panik in ihrer Stimmer hörte: »Hat er sich umgebracht?« »Nein«, sagte sie, »er muss wieder operiert werden.« Ich fragte: »Hat er dich angerufen?« Denn eigentlich dachte ich, dass sie keinen Kontakt mehr haben würden. »Ja«, sagte sie, »gleich nachdem er es erfahren hat.«

Nur sechs Wochen später fand man winzige Schatten auf seiner Lunge. Mein Vater war verzweifelt. Er wusste genau, was das bedeutete. Was auf ihn zukommen würde. Es fiel ihm schwer, die mühsamen Behandlungen zu beginnen. Das Bein wurde operiert. Die Lunge bestrahlt. Wieder lag er im Krankenhaus. Sooft ich Zeit hatte, machte ich mich auf den Weg zu ihm. Er vermied es, dass ich die neue Frau und deren Kinder traf, was mir sehr recht war. Er versuchte, wieder zu arbeiten. Doch es ging nicht mehr. Seine Praxis zu räumen muss schrecklich gewesen sein. Da fing er schon an, Dinge zum letzten Mal zu tun. Er wohnte bei seiner neuen Familie, empfand sich aber immer mehr als eine Zumutung. Dieses gerade erst gefundene Leben war noch nicht bereit für seine Krankheit. Es war schwer mit den Kindern. Er traf eine bittere Entscheidung: Er zog zurück in unser Haus. Da hockte er dann: krank, allein, inmitten der Psychiatrie.

Zwei Monate lang hatte ich meinen Vater nicht gesehen. Ich versuchte, als er die Haustür öffnete, mein Erschrecken darüber, wie sehr er sich verändert hatte, durch eine rasche Umarmung vor ihm zu verheimlichen. Er war noch dicker geworden. Aber seine Fülle hatte nicht mehr dieses drall Gesunde früherer Tage, da er, gleichzeitig hadernd und doch stolz, seinen Bauch vor sich herschob und nach einer arbeitsreichen Woche wie ein wohlgenährter Korken im Freibad auf dem Rücken trieb. Seine Korpulenz war kraftlos geworden. Die Krankheit, die Einsamkeit, die Perspektivlosigkeit hatten die Schwerkraft erhöht und seine Spannkraft verringert. Ich habe mich oft gefragt, warum dieser glatzköpfige, schlecht angezogene und dicke Mann Erfolg bei Frauen hatte. Ich glaube, es müssen seine Augen gewesen sein. Freundliche, blitzgescheite Augen, deren Strahlkraft er wie ein Zauberer regulieren konnte. Diese Augen konnten einen mit Zuversicht und Interesse überwältigen und in ihren Bann schlagen. Wenn er es wollte, hatte man nach einem Blick aus seinen Augen das sichere Gefühl, alles zu schaffen, was man sich vornahm, und unverwundbar zu sein. Die letzten Monate hatten diesen Vateraugen nicht gutgetan. Sein Gottfried-Benn-Auge hing so schlaff, so unlyrisch herunter wie noch nie. Sein Schnauzer hatte sein fieses, aber doch prägnantes Gelb verloren und war grau geworden. Seine letzten Haare trug er im Nacken sehr kurz, und der akkurat frisierte Rest lag kümmerlich oberhalb des geschwollenen und farblosen Gesichts wie der verwelkte Lorbeerkranz eines abgedankten Prinzipals.

Seit einem halben Jahr wohnte er nun schon allein in unserem Haus und hatte sich mehr schlecht als recht wieder dort eingerichtet. Wir umarmten uns lange, und als er mich ansah, schwammen seine Augen in aufsteigenden Tränen. »Komm rein. Hast du Hunger?« Ich stellte meine Tasche in den Flur und sah die Hundeleine an der Heizung hängen.

Obwohl der Hund schon viele Jahre tot war, hatte sie an ihrem Platz überdauert. Ich nahm sie vom Dreh-Thermostat. »Dass die da noch immer hängt?«, sagte ich zu ihm. »Ist doch schön. Muss doch nicht immer gleich alles weggeworfen werden. Ich freu mich, wenn ich sie sehe.« Schon dieser erste Wortwechsel offenbarte, wie empfindlich er geworden war, wie in jedem Satz Zukunft, Verlust und Vergangenheit unheilvoll mitschwangen und die Bedeutungen des Gesagten verschoben. Er ging vor mir her durch den Flur, und ich sah, dass er leicht humpelte. Im Wohnzimmer ließ er sich in den Sessel fallen. »Und war deine Reise gut?« »Ja, alles gut. Obwohl es doch immer viel weiter ist, als ich vorher denke.« »Ja, tut mir leid, dass ich dich nicht vom Bahnhof abgeholt habe.« »Kein Problem, ich bin gerne gelaufen.« »Ja … blöd … aber ich komm so schwer aus dem Autositz hoch.«

Auf der Fensterbank entdeckte ich zu meiner völligen Überraschung neben den Bildern meines verunglückten Bruders, meines übrig gebliebenen Bruders und von mir in Laramie auch eines meiner Mutter. Was machte ihr Bild dort, dachte ich. Es zeigte sie mit meinem Vater bei einem Familienfest. Er steht vor einer reich gedeckten Tafel und hält eine Rede. In den Händen hat er eine sogenannte Semmel-Sonne, verschiedenste mit Körnern bestreute Brötchen bilden eine Scheibe. Meine Mutter schaut zu ihm auf, strahlt, dabei lehnt ihr Kopf an seinem prachtvollen Bauch.

Beim Essen saßen wir zu zweit am riesigen Familientisch und gaben uns alle Mühe, durch angeregtes Erzählen und Nachfragen von den verwaisten Stühlen nicht niedergedrückt zu werden. Es gab Kartoffelbrei und Frikadellen. Beides kämpfte in einer überwürzt dunklen Sauce ums geschmackliche Überleben. Dazu aufgeplatzte Erbsen. Hatte er das selbst gekocht?

»Was sind denn das für Teller?«, fragte ich ihn. »Schmeckt es nicht? Ich bekomm das Essen jetzt von oben!« Von oben bedeutete aus der Großküche der Psychiatrie. Die Teller waren dreigeteilt, und erst jetzt begriff ich, dass Krankenhausessen auf Krankenhausgeschirr vor uns stand. »Schmeckt dir das?«, wollte ich von ihm wissen. »Ach, man gewöhnt sich dran. Ich schaff das einfach nicht: einkaufen, kochen, sich immer überlegen, was es geben soll.« Ich erzählte ihm von Kassel, wo ich jetzt wohnte, und wie es mir mit meiner Arbeit ging. Doch der Faden, der meine Erzählung mit seinen Fragen verband, wurde dünner und dünner.

»Komm mal mit, ich will dir was zeigen. Du wirst staunen!«, sagte mein Vater, um nicht gänzlich zu verstummen. Wir gingen auf die Terrasse hinaus. Überall standen Blumenkübel herum. »Hast du das alles gepflanzt?«, fragte ich ihn. »Ja, ja. Ich muss ja irgendwas machen. Hier schau mal, ich hab sogar Kletterbohnen. Die kommen gut. Aber das meine ich nicht. Komm mit.« Wir gingen den Weg um das Haus herum zum hinteren Garten. Dort an der Hauswand stand, auf einem Gestell aufgebockt, eine klobige Holzkiste, die sich beim Näherkommen als perfekt gezimmerter Hasenstall entpuppte. »Wo hast du den denn her?« »Haben sie mir oben in der Tischlerei gemacht. Schau mal.« Ich trat vor den Maschendraht. Im Stroh lagen zwei zufrieden an Löwenzahnblättern mümmelnde Hasen. Der eine pechschwarz, der andere sandfarben. »Die sind ja nett! Seit wann hast du die?« »Zwei Wochen.« Er öffnete eines der Stalltürchen, packte den Schwarzen bei den Löffeln und hob ihn hinaus. Für einen Moment hing der Hase lang und dürr in der Luft, doch schon im nächsten Moment hatte ihn sich mein Vater auf den Unterarm gesetzt. Er schmiegte sich an seinen Bauch. Mein Vater streichelte ihm über den Kopf, die angelegten Ohren. »Ich hatte ja als Kind welche. Richtig viele.« »Wie heißen die denn?« Er sah hinunter auf das flach atmende Tier. Die Streichelbewegungen meines Vaters, die über den Kopf und das Rückgrat gleitende Hand, schwappten als Fellwelle durch den biegsamen Hasenkörper. »Black und Decker.« »Wie bitte?« Er grinste, und für einen Augenblick war sie wieder da, seine propere, von leichtem Bluthochdruck befeuerte Lebensfreude. »Sind doch gute Namen. Na los, rein mit dir.« Sorgsam verschloss er den Stall. »Bis später, Black und Decker!«

Mein Vater war schon immer ein großer Namensgeber gewesen. Meine Mutter nannte er, wenn er sie nackt sah, der blanke Hans – was ursprünglich eine Umschreibung der Nordsee bei Windstille war. Irgendwann fiel dann das »blank« dem Alltag zum Opfer, und er nannte sie nur noch Hans. Meine Mutter war sich nie ganz sicher, ob sie es lustig finden sollte oder ob es eine Unverschämtheit war. Absonderlich klang es allemal: »Hermann, hast du meinen Autoschlüssel gesehen?« »Nein, Hans, tut mir leid.«

Wir gingen zurück ins Haus. »So, ich leg mich ein wenig hin. Machst du die Küche?« Von fünf Tellern, fünf Gläsern, fünf Messern, fünf Gabeln und einem Napf zu zwei Tellern und zwei Gläsern – das geht nicht spurlos an der Geräuschkulisse des Tischabdeckens vorbei. Im ersten Moment hatte ich den Eindruck gehabt, alles wäre so wie immer, aber dann fielen mir mehr und mehr Dinge auf, die von der veränderten Situation meines Vaters und des Hauses Kunde taten. Mein Bett war nicht bezogen. Schon immer war in meiner Familie nach einer Reise oder längerer Abwesenheit das frisch bezogene Bett ein unausgesprochener Willkommensgruß gewesen. Sich nach Wochen in der Ferne – sei es durch eine Rucksackreise oder das Studium in einer anderen Stadt – wieder in das vertraut duftende Bett fallen zu lassen, war für mich stets wie ein Versprechen, dass ich selbst zwar aufbrechen und mein Zuhause hinter mir lassen, der Ort aber unveränderlich und fest meiner harren würde. Mir war klar, dass ich kein Anrecht auf das frisch bezogene Bett hatte, dass es für meinen wieder erkrankten Vater eine Anstrengung bedeutet hätte, die es für mich nicht im Geringsten war, und doch war ich enttäuscht über das uneinladende, mich zu einem Fremden machende Bett. Missmutig nahm ich Wäsche aus dem klobigen Schrank im Flur und spannte das Laken über die Matratze, die voller widerlicher Flecken war, von denen ich nichts gewusst hatte und deren Herkunft mir ein Rätsel war.

Eine andere Veränderung waren die ungelesenen Zeitungen, die sich um den Ohrensessel herum und an verschiedenen anderen Orten stapelten. Immer hatte mein Vater eine Zeitung so gelesen, dass man es ihr danach auch ansah. Egal, ob der Politik-, Wirtschafts-, Sport- oder Feuilletonteil, jede einzelne Zeile wurde sorgfältig studiert und sogar den Anzeigenteil las er ganz. Es konnte vorkommen, dass er sich die dicke, fette Sonntagsausgabe einer Tageszeitung auf die Oberschenkel legte, sich wie ein Pianist vor einem anspruchsvollen Klavierkonzert die Hände rieb, die Finger lockerte und feierlich die erste Seite auffächerte. Oft hatte er sich über den Zeitmangel beschwert. »Wenn ich pensioniert bin, werde ich alles noch viel genauer lesen. Unter einem Berg von Zeitungen und Büchern werde ich ganze Tage verschwinden. Wie unter den riesigen Findlingen eines Hünengrabes werde ich mich verstecken und lesen, lesen, lesen!« Doch jetzt, da er alle Zeit der Welt hatte, schien sein Interesse erlahmt zu sein. Kompakt und unangetastet lagen die Zeitungen da.

Am Nachmittag gingen wir gemeinsam in die Stadt. Ich hakte mich bei ihm ein, und dadurch, dass ich jetzt Seite an Seite mit ihm ging, spürte ich sein Humpeln unmittelbar an meiner Hüfte. Er stützte sich ein wenig auf mich, und so durchwanderten wir die Einkaufsstraße. »Es ist doch eigenartig«, sagte ich zu ihm, »obwohl sich hier viel verändert hat, sieht immer noch alles gleich aus! Jetzt haben sie alles neu gemacht, schöneres Pflaster, nettere Laternen, die Fassaden gestrichen, aber gebracht hat es alles nichts. Der Mief sitzt irgendwie tiefer.«

Er antwortete nicht direkt. »Für mich war es damals eine unglaubliche Herausforderung, den Hesterberg zu übernehmen. Ich war der jüngste Direktor eines Landeskrankenhauses in ganz Deutschland. Und ich hab da wirklich viel geschafft. Die Schule, die neue Klinik. Aber du hast natürlich recht, ich wundere mich auch, dass das hier der Ort ist, an dem ich mehr als mein halbes Leben verbracht habe.«

Alle paar Meter wurde er gegrüßt, und er versuchte, so wenig zu hinken wie möglich. »Brauchst du irgendwas?«, fragte ich ihn. Er schüttelte den Kopf. Im Schaufenster von Radio Voigt, dem Elektro-Fachhandel der Stadt, sahen wir uns die Auslage an. »Schau mal, mein Lieber, das da ist ein Weltempfänger.« »Was ist das?«, fragte ich, obwohl ich es wusste. »Damit kannst du auf allen Wellen der Welt alle Sender empfangen, die es gibt.« »Aber was hat man denn davon, wenn man die Sprachen nicht kann?« »Es gibt viel mehr deutsche Sender, als du denkst. In Südafrika, oder neulich hab ich über eine Radiostation in Alma-Ata gelesen, die auch auf Deutsch senden!«

Wir kamen an einem Schaufenster vorbei, dessen gesamte Fläche, inklusive der Seitenwände, über und über mit Messern in allen Größen dekoriert war. Alle aufgeklappt oder aus den ledernen oder verzierten Scheiden herausgezogen. Taschenmesser, Klappmesser, Brotmesser, Fleischmesser, Messer mit gekrümmten, geraden oder geriffelten Schneiden. Mehrere machetenartige Buschmesser und sogar drei in einem asiatisch geschnitzten Gestell drapierte Samurai-Schwerter. Nachdem wir einen Moment lang auf die silberscharf geschliffenen Klingen gesehen hatten, hakte sich mein Vater plötzlich fester bei mir ein und zog mich nah an sich. Ich sah zu ihm hinüber. Er hatte die Augen geschlossen. »Komm weiter, schnell«, bat er mich in einem mir unbekannt flehentlichen Tonfall, »mir wird schlecht von den Dingern!«

Vorsichtig gingen wir weiter. Was war das denn, dachte ich, wie kann einem beim Anblick von Messern übel werden? Schweigsam schlenderten wir dahin. Noch nie war ich untergehakt eine so lange Strecke mit ihm gegangen. Wir fanden einen zwar langsamen, aber stabilen Rhythmus. In unserer Küche hatte es nie auch nur ein einziges wirklich scharfes Messer gegeben. Im Grunde wurde bei uns zu Hause jahrelang nichts geschnitten, immer nur alles zerquetscht. Brotscheiben musste man vom Brotlaib hinunterpressen und Wurstscheiben von der Wurst abdrücken. Jedes Lineal wäre schärfer gewesen als unsere Messer. Tomaten wurden durch die stumpfschartigen Messer zermatscht, und Gurken sahen so aus, als hätte sie jemand mit der Faust geteilt. Niemals ging eine geschliffene Klinge bei uns wie durch Butter, nie hatte eine Paprika saubere Schnittflächen, ein Käse eine glatte Kante. Alles zerrissen und ausgefranst. Was war der Grund? Die eventuell zu Unbedachtsamkeiten führende, unberechenbare Labilität meiner Mutter? Die seltsame, gerade eben zum ersten Mal deutlich zutage getretene Hypersensibilität meines Vaters gegenüber blitzenden Klingen? Mein ungezügelter Jähzorn? War das Fehlen geschliffener Messer angebrachte Prävention oder doch nur, wie ich immer geglaubt hatte, Unachtsamkeit, eine bedeutungslose Vernachlässigung?

In einem großen Bogen liefen wir zurück zum Auto. Mein Vater hatte sich überanstrengt, ruhte sich, an die Kühlerhaube gelehnt, aus und ließ sich dann mit meiner Hilfe, schmerzlich Luft einziehend, in den Autositz nieder. »Ich wäre so gerne noch zum Friedhof gefahren, aber es wird mir zu viel. Tut mir leid!« »Können wir doch auch morgen noch machen«, schlug ich vor.

Auf der kurzen Heimfahrt saß er neben mir und zerkaute eine ganze Packung Menthos. Eine Pastille nach der anderen schob er sich hinein, schmatzte hektisch und schluckte sie hinunter.

Am Abend oder eher noch am späten Nachmittag gingen wir in die Balkanstuben zum Essen. Dieses Restaurant war ein auf Stelen ins Wasser gebauter Pavillon. Wir bekamen einen guten Platz, saßen direkt am Fenster und hatten einen herrlichen Ausblick über die Schlei und auf die Möweninsel. Eine sehr üppige Kellnerin kam und legte uns die Speisekarten auf die fleckige Tischdecke. Sie trug ein dunkelblaues Kleid, hochgeschlossen, das oben herum sehr eng anlag und dann unterhalb der eingeschnürten Hüfte in festen Falten bis hinab auf den Boden reichte. Mein Vater sah ihr nach, schob kurz seine Schneidezähne über die Unterlippe und klappte die Karte auf.

»Was nimmst du?«, fragte ich ihn. »Ich hab Hunger. Ich glaube, ich wage mich an die Grillplatte!« »Echt?«, staunte ich, »na dann mal los.« Die sogenannte Grillplatte war eine echte Herausforderung und schon früher für meine Brüder und mich der ultimative Fleischexzess gewesen. Mein mittlerer Bruder hatte sie »Vegetarier-Suizid« getauft. Auf einem ungewöhnlich großen Teller stapelten sich so viele von verschiedenen Tieren stammende Grillspezialitäten, dass der Reis oder die Bratkartoffeln darunter nicht mehr zu sehen waren. Es war ein nicht sehr einfallsreiches Ritual geworden, bei jedem Biss in eines der Fleischteile den betreffenden Tierlaut von sich zu geben. Wir machten Muh, Mäh und Ki-keriki, kauten drauflos und fanden es alle irre witzig, wenn mein Vater miau oder wuff wuff machte.

Die Kellnerin kam zurück, und mein Vater sagte mit weicher Stimme: »Also, ich nehme einmal die Grillplatte und ...« – er sah sie herausfordernd an – »ein Bier!«

Mein Vater konnte das gut. Bisschen gespielt, bisschen ernst – sonor und sehr charmant. Sie staunte: »Die Grill-platte? Gerne.« Ihr Kleid beeindruckte mich, und ich war mir nicht ganz sicher, ob ihre Brüste für die erstaunlichen Wölbungen verantwortlich waren oder ob das Kleid selbst so genäht worden war, der feste Stoff die Hügel formte. Sie sah mich an: »Und du? Äh, Sie? Oh, Entschuldigung, was wün-schen Sie?« »Sie können gerne Du zu mir sagen!« Sie lachte, »Gut, dann also: Worauf hast du Lust? Auch die Grillplatte?« Ich zögerte, da ich mir eigentlich etwas anderes ausgesucht hatte. Aber plötzlich kam es mir so vor, als müsste ich mich durch die Bestellung der Grillplatte gegen meinen Vater be-haupten, als müsste ich jetzt in diesem Moment beweisen, dass ich ein ebenso grandioser Fleischfresser war wie er. Auch ich wollte der Kellnerin gefallen, und dafür bedurfte es ganz offensichtlich einer herzhaften Bestellung. »Ich nehme ...«, ich besann mich in letzter Sekunde, »die Lammspieße mit Reis und auch«, ich versuchte den Blick meines Vaters zu imitieren, »ein Bier. Ein großes!«

Sie klappte die Speisekarten zu und eilte durch die eng gestellten Tische davon. Wir blickten ihr beide nach. Es sah toll aus, wie sie scheinbar nur durch ihren Hüftschwung die Richtung änderte und die Tischkanten umtanzte. Der Saum des Kleides strich hörbar über den Boden, und das Rau-schen mischte sich dezent unter das Stimmengewirr der an-deren Gäste. Mein Vater sah ihr unverblümt hinterher, bis sie durch die Schwingtür in der Küche verschwand.

Wir schwiegen, sahen übers Wasser, auf dem vereinzelte Boote trotz ihrer leicht geblähten Segel nicht von der Stelle zu kommen schienen. Dass mein Vater der Kellnerin hinterhergeglotzt hatte, ärgerte mich. Immer schon hatte er, egal wo man mit ihm war, jeder Frau auf den Hintern, die Brüste, die Beine gesehen. Am schlimmsten allerdings fand ich es, wenn er sich nicht zu schade dafür war, sich nach einer Frau, die an ihm vorbeiging, umzudrehen und ihr hinterherzugaffen. Wie gut ich das kannte, wie genau ich das schon vorher wusste, wenn ich eine Frau auf uns zukommen sah, von der ich sicher war, dass sie ihm gefallen würde. Kaum war sie an uns vorbei, blieb er stehen, hielt kurz inne und drehte sich um. Dabei tat er so – obwohl ihm völlig klar war, dass niemand, weder meine Mutter noch meine Brüder, im Zweifel darüber waren, dass es um die Frau ging –, als wäre er wie in Gedanken verloren, als hätte er etwas in der Richtung, aus der wir kamen, vergessen. Er kaschierte seinen begehrlichen Blick auf den Arsch einer dahergelaufenen Kleinstadt-Tussi mit professoraler Verträumtheit. Es war so plump, dass einem nichts anderes übrig blieb, als es zu übersehen. Und genau das wusste mein Vater. Dass er das aber jetzt, da er krank war, da er nur noch eine Niere hatte, da quer über seinen Bauch eine rubinrote Reißverschlussnarbe verlief und in seinem Bein ein tödlicher Ableger wucherte, immer noch tat, kam mir endgültig armselig, ja sogar würdelos vor. Befreit einen denn, überlegte ich mit Blick auf den Wiking-Turm, so eine Krankheit von nichts? Könnten da nicht diese ganzen schalen Reflexe von einem abfallen und man zu etwas anderem, Neuem gelangen? Bleibt denn immer alles beim Alten? Muss das so sein, dass selbst wenn der Tod näher rückt, man sich nicht mehr selbst in eine offene Zukunft hineinbewegt, sondern sich etwas unerbittlich aus der Zukunft auf einen zubewegt, immer noch alles mickerig und klein bleibt? Vielleicht schämte ich mich auch nur einfach, weil sie auch mir gefiel und ich ja selbst, genau wie er, in dieses Hinterhergaffen versunken gewesen war.

Sie kam aus der Küche und stellte sich hinter den Tresen. Mit der einen Hand hielt sie sich die Haare im Nacken hoch, um sich ein wenig Abkühlung zu verschaffen, mit der anderen zapfte sie das Bier. Sie sah zu uns hinüber, durch das ganze Lokal traf uns ihr Blick. Sie hob das erste Glas hoch und tat etwas Aberwitziges: Sie hielt es sich vor den Mund und blies den über den Rand bauschenden Schaum in die Luft. Einzelne Bierschaumfetzen segelten auf den Tresen nieder. Darauf füllte sie das Glas ganz auf. Mein Vater und ich sahen uns an: »Hast du das gesehen?«, flüsterte er, »die hat den Schaum einfach aus dem Glas gepustet?« »Vielleicht ist das auf dem Balkan ganz normal!«, überlegte ich laut. Er lachte und sagte: »Das wäre ja toll. Ich liebe den Balkan!«

Nachdem sie auch das zweite Glas gezapft, gepustet und gefüllt hatte, machte sie sich wieder auf den Weg. Ihr Wiederkommen war noch sehenswerter als ihr erstes Verschwinden. Hoch oben balancierte sie das Tablett, das Luftlinie auf uns zuschwebte, während ihre Hüften noch ausholender um die sitzenden Gäste und Tischecken herumkurvten. Unsere beiden Biergläser schwebten, ohne zu schwappen, durch den Raum, glitten sicher über die Köpfe, doch ihr Becken wiegte sich mit präziser Eleganz durchs Gewühl.

»So, zwei Bier. Eines für Sie und eines für dich! Essen dauert einen Moment. Ist gerade viel los.« »Müssen Sie das alles alleine machen? Hilft Ihnen niemand?« Das war natürlich genau die richtige Frage und traf sie heiß in ihr balkanisches Herz. »Allerdings. Ich schick Ihnen mal meinen Chef. Könnten Sie dann bitte die Frage wiederholen?« »Das mach ich!«, rief mein Vater viel zu laut, »schicken Sie mir den Kerl her!«

Sie warf den Kopf und ließ sich von ihrem Hüftschwung zurück zur Küche lenken.

Ohne lange darüber nachzudenken, holte ich ihn mit einer Frage auf den Boden der Tatsachen zurück. Ich war selbst überrascht, wie schnörkellos ich dieses heikle Thema ansprach. »Warum bist du eigentlich nicht in Lübeck geblieben?« Er war sichtlich überrumpelt, schob seinen Bauch hin und her und trank das Bierglas halb leer: »Ach, weißt du, ich hab ja nur ein halbes Jahr bei ihr gewohnt. Es war schwer mit den Kindern. Die sind ja noch klein. Und jetzt die Sache mit meinem Bein.« Seine Sprache verlangsamte sich. »Das wird jetzt ja eher schlechter werden. Das wäre doch eine Zumutung.« Auch ich trank etwas von meinem Bier. »Was meinst du denn mit Zumutung? Du warst doch da glücklich.« »Ja, das war ich wirklich. Aber diese Krankheit und ihre Kinder. Das wollte ich nicht.« »Und jetzt?« »Mal sehen.« »Aber dass du dir diesen Krankenhausfraß aus dem Hesterberg bringen lässt, ich finde, das geht nicht, Papa!«

Als sie mit dem Essen kam, mein Lamm vor mir und die mit verkohlten Peperoni dekorierte Grillplatte vor meinem Vater landete, waren wir beide froh, genau zu wissen, was jetzt zu tun war. Mein Vater machte Muh und nagte am Kotelett, ich machte Mäh und drückte die Fleischstücke vom Spieß. Als wir fertig waren, lag auf dem Teller meines Vaters ein ganzer Berg sauber abgenagter Knochen, deren Anblick ich widerlich fand. Er hatte alles verschlungen. Die Knorpel, die Sehnen, das Fett. Die Knochen strahlten weiß und abgeleckt wie Gebeine, die jeden Moment in eine Katakombe verfrachtet werden könnten. Er winkte der Kellnerin zu und gab ihr ein viel zu hohes Trinkgeld, das diese mit, so kam es mir vor, Verachtung quittierte und uns keines Blickes mehr würdigte.

»Wollen wir noch ein bisschen durch die Landschaft fahren? Mal raus aus dem Kaff hier?«, fragte ich meinen Vater, schon angeschnallt im Auto sitzend. Die Vorstellung, direkt zurück in unser Haus zu fahren, war eine ungute. Er wuchtete seinen Po auf dem Autositz vor und zurück, um eine erträgliche Position zu finden: »Gerne, aber nicht zu lange, o. k.?« Ich nickte und startete den Wagen. Wir verließen die Stadt und fuhren schon bald durch die sanft hügelige Landschaft. Die gemähten Kornfelder schimmerten blond. »Ich brauch mal eine Pause«, bat mich mein Vater, und bei der nächsten Gelegenheit bog ich in einen Feldweg ein.

Wir stiegen aus. Der Wechsel aus der Enge des Wagens, wie aus einem abgeschlossenen Gehäuse hinaus in die Landschaft, tat gut. Direkt vor uns sah ich auf einer ausgedehnten Koppel eine monströse landwirtschaftliche Maschine. Es war kein Mähdrescher. In langsamem Tempo fuhr das brummende Ungetüm über lange Bahnen gemähten, bis zu mir herüber duftenden Grases. Auf dem bereits abgefahrenen Teil der Wiese lagen mehrere, in weißen Kunststoff verpackte Kugeln. Wie riesige Eier lagen sie da, in exakt eingehaltenen Abständen zueinander, jede bestimmt zwei Meter im Durchmesser. Ich beobachtete die Maschine bei ihrer Arbeit. Mein Vater stellte sich neben mich. Ich war gespannt, wie es aussehen würde, diese Eier zu legen, und schätzte den Abstand vom letzten Ei zu der Stelle, wo es zur nächsten Eiablage kommen würde.

Das Fahrzeug blieb stehen. Aus seinem Hinterteil fuhren drei Greifarme heraus. Einen Moment geschah nichts, aber ich hörte es im Inneren des Fahrzeuges dröhnen. Da öffnete sich eine Luke und ein gewaltiger Heuballen wurde herausgepresst. So groß hatte ich ihn nicht erwartet. Er rutschte in eine Art Halterung, und plötzlich fingen die Greifarme an zu rotieren, drehten sich schneller und schneller, wurden unscharf und schließlich unsichtbar. Ich begriff nicht recht, was das sollte. Doch schon im nächsten Moment sponnen die Arme weiße Bahnen Kunststofffolie um den Ballen herum. Geschickt wurde der Ballen gewendet und gedreht und in surrendem Tempo weiter eingesponnen. Erst sah der Heuballen noch aus wie bandagiert, doch die Bahnen verkleinerten zügig seine Oberfläche. Mir drückte der Anblick ein wenig auf die Brust, da es mir so vorkam, als würden die Bahnen viel zu eng um die Heukugel herumgezogen, sie einschnüren, so als bräuchte das Gebilde mehr Luft. Die Greifarme spannen und spannen, es drehte sich der Ballen, bis auch das letzte Grün des Heus verschwunden war.

Doch selbst dann schien es noch nicht genug. Weiter und weiter surrten die weißen Plastikbahnen um die Kugel herum. Das wird keine Hülle, dachte ich von meinem Beobachtungspunkt aus, das wird auch keine Verpackung, das wird eine Schale, ein gepanzertes Riesenei. Da verlangsamten sich die Greifarme, bremsten zurück in die Sichtbarkeit und zogen sich zurück ins Innere der Apparatur. Einen Moment lang drehte sich das Ei um sich selbst und verknotete so die drei Kunststoffbahnen zu einem kompakten Seil. Aus einer Öffnung heraus fuhr eine Sichel, hackte in einer selbst aus der Distanz übertrieben wirkenden Rohheit in den Plastikstrang und durchtrennte die Nabelschnur. Das Ei fuhr in die Höhe, wurde nach vorne geschoben und plumpste auf die Wiese.

Wir waren so fasziniert von diesem Vorgang, dass wir am Zaun stehen blieben und uns auch die nächste Heuballengeburt, Verpuppung und Eiablage ansahen. Doch auch danach stiegen wir nicht ins Auto. Als es dämmerte und im Kopf der Maschine Scheinwerfer aufflammten, standen wir immer noch dort. Nachdem das letzte Ei herausgefallen war, umkurvte die Maschine wie eine besorgte Riesenmutter ihr Gelege, stupste da und dort noch einen Ballen zurecht. Oben in einem winzigen Glashäuschen saß im käsigen Licht wie ein blasses Gehirn der Fahrer, völlig bewegungslos. Mein Vater hatte mir den Arm um die Schulter gelegt. Wir zählten die Ballen. Es waren vierundzwanzig. »Genau dein Alter«, sagte er und stieg ein.

Später an diesem Abend, wir saßen vor dem Fernseher, klingelte das Telefon und mein Vater sprang, so gut er konnte, auf, meldete sich förmlich mit »Ja bitte?«, wechselte stimmlich zu einem sehnsuchtsvollen »Hallo, na« und verschwand kabelzerrend im Nebenraum. Sosehr ich auch versuchte, nur dem Fernseher zuzuhören, vernahm ich durch die Tür vereinzelte Gesprächsbrocken. Ich hörte ihn »Ja, das ist so schön, dass er da ist« und »Ja, wir waren essen« sagen und dann noch »Ich dich auch« und noch mal »Ja, ich dich auch!«.

Als er wieder zu mir kam, sah er sterbensunglücklich aus. Er setzte sich und atmete schwer, weit oben, legte sich die Hand auf das Brustbein und klopfte sich leicht. Mir kam es so vor, als ob er jeden Moment Dinge sagen würde, die er mir noch nie gesagt hatte. Ich starrte auf die Mattscheibe und wartete, wartete so sehr, dass er sein Schweigen brechen würde. Ich wollte kein Geständnis, keine Entschuldigungen, keine Erklärungen, ich wollte ganz einfach nur – ja, was eigentlich? – vielleicht ein paar Sätze, die unserer Vertrautheit entsprochen hätten, einen von aller Ironie und Vater-Sohn-Ritualen gereinigten, ungetrübten Moment. Doch er schwieg.

Aber am selben Abend kam er dann doch noch, dieser Moment. Federleicht und unangestrengt, elegant sprach er alles einfach aus.

Er ging früher zu Bett als ich. Ich besuchte ihn im Schlafzimmer, wo noch immer beide Ehebetten nebeneinanderstanden.

»Gute Nacht, Papa. Schlaf gut.« Übermütig warf ich mich auf das verwaiste Bett meiner Mutter. Mein Vater ließ sein Buch sinken. Wie es seine Angewohnheit war, lutschte er hin und wieder vorm Einschlafen einen Lolli. Keine Ahnung, wann er sich das angewöhnt hatte. Früher hatte ich ihm diese Lollis besorgt. Wer machte das jetzt? Mein ältester Bruder nannte ihn, wenn er so im Bett lag, Kojak. Er legte mir seine Hand auf die Schulter. Mein Gott, wie warm diese Hände waren. Selbst im tiefsten Winter nach zwei Stunden Nordseewanderung mit Eissturm waren diese Hände so warm wie im Hochsommer, und meine Brüder und ich stritten oft auf Spaziergängen, wer sich in der Hand meines Vaters seine Eisklumpenfinger wärmen durfte.

Ohne mich direkt anzusehen, fing er zu reden an: »Ich freu mich so, mein Josse, dass du mich besuchst. Es tut mir leid, wenn ich nicht so gesprächig bin, aber es ist schon alles eine riesige Scheiße gerade. Dass ich nicht mehr arbeiten kann, das macht mich so unendlich traurig. Hab das immer so gerne gemacht. Ich mag diese ganzen Kinder so gerne. Ich mag das so gerne, wie die sind, so wild und lebendig. Wenn die sich freuen, dann freuen sie sich, und wenn sie schreien, dann schreien sie halt.« Er sah mich kurz liebevoll an und nickte mir zu. »Nicht wahr. Ich denk da viel drüber nach, warum ich mich unter den angeblich nicht Normalen immer so viel wohler gefühlt habe als unter den angeblich Gesunden. Dieses ganze Getue und Gehabe, dieses Geschwätz. Klar ist das auch Quatsch, sich das schönzureden. Deine Mutter hat da furchtbar drunter gelitten. Nie Besuch, keine Reisen, keine Freunde. Aber ich konnte das nicht anders. Ich werde nie wieder arbeiten. Das ist so, so hart für mich. Aber ich kann einfach nicht mehr den ganzen Tag auf dem riesigen Gelände unterwegs sein. Ich schäme mich auch vor den Ärzten. Ein kranker Arzt, das geht irgendwie nicht. In dieser

Winzstadt wissen das doch alle. Wer schickt seine Kinder zu einem kranken Arzt?«

Er sah mich fragend an. Ich zuckte die Schulter. »Das Bein tut so scheußlich weh. Vielleicht lass ich es doch noch mal operieren. Die langen Autofahrten von Lübeck nach Schleswig. Alles zu viel. Weißt du, die Frau in Lübeck ... wie das klingt, die Frau in Lübeck: Karin heißt die. Die ist viel jünger als ich. Im Zug haben wir uns kennengelernt. Ach, das willst du doch alles gar nicht wissen. Und deine Mutter alleine in diesem Scheiß-Italien. Was will die denn da? Das ist doch alles Quatsch.«

Er seufzte, aber es klang eher erstaunt als verzweifelt: »Was ist das nur alles für ein Wahnsinn, mein Lieber? Da denkt man, im Alter wird das irgendwie besser – Liebeskummer, Sehnsucht –, alles Quatsch. Hab ich neulich gelesen. Da die Männer früher sterben als die Frauen oder im Krieg gefallen sind, sind die Mangelware in den Altenheimen. Die Omis kratzen sich gegenseitig die Augen aus vor Eifersucht. Ach, das hätte mir gefallen. So ein umkämpfter, rüstiger Rentner zu sein. Die Krankheit, die ich hab, das wird schlimm werden, da mach ich mir nichts vor, dafür kenn ich mich zu gut mit so was aus.« Er streckte sich, klackerte mit dem Lolli. »Dabei hab ich nicht ein einziges Loch in den Zähnen, über sechzig und keine einzige Füllung.«

Ich lag auf dem Bett meiner Mutter. Robbte näher an ihn heran und umarmte ihn. Er zog seine Bettdecke hoch und breitete sie über mich. »Mein lieber Josse. Wirklich so schön, dass du da bist.« »Was liest du?« »Ach, Gedichte. Das war immer in meinem Leben so. Wenn es mir schlecht geht, lese ich Gedichte. Da hat man so viel im Kopf und sucht nach geballten Antworten.« »Hast du da was angestrichen?« »Ja, von Benn. Den mag ich. Benn und Goethe.« »Also mit Goethe kann ich überhaupt nichts anfangen«, behauptete ich, obwohl dieses harte Urteil einer tatsächlichen Beschäftigung mit Goethe völlig entbehrte. »Warte nur, Goethe wird dir schon noch begegnen. Das ist auch eher was fürs Alter. Obwohl, lies mal Werther, ich glaube, das könnte dir gefallen. Hör mal, das ist doch toll.« Er las mir das ganze Gedicht vor. Ohne große Betonungen, fast monoton, aber mit einem für jedes Wort empfänglichen Klang:

> *Wer allein ist, ist auch im Geheimnis.*
> *Immer steht er in der Bilder Flut*
> *ihrer Zeugung, ihrer Keimnis,*
> *selbst die Schatten tragen ihre Glut.*
> *Trächtig ist er jeder Schichtung,*
> *denkerisch erfüllt und aufgespart,*
> *mächtig ist er der Vernichtung,*
> *allem Menschlichen, das nährt und paart.*
> *Ohne Rührung sieht er, wie die Erde*
> *eine andere ward, als ihm begann,*
> *nicht mehr Stirb und nicht mehr Werde:*
> *formstill sieht ihn die Vollendung an.*

»Was für ein toller Dichter, oder? Und Arzt. Und ein Schwein war er auch. Weißt du, was der mal gesagt hat? Gute Regie ist besser als Treue! Nicht schlecht, so ein Satz. Nur wie? Ach ja … So, mein Lieber, ich mach jetzt mal Licht aus.«

Ich kroch unter der Vaterdecke hervor, küsste ihn auf seine Glatze und ging in mein sich langsam wieder an mich gewöhnendes Kinderzimmer.

Zwei Tage blieb ich noch bei ihm. Organisierte ihm Margret als Köchin, die schwungvoll wie eine ganze Glücksarmee ins Haus einfiel. Sie schien überhaupt nicht älter geworden zu

sein: »Menschwiesiehtsdennhierausherrprofessorheutegibt-
eshackbratenmitsalatichglaubichwerdnichtmehr!!!«

Theorie und Praxis

Bei meinem nächsten Besuch öffnete mir Ferdinand die Tür. Ich war überrascht. »He, Ferdinand, was machst du denn hier!« »He Ferdinand, was machst du denn hier? Ich leiste deinem Vater ein wenig Gesellschaft.« Er duftete noch genauso wie vor Jahren, als wir gemeinsam im Keller gespielt hatten. »Das ist aber nett von dir.« Wieder sprach er mir nach: »Das ist aber nett von dir. Ach, ich mach das gerne.« »Wie geht es ihm denn?« Und wieder: »Wie geht es ihm denn? Nicht so gut heute. Er freut sich sehr auf dich.« »Ferdinand, warum sprichst du mir immer alles nach?« »Warum sprichst du mir immer alles nach?« Er schloss die Windfangtür, sodass wir im Vorflur nicht gehört werden konnten. »Hab ich mir angewöhnt. Die wollten mich nach Hause schicken. Echolalie nennt man das. Das mache ich absichtlich. Verstellung.« »Aha.« »Aha. Ja, damit ich hierbleiben kann. Jetzt komm mal rein.«

Mein Vater war vom Schlafzimmer ins Wohnzimmer gezogen. Sein Bett war überraschend hoch, aufgebockt auf vier massiven Holzklötzen. Ich begrüßte ihn, küsste ihn. Dafür musste ich mich kaum hinunterbeugen, da er auf Tischhöhe, ja vielleicht noch ein wenig höher, auf Altarhöhe, lag. »Was ist denn mit deinem Bett passiert?« »Ach, ich kann doch so schwer aufstehen. Herzlich willkommen. Haben sie in der

Tischlerei für mich gebaut. Jetzt muss ich mich nur aufrichten. Ich zeig es dir mal.«

Während sich mein Vater hochrappelte, die nackten, sehr blassen Beine über die Bettkannte schob, sah ich, dass ein Mädchen auf der Fensterbank saß. Sie hockte dort in grünen Strumpfhosen und einem eng anliegenden giftgrünen Pullover wie eine Gottesanbeterin, feingliedrig, lange Arme, lange angezogene Beine, und beobachtete mich. Aus der Küche kam Margret um die Ecke geschossen: »Herrprofessorheutegibteskotelettmitmöhrenochdaistjaschonderherrsohnemannichglaubichwerdnichtmehr!« Das grüne Mädcheninsekt glitt von der Fensterbank und setzte sich zu meinem Vater auf die Bettkante. Er stellte mich vor, lächelte: »Das ist mein Sohn, Olga. Keine Angst, der tut nichts.« Ferdinand hatte sich an den Tisch gesetzt und zeichnete eine seiner altbekannten Katzen im Querschnitt. Margret klopfte mir auf die Schulter: »Jetztgibtsgleichrichtigwaszuessenichhoffeduhasthunger.« Ich reichte meinem Vater die Hände und zog ihn hoch, half ihm in seinen Bademantel und brachte ihn rüber zum Ohrensessel. Im Nachbarzimmer hörte ich den Fernseher laufen und ein lang gezogenes: »Ahhhhhhhhhh«. »Wer ist denn dadrin?«, fragte ich. »Wer ist denn dadrin? Da guckt der Anton ›Tom und Jerry‹.« Belustigt sah ich zu meinem Vater: »Na, hier ist ja richtig was los.« Er nickte mir zu: »Ja, ich bekomm viel Besuch. Besuch, der mir gefällt.«

Ich blieb drei turbulente Tage lang, aß ununterbrochen, spielte stundenlang mit Patienten Tischtennis, und als ich wieder aufbrach, fiel uns allen der Abschied außerordentlich schwer.

Ich habe lange gebraucht, den Entschluss meiner Mutter, ihr gerade aufgebautes Leben wieder einzureißen und zu meinem Vater zurückzugehen, zu verstehen. Er hatte sie jahrelang betrogen, durch seine Unnahbarkeit gequält, und doch muss sie geglaubt haben, ihn nicht allein lassen zu können. Ich habe ihr abgeraten. Aber meine Mutter verließ Italien und kehrte zurück nach Schleswig.

Nun geschah Merkwürdiges. Ich fuhr nach Hause, schloss die Tür auf. »Hallo?« Nichts. Keine Patienten, niemand. Ich war in Sorge. Ging durchs Haus und fand meine Eltern schlafend zusammen in einem Bett. Mein Vater hatte den Arm um meine Mutter gelegt. Ihr Kopf lag auf seiner Brust. Ich hatte sie noch nie so miteinander gesehen, so nah.

Ich setzte mich auf die Bettkante und sah sie an. »Seltsam«, dachte ich, »das sind deine Eltern. Deine schlafenden Eltern. Du hast immer nur Vater und Mutter gehabt, aber niemals Eltern.«

Meine Mutter schlug die Augen auf und sah mich an. Eigentlich hätte sie sich erschrecken müssen, aber sie lag nur da und sah mich an. Ich küsste sie und die Hand meines Vaters. Auch er wachte auf. »Mein Josse, wie schön, dass du da bist.«

Ich weiß nicht mehr, wie lange wir so dasaßen. Es war der schönste Moment mit meinen Eltern in meinem Leben.

Meine Mutter blieb bei ihm. Die Frau aus Lübeck rief an. Meine Mutter stellte ihn vor die Entscheidung: »Kein einziges heimliches Telefonat mehr, oder ich gehe fort und lass dich hier alleine sterben.« Ob er sein Versprechen gehalten hat? Ich glaube eher nicht.

Der Schmerz fand in der Körperfülle meines Vaters ein geräumiges Zuhause. Immer wenn er dachte, der Schmerzhöhepunkt wäre erklommen, sein Schmerzzenit überschritten, zog der Schmerz in das nächstangrenzende Organ um. Immer wenn mein Vater sich unter Aufwendung der letzten Kräfte mit einem weiteren Schmerzherd arrangiert hatte, überraschte ihn ein neuer, noch heftigerer Schmerz. Und immer waren die letzten Kräfte noch nicht die wirklich letzten Kräfte. Immer wieder dachte mein Vater: »So, dieser Schmerz ist nun nicht mehr zu steigern, und ich werde mit letzter Kraft versuchen, ihm standzuhalten.« Doch dann kam eben immer wieder ein neuer Schmerz, und es kamen auch immer wieder neue letzte Kräfte. Immer wieder war der katastrophale Zustand von vor zwei Wochen im Nachhinein ein paradiesischer.

In seinem Körper strahlte der Schmerz vom Schmerzzentrum in die angrenzenden Organe und Knochen, strahlte über sie hinaus in das Krankenzimmer, ja in unser ganzes Haus. Ich lag in meinem ehemaligen Kinderzimmer und der Schmerz meines Vaters strahlte durch die Wände, sodass auch ich nicht mehr wusste, wie ich liegen sollte.

Der Todeshauch meines Vaters war ein erfrischender. Er sagte: »Ich habe immer so einen widerlichen Geschmack im Mund. Als hätte ich was Verfaultes gegessen.« Um diesen Geschmack zu besiegen, lutschte er ununterbrochen Bonbons. Doch nichts half. Erst das Schlucken von Unmengen von Mentholkapseln, die eigentlich Husten lockern sollten, vertrieb den fauligen Dauergeschmack. Wenn man ihm jetzt nahe kam, tränten einem die Augen, so einen scharfen, kalten Hauch verströmte er.

Oft lag er einfach da, den Kopf in die Kissen gesunken, der schlecht rasierte Kehlkopf zeichnete sich knorpelig durch die schlaffe Halshaut ab, sich selbst darbietend, bereit, sich von etwas Großem, Übermächtigem fressen zu lassen.

Mein Vater musste sich Tag und Nacht um seinen Schmerz kümmern. Er versuchte zu lesen, doch der Schmerz wurde zornig, wenn sich mein Vater etwas anderem widmete.

Dann kam das Morphium, mit dem er viel zu spät begann. Da war der Schmerz schon so verwildert, dass er sich nur noch durch enorme Mengen Morphium bändigen ließ. Mein Vater spritzte es sich selbst in seinen aufgedunsenen Bauch. Will man den Schmerz wirklich lindern und in den Griff bekommen, muss man den heranwachsenden Schmerz von klein auf mit Morphium füttern. Denn tatsächlich ist der erst spät durch Morphium gedämpfte Schmerz viel aggressiver als der gleich beim ersten Aufflackern bezwungene. Die Morphiumdosen, die sich mein Vater spritzte, wären für einen Gesunden tödlich gewesen. Und der eigentlich unsichtbare Schmerz wurde durch den messbaren Heißhunger nach Morphium sichtbar.

Der tatsächlich letzte und nicht mehr überbietbare Schmerzendpunkt war erreicht, als sich seine Krankheit in die Wirbelsäule, durch die Bandscheiben hindurch ins Rückenmark fraß. Es war eine warme Nacht, und er schrie und schrie, und auch die Patienten der Psychiatrie schrien. Ich lag in meinem Zimmer. Mit dem Kopf am Kopfende, mit den Füßen am Fußende und zusammengebissenen Zähnen. Hörte die Schreie der Patienten, die die warme Nacht erfüllten, und die Schreie meines Vaters, die durch unser Haus gellten. Immer wieder setzte ich mich zu ihm. Doch schon nach zehn Minuten war ich so erschüttert von seinem Leid, so erschlagen von seinem Anblick, so durchdrungen von seinem Schmerz, dass ich wieder in mein Zimmer ging.

Von den unvorstellbar hohen Morphiumdosen fing er zu halluzinieren an. Redete Unsinn, schrie: »Die einzige Badewanne, die etwas taugt, ist die von Kaldewei!« Immer wieder: »Die einzige Badewanne, die etwas taugt, ist die von Kaldewei!«

Der Schmerz gab ihm keine Pause mehr. Hetzte ihn. Als

ich am Morgen aufwachte, war es still im Haus. Ich lief hinunter. Meine Mutter lag zusammengesunken im Sessel meines Vaters. Er lag tot in seinem Bett. Ich stöhnte auf, und meine Mutter sah mich an. »Ist er tot?«, fragte ich. »Nein, ist er nicht!«, antwortete sie. Sie flüsterte wie im Zimmer eines schlafenden Kindes. »Es war eine so schreckliche Nacht. Erst konnte er die Füße nicht mehr bewegen. Dann seine Beine nicht mehr. Er hat so geschrien. Hat gebrüllt: ›Oh Gott, lieber Gott, was ist das? Was ist das? Ich verbrenne. Meine Füße verbrennen!‹ Er hat so geschwitzt. Die Hitze ist ganz langsam an ihm hochgekrochen. Bis zu seiner schlimmen Stelle im Rücken. Ich habe versucht, ihn zu beruhigen. ›Ich verbrenne!‹ Dabei hat er sich auf die Beine geschlagen. Und plötzlich hat er mein Gesicht genommen. Ich dachte: Jetzt stirbt er. Er hatte weit aufgerissene Augen. So eine Angst. Hat mich angestarrt. Und dann plötzlich war der Schmerz weg.«

Ich begriff nicht, was meine Mutter meinte: »Wie, der Schmerz war weg?« »Ja, weg. Von hier abwärts«, sie legte zwei Finger auf mein Brustbein, »ist er gelähmt.«

Als mein Vater Stunden später aufwachte, schwer gezeichnet von seinem Kampf um Leben und Tod, war er von einer uns alle berührenden Heiterkeit. Das erste Mal seit fast zwei Jahren war er ohne Schmerzen.

Es begann eine seltsame Zeit. Ich spielte in Kassel meine ersten kleinen Rollen, und meine Mutter kümmerte sich aufopferungsvoll um meinen gelähmten Vater. Wenn ich sie besuchte, besuchte ich zwei Liebende. Nie hätte ich es für möglich gehalten, meine Eltern so zu sehen. Zwei Liebende, ausgelassen, erschöpft, aber getragen von der Aufmerksamkeit des anderen.

Nach drei, vier Monaten bekam mein Vater immer größere Probleme mit der Atmung, und zu dem sich in den

Schultern neu formierenden Schmerz gesellte sich die Angst zu ersticken. Er spritzte immer noch Unmengen Morphium. Tat er das nicht, bekam er Entzugserscheinungen. Das Morphium wiederum drohte, seine Atmung zu lähmen.

Mein Vater wäre so gerne zu Hause gestorben. Doch nach einem weiteren lebensbedrohlichen Erstickungsanfall kam er ins Krankenhaus.

Meine Mutter zog zu ihm. Mehrmals haben sich der Todeswunsch meines Vaters und die Todesbereitschaft seines Körpers knapp verpasst. Mehrmals wäre er gerne gestorben, aber sein Körper ließ ihn nicht. Und als sein Körper ihn gelassen hätte, kämpfte plötzlich mein Vater.

Fern aller Theorie, ganz mit der alltäglichen, praktischen Schwerstarbeit des Sterbens beschäftigt, überstanden meine Eltern gemeinsam die letzten Wochen.

Schon auf dem Gang des Krankenhauses begegnete mir eine weinende Krankenschwester und umarmte mich. Meine Mutter saß an seinem Bett. Eine Kerze brannte, und seine Hände waren gefaltet, was mich sofort störte. Er sah tatsächlich sehr erleichtert aus. Zerschundene, entspannte Gesichtszüge. Der Schmerz und die Angst hatten endgültig von ihm abgelassen. Später habe ich mich oft gefragt, wo dieser konsistente Schmerz so plötzlich hin verschwunden war. Dieser mit Morphium gemästete Schmerz, der alles Leben aus meinem Vater gesogen hatte, der ihn abgenagt hatte wie einen saftigen Knochen. Dieser kraftvolle, ja durch und durch gesunde Schmerz konnte doch nicht weg sein. Hatte er sich mit dem Tod meines Vaters in Luft aufgelöst, oder war er weitergezogen? Hockte er vielleicht irgendwo, zehrte von der angefressenen Vaterkraft und wartete, sobald er wieder Hunger bekam, auf mich? Meine

Mutter sagte: »Wie gut, dass du da bist. In einer Viertelstunde kommen sie und bringen ihn fort.« Ich war erschrocken, ging sofort zum Chefarzt und bat um Aufschub. »Er bleibt dort, so lange Sie wollen.«

Meine Mutter wollte endlich nach Hause in ihr eigenes Bett. Es war spät. Ich blieb da. Allein mit ihm. Ich zog mich aus und legte mich zu ihm ins Bett. Das hatte ich immer getan. Selbst noch mit zwanzig bin ich unter seine Bettdecke gekrochen, und wir haben uns etwas erzählt. Er war noch warm. Ich berührte ihn, küsste ihn. Hob seine geschlossenen Lider und sah ihm in die stumpfen Augen. Strich ihm über seine Arme, seinen haarigen Bauch.

Die Matratze, auf der er lag, war eine Dekubitusmatratze. Sie lagerte den Patienten permanent um, damit er sich nicht wund lag. Luft strömte stetig in Kammern und entwich wieder.

Ich lag eng bei meinem toten Vater, und unter uns arbeitete diese Matratze. Ich wurde ganz benommen. Er war immer noch warm. Wir schwammen so dahin, aneinandergeschmiegt. Ich schlief ein. Als ich aufwachte, war er immer noch warm. Sein Rücken.

Da merkte ich, dass es nicht seine Wärme war, sondern die der elektrischen Matratze. Ich stand auf und schaltete sie aus. Plötzlich war es still im Raum. Ich hatte das beruhigende Summen vorher gar nicht wahrgenommen. Er wurde schnell kalt und plötzlich auch fremd. Erst jetzt hatte der Tod auch etwas Unerbittliches, Abweisendes. Draußen wurde es hell.

Mein Bruder kam aus Berlin, und ich ließ ihn mit meinem Vater allein. Ich machte einen Spaziergang, fühlte mich befreit und glücklich. So unfassbar glücklich. Endlich ging die geschlossene Faust, in der ich so viele Jahre gelebt hatte, wieder auf. Als meine Mutter kam, war sie überrascht, ja fast entsetzt, dass er immer noch in seinem Bett lag. Nun war es genug, und wir gingen.

Nach fünf randvollen Todesorganisationstagen war die Beerdigung mit anschließendem Requiem. Die Trauernden waren alle sehr gefasst. Nicht wie vor Jahren, wie bei der Beerdigung meines Bruders, wo fast alle weinten, laut aufstöhnten, sich gegenseitig stützten.

Das Requiem hielt ich nicht durch. Der Pfarrer sprach von meinem Vater als einem Mann der Tat. Ich verließ die Kirche und fuhr mit dem Auto nach Hause.

Ich steckte den Schlüssel ins Schloss der Haustür, doch von innen war die Kette vorgelegt. Ich hörte etwas. Ich kletterte über die Mauer in den Garten, lief ums Haus herum, zur Hintertür. Die Scheibe war eingeschlagen, die Tür stand offen. Ich sah mich um, fand aber niemanden. Ich ging ins Haus, durch den Flur ins Wohnzimmer. Alles war verwüstet, Schubladen herausgerissen und ausgeleert.

Ich rannte in die Küche, es stank, jemand hatte auf den Tisch gekackt. Die von der Psychiatrieküche gebrachten kalten Platten und Schalen mit verschiedenen Fischgerichten waren gegen die Wände geworfen worden. Überall lagen Lachs und Schinkenscheiben.

Ich nahm mir ein großes Messer und ging die Treppe hoch. Ich war außer mir. Ich brüllte rum. Ging von Zimmer zu Zimmer. Alle Schränke durchwühlt. Ich fand niemanden.

Ich lief zurück in die Küche und stand fassungslos vor dem Kackhaufen. Gleich würden alle aus der Kirche kommen. Ich nahm eine Tüte und schaufelte die Scheiße mit einem Löffel hinein. Ich wollte auf keinen Fall, dass meine Mutter das sah. Mit irgendeinem Reiniger schrubbte ich den Tisch. Auf den Küchenfliesen kniend, schob ich mit beiden Händen eingelegte Heringe und Aalhappen zusammen. Der

Geruch der Einbrecherscheiße, der Fischgeruch, der chemische Reiniger drehten mir den Magen um. Ich ging ins Bad und kotzte. Dann wischte ich weiter.

Die Plastiktüte versteckte ich draußen in der Mülltonne unter anderem Müll. Mir war flau. Meine Hände stanken. Ich schrubbte sie sauber. Mit der Nagelbürste meines Vaters. Ich übergab mich noch mal ins Klo, spülte mir den Mund aus und ging aufräumen.

Bis die ersten Trauernden zurückkamen, hatte ich immerhin alle Schubladen wieder drin. Erst dann rief ich die Polizei an. Viel zu spät natürlich. Bestimmt zwanzig Freunde und Verwandte hatten sich nach der Beerdigung und vor dem Requiem bei uns getroffen. Die meisten hatten ihre Handtaschen dagelassen. Allen fehlte etwas. Nur meine Großmutter hatte ihre Handtasche hinterm Sessel versteckt. Trotz meines Aufräumens war meine Mutter furchtbar angegriffen, und auch mir schwanden langsam die Kräfte. Der Polizist sprach von einer Bande, die oft während Trauerfeiern zuschlagen würde. Wir hätten aber noch Glück gehabt, da sie fast immer einen, wie es im Ganovenjargon hieß, »Wächter« auf dem Tisch zurückließen.

Kurz nach dem Tod meines Vaters, ich war wieder in Kassel, um Theater zu spielen, rief mich mein Bruder an und bat mich, mit ihm zusammen am nächsten Freitag etwas zu erledigen. Was, wollte er nicht sagen. Aber es wäre wichtig und er wäre froh, es nicht alleine machen zu müssen. Wir fuhren mit dem Auto meines Vaters und kamen an der Stelle vorbei, an der unser Bruder verunglückt war.

Dann erklärte mir mein Bruder den Grund unseres Ausflugs. Bei der Durchsicht der Konten meines Vaters war er auf einen Dauerauftrag gestoßen. Er hatte sich bei der Bank erkundigt und herausgefunden, dass dieser Dauerauftrag seit über fünf Jahren bestand. Jeden Monat tausendzweihundert Mark. Das Geld wurde an eine Immobilien GmbH in Kiel überwiesen. Wir hatten den Totenschein unseres Vaters dabei, um bei ebendieser Firma etwas über die Miete, denn eine Miete war es wohl, zu erfahren. Mein Bruder erzählte mir weiter, dass er einen Schlüsselbund gefunden hätte. Und zwar in der Kiste, die mein Vater damals mitgebracht hatte, nachdem er sein Büro hatte räumen müssen und sicher gewesen war, nie wieder arbeiten zu können.

Von Schleswig nach Kiel sind es circa sechzig Kilometer. Der norddeutsche Winter ist trist. Bis Mittag wird es kaum richtig hell und ab vier schon wieder stockdunkel. Während der Fahrt erzählte mir mein Bruder, dass er die letzte Freundin meines Vaters in Lübeck angerufen und gefragt hatte, ob sie etwas von der Wohnung wisse. Sie wusste nichts, war aber glücklich, mit jemandem aus der Familie sprechen zu können. Sie hatte von dem Tod meines Vaters aus der Zeitung erfahren, und zur Beerdigung hatte sie sich nicht getraut. Sie fragte, ob sie das Grab meines Vaters besuchen dürfe. Mein Bruder war verwundert über ihre Unsicherheit und hatte nichts dagegen. Seitdem liegen immer Blumen auf dem Grab, von denen meine Mutter nicht weiß, woher sie kommen.

In der Immobilienfirma zeigten wir die Sterbeurkunde meines Vaters und kündigten den Dauerauftrag. Die Wohnung hatte eine Kündigungsfrist von drei Monaten. Wir bekamen die Adresse und fuhren los. Wir waren eher still. Mein Bruder sagte nur einmal: »Na, was das wohl jetzt gibt.« Die Wohnung lag direkt an der Kieler Förde in einem Hochhaus. Wir fanden eine Klingel, neben der H. M. stand. Die Initialen meines Vaters. Mein Bruder klingelte. Wir warteten. Da erst wurde mir klar, dass ja vielleicht jemand in der Wohnung sein könnte. Nichts.

Der Schlüssel passte. Mein Bruder fand den ebenfalls mit

H. M. beschrifteten Briefkasten. Dafür hatten wir keinen Schlüssel. Aber mein Bruder öffnete den Briefkastenschlitz. »Hmmm«, machte er, mehr nicht. Wir fuhren mit dem teppichausgelegten Fahrstuhl in den neunten Stock. Auf jedem Flur waren fünf Wohnungen. Auch hier stand der Name meines Vaters abgekürzt gleich an der ersten Tür. Mein Bruder klopfte an. Wieder nichts.

Und dann schloss er die Tür auf. Das Erste, was ich sah, noch im Schein des Flurlichts, war ein Mantel mit Pelzkragen an der Garderobe. Wir fanden den Lichtschalter nicht. Durch große Fenster sahen wir über die Stadt, das Wasser, gelbes Hafenlicht.

»Nicht schlecht«, sagte mein Bruder und knipste endlich das Licht an. Wir standen mitten in einem geräumigen, sehr modernen Appartement. An einer Wand hingen fünf große, gerahmte Schwarz-Weiß-Fotografien. Eine Frau um die dreißig. Die Unterschiede zwischen den Fotos waren minimal. Die Bildfolge begann oben: Sie dreht den Kopf ein Mal durch das Bild, doch nur auf dem mittleren Foto sieht sie den Betrachter an. Die Frau hatte schwarzes Haar und sah sehr schmal aus.

Wir sahen uns in der Wohnung um. Auf dem Nachttisch stand noch ein Foto mit derselben dunkelhaarigen Frau. Mein Vater sitzt neben ihr und noch ein paar anderen Menschen auf einer Terrasse. Er sieht glücklich aus, gelöst. Lacht. Im Hintergrund sieht man Zypressen und eine sanft geschwungene Hügelkette. Er hat einen sommerlichen Anzug an, den ich nicht kenne, und in der Hand hält er ein Cocktailglas mit einer Orangenscheibe auf dem Glasrand.

Ich hatte meinen Vater noch nie einen Cocktail trinken gesehen. Der Schrank war voller Anziehsachen. Auch der helle Anzug vom Foto war dabei. In einer Schublade fanden wir Wäsche. Obwohl es sauber war, merkte man, dass schon lange niemand mehr hier gewesen war. Es gab eine Stereoanlage. Mein Bruder sah sich die Platten an und legte eine auf. Wir setzten uns in die teuren Ledersessel, unterhielten uns und tranken Whiskey. Dann stand mein Bruder plötzlich auf und fing einfach an zu tanzen. Ich sah ihm dabei zu, und dann tanzte ich auch. Wir tanzten beide in dieser Wohnung, und aus dem Kieler Hafen lief eine riesige Fähre aus, festlich beleuchtet.

Es kommt mir mehr und mehr so vor, als wäre die Vergangenheit ein noch viel ungesicherterer, weniger verbürgter Ort als die Zukunft. Das, was hinter mir liegt, soll das Gesicherte sein, das Abgeschlossene, das Gewesene, das nur darauf wartet, erzählt zu werden, und das vor mir soll die sogenannte zu gestaltende Zukunft sein?

Was, wenn ich auch meine Vergangenheit gestalten muss? Was, wenn nur aus einer durchdrungenen, gestalteten Vergangenheit so etwas wie eine offene Zukunft entstehen kann? Es ist ein bedrückender Gedanke, aber hin und wieder kommt mir das Leben, das noch vor mir liegt, wie eine für mich maßgeschneiderte, unumgänglich zu absolvierende Wegstrecke vor, eine Linie, auf der ich vorsichtig bis zum Ende balancieren werde.

Ja, daran glaube ich: Erst wenn ich es geschafft haben werde, all diese abgelegten Erinnerungspäckchen wieder aufzuschnüren und auszupacken, erst wenn ich mich traue, die scheinbare Verlässlichkeit der Vergangenheit aufzugeben, sie als Chaos anzunehmen, sie als Chaos zu gestalten, sie auszuschmücken, sie zu feiern, erst wenn alle meine Toten wieder lebendig werden, vertraut, aber eben auch viel fremder, eigenständiger, als ich mir das jemals eingestanden habe, erst dann werde ich Entscheidungen treffen können, wird die Zukunft ihr ewiges Versprechen einlösen und ungewiss sein, wird sich die Linie zu einer Fläche weiten.

Nach einem Sommerurlaub im Norden machte ich einen Ausflug nach Schleswig, um mir nach all den Jahren das Gelände der Psychiatrie wieder einmal anzusehen. Ich hatte von Stilllegungen gehört, aber dass die Eingriffe so massiv ausgefallen waren, überraschte mich dann doch. Die insgesamt sicherlich drei Kilometer lange Anstaltsmauer ist genauso verschwunden wie die beiden Tore. Man kann jetzt direkt auf das Gelände fahren, und ein Ortsfremder wird den Übergang vom Stadtgebiet zum Anstaltsgelände kaum wahrnehmen. Haus C, D und M sind abgerissen worden, Haus K steht leer und bis zum oberen Stockwerk hinauf sind die Scheiben eingeschmissen worden. Eine Umgestaltung der düsteren Kästen nach heutigem Standard, nehme ich an, ist einfach zu kostspielig. Die später entstandenen Gebäude sind noch in Betrieb, doch ich konnte auf meinem Rundgang kaum etwas erkennen, da alle Zäune durch meterhohe blickdichte Palisaden ersetzt worden sind. Die noch vor den Haupteingängen stehenden Bänke waren verwaist, überhaupt war die gesamte Psychiatrie menschenleer, machte einen evakuierten, wenn nicht sogar geschlossenen Eindruck auf mich.

Ich sah und hörte nichts. Die Gärtnerei, die Schlosserei und auch die anderen Werkstätten hatten mit großen Sperrholzplatten vernagelte Fenster. Der Fußballplatz lag frisch gemäht da. Sogar perfekte Kreidelinien waren auf das Gras gestäubt – danach hatten wir uns früher stets gesehnt. Strafraum, Mittellinie, sogar Elfmeterpunkt, alles da. Die neue Klinik bot einen traurigen Anblick. Die Rostflecken hatten die gesamte Fassade verunstaltet. Hinter den Scheiben, die alle ersetzt worden waren und mir eigentümlich klein und massiv vorkamen, dick wie aus dem Eis herausgestochene Fenster eines Iglus, sah ich dann tatsächlich ein paar Patienten. Wie die letzten Vertreter einer vom Untergang bedrohten Spezies liefen sie verschwommen hinter dem Panzerglas auf und ab.

Obwohl mir vollkommen klar war, dass der frühere Zustand der Anstalt ein unhaltbarer war, dass die Überfüllung und Gepferchtheit der Patienten grauenhaft war, dass die medizinische Versorgung sicherlich unzureichend und der massenhafte Einsatz von ruhigstellenden Psychopharmaka eine unverzeihliche Selbstverständlichkeit war, obwohl mir klar war, dass den letzten verbliebenen Patienten – später erfuhr ich, dass es noch knapp dreihundert waren – sicherlich ein weitaus fachgerechteres und menschenwürdigeres Umfeld geboten wurde, obwohl mir das alles klar war, war mir der Hesterberg noch nie so trostlos, so – ja, ich kann es nicht anders sagen –, so beschissen hoffnungslos vorgekommen wie an diesem Tag.

Konnte das sein? Dass es für alle besser geworden war außer für mich? Da wurde mir klar, dass ich den Verlust einer Welt betrauerte, an deren Verschwinden nichts Trauriges war. Meine Sentimentalität galt einem weltabgewandten, höllischen Ort. Gott sei Dank war diese überfüllte Anstalt verschwunden!

Aber ich sehnte mich mit jeder Faser meines Körpers nach ihr: nach der ungefilterten Freude, den zu langen Umarmungen, dem tobenden Zorn.

Ich sehnte mich nach der Maßlosigkeit, dem Spektakel, der mir selbstverständlichen Normalität dieses Wahnsinnsorts.

Ich sehnte mich nach der – wie soll ich es nur nennen –, ja, der Deutlichkeit dieser Menschen. Einer Deutlichkeit, in die so viele der Patienten schicksalhaft eingekerkert waren.

Und vor allem sehnte ich mich nach diesem tausendfachen Gebrüll der Kranken des Nachts, das mich so herrlich schlafen ließ.

Ich kam zu unserem Haus, das tatsächlich – davon hatte mir meine Mutter zuvor erzählt, ich war also vorgewarnt – eine

Station geworden war: betreutes Wohnen. Ich sah die Haustür. Darüber ein Schild: Haus S. In der Tür entdeckte ich trotz mehrmaliger Übermalung Rillen, die unser Hund dort durch jahrelanges Kratzen hinterlassen hatte, wenn er hineinwollte.

Ich ging am Zaun entlang um das Haus herum und kam zu den nebeneinandergelegenen Kinderzimmern mit ihren Fenstern und meiner Terrassentür. Ein weiß nebeliger Fleck pulsierte im Glas der Türscheibe, wurde kleiner und größer. Hinter diesem Dunstfleck nahm ich undeutlich die Konturen eines Gesichtes wahr. Wie eine pulsierende Qualle schwamm der Fleck im Glas, schrumpfte und wuchs.

Hinter meiner Terrassentür, in meinem Kinderzimmer, saß jemand auf dem Boden und hauchte seinen Atem gegen das Fenster.

Ich kletterte über den Zaun und ging näher heran. Der Boden, den ich betrat, fühlte sich vertraut und verboten an.

Und das war, was ich fand: Ein Junge, nicht älter als sieben, lehnte mit der Stirn erschöpft an der Scheibe, seine geöffneten Augen starrten nach draußen. Er blickte durch mich hindurch in eine friedliche Leere. Er atmete: ein und aus. Tat nichts anderes, als zu atmen: ein und aus. Saß in meinem Kinderzimmer auf dem Boden. Das Glas beschlug und klärte sich wieder. Er verschwand und tauchte wieder auf, verschwand und tauchte wieder auf. Mehr nicht.

Weitere Titel von Joachim Meyerhoff
bei Kiepenheuer & Witsch

Alle Toten fliegen hoch. Amerika. Taschenbuch.
Verfügbar auch als E-Book

Ach, diese Lücke, diese entsetzliche Lücke.
Roman. Taschenbuch. Verfügbar auch als E-Book

Joachim Meyerhoff führt seinen Ich-Erzähler aus der norddeutschen Provinz in die Weiten des amerikanischen Westens – eine mitreißende Geschichte von Liebe, Fremde, Verlust und Selbstbehauptung.

Wanderer zwischen den Welten: tagsüber verwirrter Schauspielschüler – abends umsorgter Gast bei den geliebten Großeltern. Im dritten Teil seiner Romanreihe verbindet Bestsellerautor Joachim Meyerhoff erneut auf grandiose Weise Komik und Tragik miteinander.